1277

Das Buch
Joachim Meyerhoff erzählt von der Sehnsucht eines Teenagers nach einem Neuanfang, ganz weit weg und auf sich gestellt, und von einem Verlust, der alles zunichtezumachen droht. Der Leser ist sofort an der Seite des jungendlichen Helden, der sich Mitte der Achtzigerjahre aufmacht, einen der begehrten Plätze in einer amerikanischen Gastfamilie zu ergattern. Aber beim Auswahlgespräch werden ihm die Unterschiede zu den weltläufigen Großstadt-Jugendlichen schmerzlich bewusst. Konsequent gibt er sich als genügsamer, naturbegeisterter und streng religiöser Kleinstädter aus – und findet sich bald darauf in Laramie, Wyoming wieder, mit Blick auf die Prärie, Pferde und die Rocky Mountains. Der drohende ›Kulturschock‹ bleibt aus, die Basketballsaison steht bevor, doch dann reißt ein Anruf aus der Heimat ihn wieder zurück in seine Familie nach Norddeutschland – und in eine Trauer, der er nur mit einem erneuten Aufbruch nach Amerika begegnen kann.
Dieser mitreißende Entwicklungsroman erzählt von Liebe, Fremde, Verlust und Selbstbehauptung und begeistert durch Sensibilität, Selbstironie und Witz.

Der Autor
Joachim Meyerhoff, geboren 1967 in Homburg/Saar, aufgewachsen in Schleswig, ist seit 2005 Ensemblemitglied des Wiener Burgtheaters. In seinem sechsteiligen Zyklus »Alle Toten fliegen hoch« trat er als Erzähler auf die Bühne und wurde zum Theatertreffen 2009 eingeladen. 2007 und erneut 2017 wurde er zum Schauspieler des Jahres gewählt. Für seinen Debütroman wurde er 2011 mit dem Franz-Tumler-Literaturpreis und 2012 mit dem Förderpreis zum Bremer Literaturpreis ausgezeichnet. Im September 2016 erhielt er den Nicolas-Born-Debütpreis, den Euregio-Schüler-Literaturpreis, im Januar 2017 die Carl-Zuckmayer-Medaille des Landes Rheinland-Pfalz. Im Mai 2017 wurde Joachim Meyerhoff in der Sektion Darstellende Kunst in die Akademie der Künste aufgenommen.

Weitere Titel bei Kiepenheuer & Witsch
»Wann wird es endlich wieder so, wie es nie war«, »Ach, diese Lücke, diese entsetzliche Lücke«

Joachim Meyerhoff

Alle Toten fliegen hoch

Teil 1: Amerika

Roman

Kiepenheuer & Witsch

Verlag Kiepenheuer & Witsch, FSC® N001512

53. Auflage 2018

Umschlaggestaltung: Rudolf Linn, Köln
Umschlagmotiv: © Privatbesitz des Autors
Karte: Oliver Wetterauer, Stuttgart
Gesetzt aus der Adobe Garamond
Satz: Buch-Werkstatt GmbH, Bad Aibling
Druck und Bindung: CPI books GmbH, Leck
ISBN 978-3-462-04436-2

Für Alberta

1. Kapitel

Mit achtzehn ging ich für ein Jahr nach Amerika. Noch heute erzähle ich oft, dass es ein Basketballstipendium war, aber das stimmt nicht. Meine Großeltern haben den Austausch bezahlt.

Von der norddeutschen Kleinstadt, in der ich nicht geboren, aber aufgewachsen bin, braucht der Eilzug nach Hamburg keine zwei Stunden. In diesen Zug stieg ich ein und suchte mir einen Sitzplatz.

Geboren bin ich seltsamerweise in Homburg im Saarland, von wo aus wir nach nur drei Jahren nach Norddeutschland umgezogen waren. Da ich leider nicht zu den genialischen Menschen gehöre, deren Erinnerung mit pränatalen Fruchtwassererlebnissen oder Mozartschallwellen einsetzt, oder zu denen, die gestochen scharfe Bilder ihrer frühesten Lebensjahre in wohlbehüteten Gehirnkammern aufbewahren, zum Beispiel, wie sie mit anderthalb gegen eine geschlossene Glasschiebetür geknallt sind, habe ich an Homburg im Saarland nicht die geringste Erinnerung. Ganz verschwommen sehe ich hin und wieder eine Elster, eine saarländische Elster, die auf der Schiebestange meines Kinderwagens sitzt und mich anstarrt.

Das mit der Glasschiebetür ist mir selbst widerfahren. Ich konnte gerade laufen. Mein ältester Bruder setzte mich in einen Sessel und ging auf die Terrasse hinaus. Erst wenn er meinen Namen rief, durfte ich vom durchgesessenen Blumenmustersessel hinunterkrabbeln und auf meinen noch wackeligen Beinen durch das Zimmer hinaus ins Freie, in seine Arme rennen. Über die Bodenschienen der Schiebetür hinweg hätte ich jedes Mal einen niedlichen Hopser gemacht. Angeblich konnte ich von diesem Im-Sessel-Sitzen und Auf-Kommando-ins-Freie-Laufen im Gegensatz zu meinem Bruder nicht genug bekommen. Schon in seinen Armen, den Bruderarmen, hätte ich »Noch mal! Noch mal!« gerufen. Nach dem zwanzigsten oder fünfundzwanzigsten »Noch mal! Noch mal!« setzte mich mein Bruder wieder in den Sessel und zog die Schiebetür zu, um herauszufinden, ob ich schon wüsste, dass man nicht durch Glas gehen kann. Ich wusste es nicht und donnerte mit solcher Wucht gegen die Scheibe, dass meiner Mutter vor Schreck das Buch bis an die Zimmerdecke flog und mein Vater in der Küche dachte, jemand hätte mit voll Karacho einen Fußball gegen die Schiebetür geschossen. Wie eine unsichtbare Faust hatte mich die Scheibe auf dem Weg in die weit geöffneten Arme meines Bruders niedergestreckt. Mein Vater kam und wollte den Übeltäter schimpfen, fand aber nur mich. Vor der Tür liegend, benommen, wie eine gegen das Fenster geknallte Amsel. Mein Bruder wurde ermahnt, keine Experimente mit mir zu machen, und in sein Zimmer geschickt. Auf der Scheibe waren in geringem Abstand ein Speichel- und ein Fettfleck. Ich soll nach dieser Kollision mit dem Nichts mehrere Tage lang beim Umhergehen verängstigt mit vorgestreckten Händen die Luft abgetastet und nach unsichtbaren Mauern gesucht haben. Das, so mein Vater, wäre ihm damals sehr zu Herzen gegangen. Ich hätte mit meiner riesigen, grün-blauen Beule auf der Stirn, den weit aufgerissenen Augen und den suchenden Fingerchen wie ein kleinwüchsiges, fremdartiges

Wesen von sehr, sehr weit her ausgesehen. Jahre später sagte mein Vater zu mir: »Es sah aus, als würdest du auf einer unsichtbaren Schreibmaschine geheime Botschaften in die Luft tippen.«

An etwas anderes erinnere ich mich selbst noch ganz genau. Ich rollte mit dem Fahrrad eine Straße entlang und sank plötzlich ein. Mitten in der Stadt. Der Asphalt gab nach und mein Vorderrad versank knapp einen halben Meter tief. Als sich die Straße auftat, wusste ich noch nicht, dass es nur einen halben Meter tief hinabgehen würde. Es fühlte sich so an, als ob ich gleich kopfüber ins Erdinnere fallen würde. Gut, dass mir das erst später, mit ungefähr vierzehn, und nicht schon damals in meiner Geburtsstadt, diesem Homburg im Saarland, mit zwei Jahren auf einem Dreirad widerfahren ist. Kein Vertrauen in die Festigkeit der Erdoberfläche und brutale Schläge aus dem Nichts hätten vielleicht doch zu nachhaltigeren Verunsicherungen führen können.

Manche frühen Erinnerungen sind auch deshalb so stark, weil sie wie Wunder daherkommen, unerklärlich und hinterrücks über einen hereinbrechen:

Ich bin ungefähr zehn, knie auf dem Gehsteig und male mit Straßenkreide eine Kuh. Bis heute kann ich keine Kuh malen, kein einziges Tier kann ich malen. Ich kann es wirklich nicht. Ich würde es so gerne können. Mir eine Kuh vorstellen, die Kreide zücken und malen. Mit wenigen lockeren Linien den Umriss skizzieren und schon liegt da eine Kuh auf dem Gehweg. Doch selbst unter Androhung der schlimmsten Folter könnte ich es nicht. Das habe ich mir damals oft überlegt, ob ich etwas besser können würde, wenn mir etwas Grauenhaftes angedroht würde: »Los! Löse diese Rechnung, oder wir erschießen euren Hund!« Hätte das genützt? Vor Schwimmwettkämpfen habe ich mir immer vorgestellt, dass es um mein Leben oder das meiner Brüder oder Eltern gehen würde: »Los! Schwimm, so schnell du kannst! Nur wenn du Kreismeister wirst, sagen wir dir, wo wir die Kiste mit deinen Eltern im Wald vergraben haben.« Ich hatte von meinem ältesten Bruder erzählt bekommen, dass eine Mutter, deren Kind unter die Kette einer Schneeraupe gerutscht war, diese Schneeraupe hochgewuchtet und umgekippt hatte. Schlummerten solche Kräfte auch in mir? Und was musste geschehen, um sie zu entfesseln? Mit solchen Fragestellungen konnte ich mich stundenlang beschäftigen!

Ich knie auf dem Gehsteig und versuche, eine Kuh zu malen. Da kommt ein Mann, bleibt vor mir stehen, packt mich mit der einen Hand am Fußgelenk, mit der anderen am Handgelenk, schleudert mich einmal im Kreis herum und wirft mich über eine hohe Hecke. Einfach so! Ich fliege durch die Luft und lande bei fremden Leuten im Garten, die gerade feierlich Tomaten ernten und jede Tomate in die Sonne halten. Die Frau stürzt auf mich zu. »Was fällt dir denn ein? Du spinnst wohl. Steh sofort auf! Mach, dass du aus unserem Garten kommst!« Sie packt mich am T-Shirt und zerrt mich zu einem Gartentörchen. Der Mann brüllt: »Du unverschämter Bengel! Hau ab, sonst knallt's!« Der Kopf des Mannes wird vom Brüllen so schön rot wie die Tomate in seiner Hand. Er droht mir mit einer grünen Schaufel und sabbert vor Zorn auf sein verschwitztes Unterhemd. Die Frau öffnet das Törchen, greift mir in die Haare, reißt an meinen blonden Locken, schüttelt mich, kreischt immer wieder »Das ist unser Garten! Ist das so schwer zu verstehen? Das ist unser Garten! Hau ab! Das ist unser Garten!«, und schubst mich mit solcher Gewalt auf den Gehweg, dass ich stolpere und mir ein Knie blutig schlage. Ich sitze da und fange an zu weinen. Eine andere Frau kommt den Gehweg entlang, zeigt auf meine halb fertige Kuh und sagt: »Warum weinst du denn? Das wird doch ein schönes Pferd!«

Diese Begebenheit hat höchstens vierzig Sekunden gedauert und ist eine Erinnerung von unanfechtbarer Größe. Als ich am Abendbrottisch erzählte, dass mich ein Mann über eine Hecke geworfen habe, bekamen meine beiden Brüder einen Lachanfall und sagten abwechselnd Dinge wie »Ja, und mich hat gestern einer über die Straße geworfen!« oder »Der wird überall gesucht. Da hast du aber noch mal Glück gehabt! Eigentlich beißt er Kindern, bevor er sie über die Hecke wirft, den Kopf ab!«. Sie lachten dabei so sehr, dass ihnen der Schinken vom Brot fiel. Ich wurde böse, stellte mich auf den Stuhl und krempelte mein Hosenbein hoch. »Und was ist das hier?«, rief ich verzweifelt. Meine Mutter fragte mich: »Was hast du denn mit deinem Knie gemacht, mein Lieber?« Ich antwortete: »In dem Garten, wo ich gelandet bin …«, meine Brüder brüllten »Gelandet!!!« und rutschten vor Lachen von ihren Stühlen unter den Tisch.

Der Zug knallte mit den Türen und setzte sich in Bewegung Richtung Hamburg. Ein letzter frühkindlicher Schicksalsschlag, der mit Hamburg, meinem Reiseziel an diesem Tag, zu tun hatte: In der zweiten Klasse machte ich einmal einen Schulausflug zu einer Rutschenausstellung. Wir kamen mit dem Bus an, und vor uns ragten unglaubliche Rutschen in die Höhe. Hubbelrutschen, Röhrenrutschen, Rutschen mit Steilkurven und sogar eine Riesenrutsche, auf die, das hatte unsere Lehrerin feierlich angekündigt, eine Rolltreppe hinaufführen würde. Sie rief damals mit Abenteuerpathos in der Stimme von ihrem Platz neben dem Fahrer in den Bus hinein: »Diese Rutsche ist der Mount Everest unter den Riesenrutschen!« Noch ehe der Bus gehalten hatte, drängten sich alle auf die eine Seite – ein Schiff wäre gekentert –, und zig Finger zeigten auf die alle anderen überragende Riesenrutsche. Wir wollten so schnell wie möglich aus dem Bus raus und loslaufen. Nur mit Mühe, immer wieder von vor Rutschdrang entfesselten Schreien unterbrochen, gab die Grundschullehrerin ihre Anweisungen: »Fasst euch bitte an den Händen!« In einer gebändigten, zum Losspurten bereiten, energiegeladenen Zweierreihenformation quälten wir uns über den Parkplatz zu den Kassen. Jeder bekam an einem Band eine Eintrittskarte um den Hals gehängt. Man durfte rutschen, so oft man wollte. So oft man wollte! Ein Rutschenparadies.

Nachdem wir einzeln durch die Drehkreuze geschleust worden waren, konnten wir endlich losstürmen. Ich war schnell und überholte einige meiner Mitschüler auf dem Weg zum Eingang der Riesenrutsche. Am Fuß der Rutsche legte ich meinen Kopf in den Nacken. Sie war viel höher, als ich es für möglich gehalten hatte. Ich stellte mich in die Schlange und betrat die Rolltreppe, die eher eine Art Förderband war mit einem sich in die Höhe schiebenden Handlauf. Nach knapp fünf Metern erreichte man eine umgitterte Plattform, musste um die Ecke gehen und sich auf das nächste Förderband stellen. So ging es viele Male, bis man oben war. Windig war es, dachte ich, ganz klar andere thermische Bedingungen als unter mir im Flachland. Man konnte weit sehen. Bis zum Hafen. Eine Ampel sprang alle paar Sekunden von Rot auf Grün und regelte so den Rutschfluss. Ich stellte mich an. Ich schubste und drängelte, da ich von hinten geschubst und gedrängelt wurde. Nur noch zwei vor mir. Grün! Wie von einem Strudel erfasst, wurde das Kind, das an der Reihe war, in die Tiefe gesogen, verschwand im leuchtenden Plastikmaul. Die Ampel sprang auf: Rot! Dann wieder: Grün! Das Mädchen vor mir zögerte, drehte sich kurz um und sah, dass es kein Zurück mehr gab. Die geballte, vorwärtspulsierende Sehnsucht der nachdrängenden Kinder ließ ihr keine Wahl. Sie setzte sich, wollte vorsichtig rutschen, doch das

Gefälle interessierte sich nicht für ihre Bedenken und strudelte auch sie hinab.

Jetzt war ich an der Reihe. Rot! Warum war es so ewig lange Rot? Dann: Grün! Mutig, mit zwei kräftigen Schritten Anlauf, warf ich mich in den Rutschkanal. Ich warf mich hinein und – blieb am Boden kleben! Mit einem quietschenden Bremsgeräusch saugte sich meine Hose an der Rutsche fest. Ich gab mir Schwung mit den Händen, doch ich kam nicht von der Stelle. Obwohl es so steil war. Sobald meine Hose die spiegelglatte Plastikabfahrt berührte: Stillstand. Ich begriff nichts. Ich kam auf die Füße und lief im Krebsgang die nächste Windung hinunter. Setzte mich, stieß mich, wie ein versehrter Leprakranker mit umwickelten Stümpfen, mit den Händen voran. Nichts, einfach nichts. Ich rutschte keinen Millimeter.

Genau in dem Moment, als mir klar wurde, warum ich ein Aussätziger war, warum mich der große Rutschenfluch ereilt hatte, als mir dämmerte, dass es keine Strafe Gottes war, sondern dass es eine ganz und gar nicht weniger schlimme Erklärung gab, genau in diesem Moment, als mir klar wurde, dass die Hose, die kurze Hose, die ich mir am Morgen völlig sorglos, ja heiter herausgesucht hatte, eine von mir geliebte mit Hosenträgern und Hirschhornhirsch verzierte Lederhose, der Grund für meine vollkommene Rutschuntauglichkeit war, genau in diesem Moment, als mir dies alles klar wurde und mich mit großem Kummer, ja Entsetzen überschwemmte, traf mich mit voller Wucht, Schuhe voran, der nächste rasende Rutscher wie ein Projektil im Rücken. Er schrie mich an: »Rutsch, Mensch, rutsch!« Ich brüllte zurück: »Ja, wie denn? Wie denn? Ich kann nicht. Ich kann doch nicht!« »Mensch, los! Der Nächste kommt gleich!« Ich versuchte, mich hinzustellen, kam auf die Füße und stieß mir den Kopf. Gebückt stolperte ich ein Stück den abschüssigen Tunnel hinunter. Ich fiel nach vorne und landete auf dem Bauch. Der Lederlatz quietschte, das handgeschnitzte Hirschkopfemblem darauf knirschte übers Plastik. Ich war eine einzige Vollbremsung. Nichts an mir rutschte. Meine nackten Oberschenkel bremsten, meine Schuhe, meine Hände. Da rauschte das nächste Kind in das Kind hinter mir, prallte mit dem Gesicht gegen die Röhre und brüllte los: »Ahhhhhhh!« Durch die Enge verdoppelte und verdreifachte sich das Gebrüll. Eine Sandale traf mich am Hals, direkt in mein Ohr schrie es: »Setz dich hin, du Idiot! Jetzt rutsch doch endlich, du Spasti!« Auch meine eigenen Verzweiflungsschreie türmten sich auf, Hall und Widerhall, und gellten mir in den Ohren. Panik ergriff mich. Ich rannte und fiel, quietschte und stieß mich die Riesenrutsche hinunter. Nach jeder Serpentine erwartete ich den rettenden Ausgang, Licht am Ende des Rutschentunnels. Doch es nahm und nahm kein Ende. Hinter mir staute sich eine keifende minderjährige Meute, und ich kämpfte mich Windung für Windung weiter hinab durch diese Spirale der Demütigung. Mein Bein knickte weg, verhedderte sich mit anderen Beinen, verhakte sich mit anderen Armen. Wir wurden langsamer, und schließlich standen wir still. Ein in sich verkeilter Haufen schreiender Kinder verstopfte die Rutsche. Mit den Füßen voran prallten die nächsten Rutscher in den Pfropfen und drückten ihn Meter für Meter durch den roten Plastikdarm. Da hörten die Kurven plötzlich auf, es ging noch steiler bergab, fast im freien Fall, und das Kinderknäuel wurde auseinandergerissen. Mit letzter Kraft schoss ich, ein völlig verstörter Korken, aus der Röhrenöffnung heraus und kopfüber in den Sand. Auf mich drauf zornige, heulende, um sich tretende und schlagende Bestien. Der Haufen entwirrte sich rasch, sie klopften sich den Sand von den Hosenbeinen, wischten sich die Tränen ab und rannten zum Fuß der Rutsche, um sich vom Förderband für einen zweiten, sicherlich glücklicheren Versuch hinauftragen zu lassen.

Ich stand auf. Im Sand sah ich meinen Abdruck. Klar umrissen, wie in einem Krimi, wo die Erschossenen mit Kreide ummalt werden. Ich hatte Sand im Mund. Viel Sand. So, als hätte mir jemand eine gehäufte Schaufel hineingeschippt. Ich schleppte mich ein Stück weiter, setzte mich auf den Rasen. Diese scheiß Lederhose! Meine Mutter war schuld. Keiner in der Schule trug Lederhosen. Nur ich. Wie hatte ich ihr nur glauben können, dass man stolz darauf sein müsse, etwas anzuziehen, was sonst keiner anzieht. Ein Kleidungsstück, das nichts weiter war als eine nostalgische Verklärung, eine sentimentale Reminiszenz an ihre ach so idyllische Kindheit in Bayern, die ich jetzt im Norden auszubaden hatte. Immer hatte ich diese Lederhose geliebt, jetzt hasste ich sie.

Die Lehrerin kam zu mir, und auf ihre Frage »Was ist denn? Warum rutschst du denn nicht?«, antwortete ich: »Ich kann nicht!« Der Sand knirschte zwischen meinen Zähnen. »Wie, du kannst nicht? Das ist doch ganz einfach!«, lachte sie, »rutschen kann doch jeder!« Ich trampelte mit den Schuhen auf dem Rasen herum und warf mich nach hinten. »Eben nicht! Eben nicht! Eben nicht!« Die Lehrerin kannte meine Zornattacken, deren Auslöser oft kaum zu durchschauen waren. Sie sagte: »Na, dann kann ich dir auch nicht helfen. Guck mal da, da sind auch noch liebere Rutschen!« Dieses »liebere Rutschen!« gab mir den Rest. Ich sprang auf und rannte davon. Ich versuchte, mir die Du-darfst-so-oft-rutschen-wie-du-willst-Karte vom Hals zu reißen. Ich weiß noch, wie ich zornig an ihr zerrte, sie aber eben nicht riss. Ich sie mir über den Kopf ziehen musste und durch mein unkontrolliertes Rupfen mit dem Band mein eines Ohr schmerzhaft umklappte. Ich warf sie weg und rannte zum Bus. Der Busfahrer hatte die Bustür offen und lag ausgestreckt in einem Liegestuhl. »He, was ist denn los? Was vergessen?« Ich log: »Ich bin krank und soll mich ausruhen!« »Na, dann geh mal rein!« Ich ging zu meinem Platz. Da lag noch das Papier meines Lieblingsschokoriegels. Ich warf mich in meinen Sitz. Von meinem Platz aus sah ich den Gipfel der Riesenrutsche und Kinderköpfe, Finger im Maschendraht der Gipfelplattform.

Auf der Rückfahrt schwärmten und johlten alle durcheinander, prahlten und übertrumpften sich gegenseitig mit den wildesten Rutscherlebnissen: »Ich bin die Riesenrutsche auf dem Bauch …«, »Ich dachte, ich flieg voll aus der Kurve!«, »Und wie wir dann alle zusammen …!«. Meine Mitschüler aßen ihren Proviant. Drehten die Wurst- und Schinkenbrote mit ihren geschickten Fingerchen hin und her und knabberten das Weiche von der Rinde. Und dann schlief die ganze Horde einfach ein. Erlebnisgesättigte Stille. Dem Jungen neben mir entglitt die halb geschälte Banane, wurde nach und nach bräunlich, während der Bus gemächlich Richtung Heimatstadt fuhr. Die Lehrerin plauderte mit dem einhändig fahrenden, sonnenverbrannten Busfahrer, lachte so komisch, wie ich sie noch nie lachen gehört hatte, und meine Mitschüler zuckten in ihren Träumen. Die rutschen, dachte ich, wahrscheinlich immer noch. Gedurft hätten sie. Denn das Tagesticket hing jedem von ihnen wie eine Medaille um den Hals.

Auf der Zugfahrt von der Stadt, in der ich nicht geboren, aber aufgewachsen bin, nach Hamburg gibt es erst auf den zweiten Blick einiges zu sehen. Nach fünf Minuten kam ein kleiner See, der sogenannte Hinterteich, in dem mein ältester Bruder oft mit lebenden Köderfischen angelte. Das war eigentlich verboten, aber darum kümmerte er sich nicht. Den Angelhaken stieß er ihnen einfach um die Wirbelsäule herum durch den Rücken. Mehrere so präparierte Fischlein hingen wie an einem Mobile im Wasser und sollten durch ihre sanfte, dem Tode geweihte Agonie die Hechte anlocken.

Mein Bruder war nicht nur ein passionierter Angler, sondern auch stolzer Besitzer mehrerer 300-Liter-Aquarien. Es war noch gar nicht lange her, dass er zusammen mit seinen Freunden in seinem abgedunkelten Zimmer Kampffischturniere veranstaltet hatte. Die Freunde trugen in mit Wasser gefüllten Plastiksäckchen ihre besten Kämpfer in sein Zimmer. Mit einem Taschenspiegel wurden die Kampffische aggressiv gemacht. »Nichts«, sagte meine Bruder, »hasst ein Kampffisch so sehr wie sich selbst!« Voller Zorn, mit aufgefächerten Flossen, attackierten sie ihr Spiegelbild. Wenn sie nach Expertenmeinung genug Angriffslust aufgebaut hatten, wenn sie »richtig heiß« waren, kamen zwei von ihnen in das pflanzenlose Kampfbecken. Mein Bruder und seine Freunde hockten darum herum und feuerten die Fische an. Durch Flehen, Handlangerdienste und unter auf Knien gegebenen Schwüren hatte ich das Herz meines Bruders erweicht und durfte hin und wieder zusehen. Die Kampffische stürzten sich aufeinander, jagten sich, bissen sich. Sie hörten nicht eher auf, bis einer von ihnen tot war und von seinem Besitzer enttäuscht herausgefischt wurde. »Mein Gott, was für ne nasse Null!« Die Sieger waren allerdings keine strahlenden. Bisswunden und eingerissene Flossen waren die Insignien ihres Mutes. Häufig verstarben die schillernden Helden schon kurze Zeit später, überlebten die Besiegten nur um eine lächerliche Stunde, und folgten ihnen durchs Klo ins Kampffischjenseits. Mein Bruder und seine Freunde erzählten gerne Veteranengeschichten. Erzählten von Fischen, die zehn, ach was, fünfzehn Kämpfe überstanden hatten und noch als schwanz- und flossenlose, mit Narben übersäte Krüppel verbissen weiter angegriffen hätten. Im Garten hatten wir einen kleinen Friedhof. Hier lagen Meerschweinchen und Zebrafinken. Eine extra Sektion war der Heldenfriedhof. Hier wurden die Kampffische, die zu Ruhm gekommen waren, die wenigen wahren Sieger, zur letzten Ruhe gebettet. Brettchen mit klangvollen Namen schmückten die Gräber: »Diamond Dog«, »Major Tom« oder »Ziggy Stardust«. Gewettet wurde um kleine Geldbeträge, die rund ums Aquarium auf der Tischplatte lagen. Als mein Vater von den Kampffischwettkämpfen erfuhr – er hatte ein arg zerrupftes Exemplar in der Kloschüssel entdeckt –, war er sprachlos, verbot sie strengstens und hielt meinem ältesten Bruder eine Moralpredigt über die Achtung vor der Kreatur. Ich wurde verdächtigt, ihm alles gepetzt zu haben. In einem halbstündigen Schwitzkastenverhör versuchte mir mein Bruder die Wahrheit abzupressen. »Los, Verräter, gib zu, dass du uns verpfiffen hast!« Das war das Ende der Wettkämpfe, und die in Bundeswehrparkas herbeischlurfenden Freunde mit ihren Plastikbeutelgladiatoren verschwanden. Worüber ich noch oft nachgedacht hatte, war Folgendes: Warum sanken einige der getöteten Kampffische zum Grund und warum trieben andere an der Oberfläche? Wen machte der Tod leicht und wen schwer?

Nach zehn Minuten Zugfahrt erschien ein hundert mal hundert Meter großer Baggersee mit einer automatischen Wasserskianlage. Wo ich immer, immer mal hinwollte. An einer Art Schlepplift kann man sich dort im Karree über das Wasser ziehen lassen. Nach fünfzehn Minuten gab es einen Blick auf die weit entfernten Hüttener Berge und die Kuppeln dreier in der Sonne glänzender, kugelförmiger Radaranlagen. Angeblich waren dort auch mehrere Langstreckenraketen im Boden versenkt. Unter automatischen Luken, in Schächten verborgen, jederzeit bereit, in nur sechsunddreißig Minuten nach Moskau zu zischen. Kurz sah ich die Kuppe des höchsten Bergs Schleswig-Holsteins: den Bungsberg. Mit 168 Metern eine Vollkatastrophe von Berg. Aufgrund der lächerlichen Höhe ist ein Datum der Erstbesteigung nicht bekannt.

Ich war ein wenig aufgeregt, denn der Grund für meine Reise nach Hamburg war ein besonderer. Ich hatte in der Schule einen Tag freibekommen und sollte am Mittag an einem Ausscheidungsverfahren teilnehmen, das darüber entscheiden würde, ob ich nächstes Schuljahr für ein Jahr nach Amerika gehen könnte. Die Organisation, mit der ich den Austausch plante, hatte mir mehrere Briefe geschrieben und immer den Eindruck erweckt, als wäre es ein riesiges Glück, wenn sie ausgerechnet mich auswählen würden. Dabei sollten meine Eltern beziehungsweise meine Großeltern viel, viel Geld dafür bezahlen, um mir dieses Gefühl, einer der Auserwählten zu sein, zu finanzieren. Ich wollte es so sehr. Ich wollte unbedingt weg. Weit, weit weg. Es waren Dinge vorgefallen, die ich hinter mir lassen wollte.

Was mich an diesem Nachmittag erwarten würde, wusste ich nur ungefähr: Ein Sprachtest, wahrscheinlich ein paar Gruppenspiele, um herauszufinden, ob ich tatsächlich der neugierige, selbstbewusste, natürlich auch rücksichtsvolle junge Mann war, als der ich mich beworben hatte. Dann noch ein Einzelgespräch und ein umfassender Fragebogen. Der Fragebogen war angeblich das Wichtigste, da auf ihn hin die passende Gastfamilie ausgesucht wurde. Und dann hatte ich in Hamburg auch noch etwas ganz anderes vor. Ich hatte einen Plan, der mich ebenso, wenn nicht sogar noch mehr in Aufregung versetzte als mein erhofftes Auslandsabenteuer.

Nach einer guten halben Stunde Fahrzeit kam ich nach Rendsburg. Nach Verlassen des Bahnhofs macht der Zug eine sehr elegante Kurve, schraubt sich in einer weiten Schleife auf eine Höhe von zweiundvierzig Metern und überquert auf der in Schleswig-Holstein durchaus als Topsehenswürdigkeit einzustufenden Rendsburger Hochbrücke den Nord-Ostsee-

Kanal, der früher Kaiser-Wilhelm-Kanal hieß und die Ostsee mit der Nordsee verbindet. Diese Brücke stammt aus derselben Zeit wie der Eiffelturm, vielleicht etwas später. Die Eisenkonstruktion und die schweren Metallnieten lassen daran auch keinen Zweifel. Von dieser Brücke aus hat man ganz unvermittelt einen herrlichen Blick über das weite Land. Man sieht den Möwen auf den Rücken und, wenn man Glück hat, eines der mächtigen Schiffe, die auf diesem künstlichen Fluss vollkommen deplatziert wirken. Kaum ein norddeutscher Kalender verzichtet auf die optische Merkwürdigkeit, einen Ozeanriesen durch die Rapsfelder fahren zu lassen. In großer Höhe überfährt man kurz darauf einen Stadtteil. Dieser Stadtteil heißt, da er ganz von der Eisenbahn umrundet wird, also zur Gänze innerhalb des Schienenkreises liegt, Schleife. Rendsburg-Schleife. Ich beugte mich ein wenig vor und hatte einen guten Blick auf die direkt unter der Brücke gelegenen, aus der Vogelperspektive hübsch aufgereihten Rendsburger Backsteinhäuschen. Die Bewohner dieser Häuschen hatten jahre-, wenn nicht sogar jahrzehntelang einen erbitterten Kampf gegen die Deutsche Bahn geführt, da die Fäkalien der Bahnreisenden in ihre Vorgärten fielen. Nicht im Ganzen natürlich, sondern durch die Schwellen und das Tempo zu Kackepartikeln zerhäckselt. Immer und immer wieder konnte man das damals in der Zeitung lesen und auch sehen. Reißerische Schlagzeilen wie »Kot sprengt Grillparty!« oder Fotos mit von Ekel erfüllten Hausfrauen vor Wäschespinnen, die gesprenkelte Handtücher hochhielten. Man sah ehrwürdige Damen von der Haustür bis zum Auto rennen – sie rannten ja eh immer nur noch durch ihre Vorgärten, als stünden sie unter Gewehrfeuer, rannten zur Garage, nahmen sogar den Schirm –, denen winzige, schmierige oder auch krümelig braune bis ockerfarbene Scheißestückchen in die frisch ondulierten Frisuren geweht waren. Endgültig eskalierte die Situation, als sich ein circa sechs Kilogramm schwerer gefrorener Kotklumpen oder richtiger -zapfen, der sich an einer Eisenbahnschwelle gebildet hatte, löste, vierzig Meter in die Tiefe sauste, ein Carport durchschlug und wie eine endgültige Kriegserklärung, ein von der Deutschen Bahn geschleuderter Stuhlgang-Tomahawk, im Autodach einer fünfköpfigen Familie stecken blieb. Dieses Foto – immer wieder fiel damals diese Formulierung – ging um die Welt. Und so wurde Rendsburg kurzzeitig berühmt. Weltberühmt dafür, dass es ein Auto hatte, in dessen Dach ein ein Meter fünfzig langer Dolch aus Scheiße steckte. Die über Jahre gedemütigten Rendsburger – der Wert ihrer bespritzten Immobilien fiel und fiel – waren durch diese widerliche Heimsuchung zu einer eingeschworenen Leidensgemeinschaft zusammengeschweißt worden. Nun hatten sie endgültig genug. Noch während der stinkende Zacken im Auto zu schmelzen begann, in den Kindersitz tropfte, erkletterten die Verwegensten und Zornigsten von ihnen die Hochbrücke und setzten sich im eisigen Winterwind auf die Gleise. Die Polizei schritt nur sehr zögerlich ein. Was nicht verwunderlich war, da die Polizisten voll auf der Seite der Anrainer standen und nicht wenige von ihnen ebenfalls unter der Stahlkonstruktion wohnten. Sobald sie dienstfrei hatten, zogen sie die Uniform aus und kletterten selbst auf die Brücke. Die Deutsche Bahn lenkte ein und versprach, etwas zu ändern. Und ein oder zwei Jahre lang, bis die Züge endlich Fäkalientanks bekamen, gab es immer, kurz bevor man über die Rendsburger Hochbrücke fuhr, eine Durchsage, die ich sehr mochte und die stets zu einer gewissen Heiterkeit in den Abteilen führte: »Liebe Zugreisende, die Benützung der Toiletten ist während der Brückenüberfahrt strengstens verboten, da es für die Bevölkerung zu Unannehmlichkeiten kommen kann.«

Ich war alleine im Abteil und hatte das Fenster hinuntergezogen. Der Vorhang schlug wild hin und her. Gleich würden wir nach Neumünster kommen. Dann war es nur noch eine Stunde bis Hamburg. Obwohl Hamburg von der Kleinstadt, in der ich wohnte, nur hundertdreißig Kilometer entfernt ist, war ich nur selten dort gewesen. Wenn ich mit meiner Mutter und meinen beiden älteren Brüdern mit dem Zug zu meinen Großeltern fuhr, stiegen wir am Hamburger Hauptbahnhof in den Schlafwagen nach München um. Dass mir Hamburg so weit weg vorkam, war die Schuld meines Vaters, für den jede Reise eine massive Gefährdung darstellte. Die Vorstellung, mit dem Auto nach Hamburg zu fahren, war für meinen Vater der blanke Horror. Er sprach über Hamburg wie über London oder Paris. Als er mich am Morgen zum Bahnhof gebracht hatte, waren wir wie immer viel zu früh da gewesen, und er hatte mich so verabschiedet, als würde ich schon gleich jetzt nach Amerika davonfahren, mich lange umarmt und mir alles Gute gewünscht.

Jetzt, zwischen Rendsburg und Neumünster, verstand ich, warum mein Vater so bewegt war. Diese Hamburgreise, dachte ich, ist tatsächlich mehr als nur ein Ausflug. Sie ist vielleicht der Beginn der großen Reise, die ich vorhabe. Ich musste gar nicht einatmen, so sehr wehte mir die frische Luft durch das Fenster direkt in die Lungen hinein. Ja, diese Reise, dachte ich weiter, ist vielleicht die erste Etappe auf meinem weiten Weg nach Amerika. Ich werde alles zurücklassen. Meine Brüder, meine Eltern, unseren Hund. Meine Freundin. Meine Freunde, mein Zimmer, die Kleinstadt. Das alles könnte nun wirklich bald hinter mir liegen! War dieser Tag vielleicht sogar der wichtigste meines Lebens? Ich überlegte. Hatte ich überhaupt schon wichtige Tage erlebt? Einzelne aus der Masse der Tage herausragende, wegweisende Tage, nach denen alles anders war als davor? Mir fiel kein solcher Tag ein. Vor einem halben Jahr hatte mich meine erste Freundin verlassen. Sie fuhr auf dem Mofa davon, und ich war ihr ohne Schuhe auf Socken hinterhergerannt und hatte ein paar Mal gerufen: »Verlass mich nicht! Bitte, bitte nicht!« Aber wenn ich jetzt daran dachte, kam es mir wie eine Ewigkeit her vor. Schon wenige Wochen später hatte ich eine neue Freundin gefunden und war mit ihr sehr glücklich. Aber so glücklich nun auch wieder nicht, dass ich nicht nach Amerika wollte. Und so beschloss ich, dass dies der wichtigste Tag meines bisher, wie ich fand, durchaus schönen, aber doch auch faden Lebens werden könnte.

Immer noch wehte der Wind herein und zerrte und riss am Vorhang. Die Tür klapperte, und das Rattern des Zuges klang hell und aufgeregt, wie ein unermüdlich vorwärtstreibendes pochendes Herz. Da ergriff mich, ja überwältigte mich, eine Aufbruchstimmung wie noch nie. Eine Gier nach Neuem: neuen Orten, Gesichtern, ach egal, Hauptsache anders, als es war!

Ich stand auf, beugte mich aus dem Fenster und hielt mein Gesicht in den nach Gülle riechenden Wind. Nachdem mein Vater vor Wochen gesagt hatte, er würde mir gerne den Aufenthalt finanzieren, könne es aber nicht, da mein ältester Bruder bereits in München studierte und mein mittlerer Bruder in wenigen Wochen sein Studium in Gießen beginnen würde, rief ich meine Großeltern an und bat sie um Hilfe. Sie erklärten sich bereit, mir das Geld zu geben. Es gab noch irgendeine Abmachung, dass ich einen Teil davon später einmal wieder zurückzahlen solle. Doch davon war dann nie mehr die Rede gewesen. Jetzt, da das Finanzielle geklärt war, unterstützten mich meine Eltern, und doch, sie waren auch traurig, dass dann keines ihrer Kinder mehr bei ihnen sein würde.

In Neumünster kam eine Frau zu mir ins Abteil: strähnige Haare, hohlwangig, abgemagert, nur mit einer hautengen Jeans, kaputten Turnschuhen und einem T-Shirt bekleidet. Auf dem T-Shirt erkannte ich, verwaschen und verfleckt, ein Baby in Windeln, das am Daumen nuckelte und mit der anderen Hand ein Victory-Zeichen machte. Die Frau schien etwas verloren zu haben. Schon während sie das Abteil betrat, zwängte sie ihre Fingerspitzen in die engen Hintertaschen ihrer Jeans. Sie nahm mich gar nicht wahr. Wie bei einer Leibesvisitation fuhr sie sich mit den Handflächen über ihr T-Shirt, die knochigen Rippen, über den Bauch, fingerte am Hosenbund herum. Dann schob sie ihre Fingerspitzen in die Vordertaschen. Sie zog dabei den Bauch ein, um tiefer hineinfassen zu können. Sie stand aufrecht im Abteil, auf ihren staksigen Beinen, und schwankte hin und her. Nach einer weiteren gründlichen Durchsuchung der Vorder- und Hintertaschen setzte sie sich mir schräg gegenüber und strich sich mit zitternden Händen über die Oberschenkel. Die Fingerkuppen der einen Hand waren bis in die Fingernägel hinein gelbbraun verfärbt, die Adern auf ihren Handrücken geschwollene bläuliche Würmer. Da sie mich überhaupt nicht bemerkt zu haben schien, sah ich sie mir ganz unverhohlen an. Was sie wohl suchte? Sollte ich sie ansprechen, ihr meine Hilfe anbieten? War sie betrunken? Unverständliches Zeug murmelnd verbarg sie ihr Gesicht in den Händen. Keine Minute saß sie so da. Dann stand sie auch schon wieder auf, begann zu suchen, nicht hektisch, eher wie in Trance, gefangen in einer verzweifelten Zeitlupe. Erschöpft, verlangsamt, von Nebelwänden umstellt schob sie wieder und wieder die Hände in die Vordertaschen, dann in die Gesäßtaschen ihrer Jeans. Fuhr sich über das T-Shirt und schob sich die Hände unter den Stoff. Es sah aus, als ob sie jede einzelne Rippe zählen, als ob sie etwas unter ihrer Haut suchen würde. Sie verrenkte sich, schob sich die Hände zwischen die Schulterblätter. Dann in knetenden Bewegungen die dürren Spinnenbeine hinab bis zu den ausgelatschten Turnschuhen. Immer wieder setzte sie sich, suchte im Sitzen, um kurz darauf wieder aufzustehen und im Stehen noch gründlicher zu suchen. Diese akribische Sorgfalt, obwohl sie traurig und sinnlos aussah, bewunderte ich. Diese Uneinsichtigkeit und Unbelehrbarkeit! Diese unerschütterliche Gründlichkeit war beeindruckend. Mich faszinierte ihre Konzentrationsfähigkeit, ihre Hingabe, sich ausschließlich dieser einen und einzigen Tätigkeit, der des Suchens, zu widmen.

Für mich war die Aufforderung, mich zu konzentrieren, eine Folter. Solange ich denken kann, sagen mir Menschen, und zwar nicht bösartige Menschen, sondern freundliche, nachsichtige, aufgeschlossene, mit den Weihen der modernen Pädagogik vertraute Menschen, dass ich mich konzentrieren solle. Beim Schreiben: Sauklaue! Beim Lesen: Leseschwäche! Beim Zeichnen: die Kuh! Beim Rechnen: Taschenrechner aus! Beim Reden: erst denken, dann sprechen, sonst Wortsalat und Kauderwelsch! Konzentriere dich! Konzentration war der goldene Schlüssel, der die Panzertür zu jedem meiner Probleme öffnen sollte. Konzentriere dich! Das war der Geheimcode. Ich hab es versucht und geglaubt, was man mir versprach. Umsonst. Ich sah ihn genau vor mir, diesen sorgfältigen, gründlichen, ordentlichen und hoch konzentrierten kleinen, zauberhaften Kerl, der ich gern gewesen wäre. Dem die Tinte nicht verwischt, der auf die Frage nach seinem Hobby »Hausaufgaben machen« antwortet, der Klavier spielt und den die Lehrer nach der Schule auf Händen nach Hause tragen. Ein genialischer Knirps, der sich stundenlang, ach was, tagelang, am besten gleich ein ganzes Leben lang anspruchslos und hoch konzentriert mit sich selbst beschäftigt. Diese Aufforderung sitzt mir noch heute unerbittlich auf der Schulter, ein preußischer Zuchtmeister, der mir seine Sporen ins Fleisch schlägt und brüllt: Konzentriere dich! Hör auf, so rumzuzappeln, und KONZENTRIERE DICH!!!

Was war bloß mit meinem Gehirn los? War es zu weich? Ein Brei? Am liebsten hätte ich mir in den Kopf gegriffen, um aus dieser zu nichts zu gebrauchenden Gehirnmasse einen scharfkantigen Ziegelstein zu formen.

Jetzt zog die Frau sogar ihre Schuhe aus, griff hinein, drehte sie um und schüttelte sie, als wäre sie am Strand spazieren gegangen. Ich verstand einzelne Worte. »Ohh nee. Gibt's doch nicht!« oder »Scheiße, kann doch nicht …« oder »Bitte, bitte nicht … nee!«. Keine noch so genaue Suche konnte sie davon überzeugen, dass das, was sie suchte, ganz offensichtlich nicht da war.

Der Schaffner kam. »Schönen guten Morgen. Die Fahrkarten bitte!« Ich gab ihm meine, die ich seit über einer Stunde wie eine Oma auf großer Fahrt in der Hand gehalten hatte. Unbewusst hatte ich sie zwischen den Fingern hin und her gerollt, tagträumend darauf herumgerubbelt. Und da ich freudig erregt war, waren meine Hände feucht und die Fahrkarte ganz labberig geworden. Der Schaffner nahm sie und sah sie sich an. »Da ist ja gar nichts zu erkennen. Das Datum ist ja verschwunden!« Unwillig hielt er sie sich näher vor die Augen, sah mich an, nickte abfällig und stempelte sie ab. Da die Langhaarige auch den Schaffner keines Blickes gewürdigt hatte, rief er laut: »Guten Morgen! Ihre Fahrkarte bitte!« Die dünne Gestalt tat einfach so, als wäre sie nicht da. »Hallo! Fahrkarte!« Die Frau räusperte sich, schluckte etwas herunter und sagte leise: »Was ist los?« »Ihre Fahrkarte! Zeigen Sie mir mal Ihre Fahrkarte!« Der Zug verlangsamte sein Tempo, der Schaffner sah aus dem Fenster und fragte: »Wo steigen Sie denn aus!« Unter den Haaren flüsterte es: »Hamburg.« »Ich komm gleich wieder, ja, und dann will ich Ihre Fahrkarte sehen! Verstanden?« Die Frau nickte.

Kurz darauf hielten wir in Elmshorn. Durchs Fenster konnte ich den Schaffner auf dem Gleis herumstolzieren sehen, ein Gockel mit Kelle, und wie er zwei Mädchen verbot, ihre Fahrräder in den Zug zu hieven. Er zeigte immer wieder ans Ende des Bahnsteigs. Die Mädchen setzten sich auf die Räder. Sie hatten beide knappe Shorts an, Sandalen, gleich gemusterte Halstücher, und wollten Richtung Zugende radeln. Ich lehnte mich aus dem Fenster. Der Schaffner hielt sie an den Gepäckträgern fest und sagte nur »Absteigen!«. Eilig schoben die Mädchen davon. Ich sah ihnen nach. Da entdeckte ich weit hinten die ausgemergelte Frau auf dem Bahnsteig, die immer noch suchte, sich mechanisch über ihre Hosenbeine strich. Völlig überrascht drehte ich mich um. Ja, sie war weg. Wie hatte sie das so schnell, so geräuschlos geschafft? Sie schwankte. Die Mädchen mit den kurzen Shorts schoben links und rechts ihre Räder an ihr vorbei und verschwanden zwischen den Reisenden. Der Zug fuhr an, und der Schaffner kam zurück. »So, die Fahrkarte bi... Wo ist denn die Frau hin?« »Keine Ahnung«, antwortete ich. Er sah den Gang hinunter, zog missmutig meine Abteiltür zu und ging weiter.

Ich nahm aus meiner Sporttasche mein Portemonnaie, das kein gewöhnliches Portemonnaie war. Es war ein echter Bullensack, ein gegerbter Bullensack mit einzelnen Härchen daran. Diesen Bullensack nahm ich aus meiner Sporttasche, in der noch ein warmer Pullover, eine Regenjacke und ein Buch lagen. Das Buch hatte mir mein Vater mitgegeben und gesagt: »Lies das mal, das könnte dir gefallen!« Ich hatte nicht die geringste Lust zu lesen, überhaupt fiel mir das Lesen schwer. Lesen machte mich nervös, vom Lesen bekam ich das große Kribbeln. Nach nur zehn Minuten Lesen fingen meine Muskeln an zu jucken, und ich musste mich bewegen, schütteln, grimassieren und eine Runde rennen.

Der Bullensack war prall gefüllt, münzschwer lag er satt in meiner Hand. Mit seiner roten Kordel zum Zuziehen sah er geradezu historisch aus, samten, wie frisch von einer jungfräulichen Baronesse geraubt. In zwanzig Minuten würde ich in Hamburg ankommen, in Hamburg-Altona, und dann würde ich eine S-Bahn zum Hauptbahnhof nehmen. Dort in der Nähe war um zwölf das Treffen der Austauschanwärter. Es hieß »Austausch«, wurde immer »Austausch« genannt, obwohl es gar nicht um einen »Austausch« ging. Niemand würde während meiner Abwesenheit in mein Zimmer einziehen. Kein amerikanischer Sohn würde mich ersetzen. Von »Austausch« konnte keine Rede sein. Wie lange würde dieses Auswahlgespräch dauern? Hoffentlich nicht länger als bis drei oder vier Uhr. Denn ich hatte ja noch etwas vor! Meinen Eltern hatte ich gesagt, es könnte spät werden, und sie gebeten, nicht auf mich zu warten.

Der Zug fuhr langsamer. Vorm Fenster die ersten mehrstöckigen Wohnhäuser. So nah, dass ich hineinsehen konnte. Da eine Familie beim späten Frühstück. Da eine Frau, rauchend auf dem Balkon. Ich sah auch Fahrräder auf den Balkonen. Das ist eindeutig ein Zeichen dafür, dass Hamburg eine Großstadt ist, dachte ich. Wenn nicht einmal mehr ab- oder anschließen was nützte und man sich tagein, tagaus die Mühe machen musste, sein Fahrrad die Treppe hoch und auf den Balkon zu schleppen, spricht das unzweideutig für ein raues Pflaster. Ich sah sogar ein mit einer dicken Kette ans Balkongitter angeschlossenes Fahrrad im vierten Stock. Was für ein Moloch musste das sein, in dem die Fahrraddiebe bei Nacht wie die Eidechsen Fassaden erkletterten und sich mit ihrer Beute auf dem Rücken abseilten. In meiner kleinen Heimatstadt schloss ich, wenn ich zum Training fuhr und das Rad vor der Schwimmhalle abstellte, gar nicht ab. Ich hatte nicht einmal ein Fahrradschloss. Ach, klingt das schön! Oh du liebliche, verklärte, geduckte Heimatstadt am Meer!

Der behaarte Bullensack war voller Ein- und Zweimarkstücke. Ich hatte sie gespart. Insgesamt waren es einhundertvierundfünfzig Mark. Zweimal die Woche gab ich Kindern Schwimmunterricht und in kürzester Zeit hatte ich mir den Ruf erworben, auch den Wasserscheuesten zum Seepferdchen zu verhelfen. Ohne Übertreibung kann ich behaupten, den Schwimmunterricht in meiner Stammschwimmhalle revolutioniert zu haben. Nie zuvor war ein Schwimmlehrer zu den Kindern ins Wasser gestiegen. Lustlos zogen die Bademeister in kurzen weißen Hosen und Poloshirts die Kinder vom Beckenrand aus an langen Holzstangen durch das Wasser und sahen dabei aus wie hartherzige Krankenpfleger. Die Kinder krallten sich an diese Stangen, heulten und versuchten, an ihnen hinaufzuhangeln. Ich hatte das während meines Schwimmtrainings oft beobachtet. Bei der Seepferdchenprüfung mussten die Kinder eine Bahn schwimmen, vom Einmeterbrett springen und zu einem Ring hinabtauchen. Ich habe selbst gesehen, wie Kinder erst fünfundzwanzig Meter lang wie Ertrinkende nach der Stange schnappten, die ihnen der Bademeister immer ganz knapp vor den greifenden Fingerchen wegzog, wie sie anschließend vom Sprungbrett geschubst und schließlich mit einer Hand untergetunkt wurden, bis sie den Ring am Grund endlich hatten. Doch waren die Eltern hochzufrieden und bedankten sich sogar beim Bademeister dafür, dass ihr Kind fast abgesoffen, geschubst und ertränkt worden war, und das frierende, heulende und vor Angst schlotternde Kind bekam sein Seepferdchen mit den Worten »Freust du dich denn gar nicht?« überreicht.

Diese Bademeister hielten sich für fortschrittlich. Ich dagegen war mit den Kindern im Wasser, umfasste ihre Knöchel und übte so die Schwimmbewegung. Ich erfand Spiele, bei denen sie immer weitere kleine Strecken schwammen, ohne es zu merken. Nach nur drei oder vier Monaten versammelten sich in meinem Schwimmtraining lauter wasserscheue, ja wasserhysterische Härtefälle. Blasse Mädchen, die schon schreiend aus der Dusche kamen und vor Wassertropfen so viel Angst hatten wie vor Salzsäure. Jungen mit zusammengekniffenen blauen Lippen, die beim Schwimmen den Kopf weit aus dem Wasser streckten und zu atmen vergaßen. Ich verbannte die Holzstangen, legte ihnen meine Hände unter die Bäuche und kam mir vor wie ein Heilsbringer, der seine frohe Botschaft verkündet: »Wenn ihr eure Angst fahren lasst, eure Arme so bewegt, wie ich es euch gelehrt habe, wird das Wasser euch tragen. Vertraut dem nassen Element! Es ist euch wohlgesonnen!«

Die Bademeister sahen mir angewidert zu, und einer sagte: »Mich hat mein Vater einfach ins Wasser geschmissen. Zack, konnte ich schwimmen!« Doch der Erfolg gab mir recht. Bis zu zehn Wasserphobiker, hoffnungslose Fälle, die aus allen Schwimmkursen der Stadt zu mir geflüchtet waren, schwammen hinter mir her, als wären sie Entlein und ich Konrad Lorenz. Ich vorneweg: der Gott der Wasserscheuen. Sie liebten mich, und es machte mich so stolz, wenn die Eltern ihre Kinder nicht wiederzuerkennen glaubten. Eben hatten sie noch um sich getreten wie auf dem Weg zum Schafott und mit weit aufgerissenen Augen ins Styropor-Schwimmbrett gebissen, als würde sie der Teufel in die nasse Hölle zerren wollen. Am Ende der Stunde sprangen sie mit Anlauf vom Beckenrand und machten jauchzend eine Arschbombe.

Noch fünf Minuten bis Hamburg-Altona. Die Reisenden verließen schon ihre Abteile und drängten sich in den Gang. Waren es überhaupt Reisende? Das Gegenteil wird wohl eher der Fall gewesen sein. Das traurige Gegenteil vom Reisenden ist der sogenannte Pendler, dachte ich. Was bin ich von beidem, bin ich Reisender oder Pendler? Ich sah aus dem Fenster und erinnerte mich an Ole. Ole in der Leopardenbadehose. Ole, der immer von blauen Flecken übersät war, da sein einer Fuß leicht verkrüppelt war und er deswegen oft stürzte. Ole war sechs oder sieben Jahre alt und vollkommen lethargisch, in seiner Lethargie aber gnadenlos zielstrebig. Ich habe nie wieder jemanden gesehen, der so langsam hinfallen konnte wie er. In schicksalsergebener Ruhe stolperte er über seinen Klumpfuß und schlug auf die Schwimmhallenfliesen auf wie eine vom Sockel gestoßene Statue – ohne sich abzustützen. Im Wasser verweigerte er jede Schwimmbewegung, tauchte aber für sein Leben gern. Holte tief Luft und ließ sich vom Rand ins Wasser plumpsen und herabsinken. Bevor er das tat, rief er meinen Namen. Ich musste ihn retten und zum Beckenrand schleppen.

Und einmal ist er, ohne es mir vorher zu sagen, auf das Dreimeterbrett geklettert, über das Springen-Verboten-Schild hinweg. Vom Sprungbrett aus rief er meinen Namen und ließ sich fallen. Es war laut in der Halle. Meine Schwimmgruppe war mittlerweile viel zu groß geworden. Ein Mädchen, das mir ihre Katzenkrallen in die Schultern bohrte, kreischte in mein Ohr: »Mir ist kalt, ich muss mal Pipi, ich hab Angst!« Hatte da nicht eben jemand meinen Namen gerufen? War da nicht eben am äußersten Rand meines Sichtfeldes ein Leopard durch die Luft geflogen? Ich glaube, ich hatte bis dahin noch nie so einen Schreck bekommen. Einen Schreck ganz aus der Erkenntnis heraus, ohne direkte Fremdeinwirkung. Ich setzte das Mädchen zu den anderen auf den Beckenrand, »Bleibt da sitzen!«, rannte ein Stück vom flachen harmlosen Hellblau des Nichtschwimmerbereichs bis zum dunkelblau schimmernden Wasser unter dem Dreimeterbrett und sprang kopfüber hinein. Ich sah Ole am Grund. Ich rief ins Wasser: ein blubbernder Schrei. In circa vier Meter fünfzig Tiefe schwebte Ole knapp über dem Boden. Die Arme ausgebreitet, die Wangen aufgeblasen. Ein träges U-Boot. Ich erreichte ihn, spürte, so tief war es, den Druck auf den Ohren, packte ihn und riss ihn mit nach oben. Wir durchbrachen die Wasseroberfläche, und noch ehe ich ihn schimpfen konnte, fiel er mir um den Hals, umarmte mich und rief: »Boahh, war das toll da unten! Komm, gleich noch mal!«

Danach halbierte ich meine Gruppe, und Ole gab ich Einzelunterricht. Es dauerte Wochen, bis er begriff, dass es nicht genügte, die Schwimmbewegungen zu kennen, sondern dass er sie, um nicht unterzugehen, mit einem Minimum an Kraft auch machen musste. Er aber stand senkrecht im Wasser, rührte vorsichtig mit den Armen und bekam, so als hätte er Füße aus Eisen, den Leopardenhintern nicht hoch. Augen, Nase und Mund nur knapp über der Oberfläche, ein treibendes Halbrelief, so starrte er an die Hallendecke. Aber er machte sein Seepferdchen. Nirgendwo steht, wie lange man für die fünfundzwanzig Meter brauchen darf. Nach wenigen Zügen war er total erschöpft, hatte keine Lust mehr, machte eine Runde Toter Mann und ließ sich bis ins Ziel treiben. Toter Mann, das gefiel ihm, das konnte und mochte er.

Der Zug fuhr in den Bahnhof ein: Hamburg-Altona. Ich war da! Zog den Bullensack zu, warf ihn in die Sporttasche und stieg aus. Noch nie war ich ganz allein in Hamburg gewesen. Doch über Hamburg gehört hatte ich schon einiges. Hamburg bot jede Menge Gesprächsstoff auf ganz unterschiedlichen Gebieten. Drei große Hs standen für Hamburg. H wie Hauptbahnhof, H wie Hafenstraße und H wie Herbertstraße. Und über jedes dieser Hs wollte ich nach diesem Tag mehr wissen, als ich gehört und mir vorgestellt hatte.

Eine halbe Stunde später war ich beim ersten H, dem Hauptbahnhof. Ein Freund hatte mir erzählt, dass man auf der Rückseite des Bahnhofs etwas Erstaunliches sehen könne. Ich würde, so der Freund, meinen Augen nicht trauen. Ich suchte die beschriebene Stelle und ließ meinen Blick über den aus schweren Kalksteinblöcken gemauerten Sims der Bahnhofsmauer gleiten. Da entdeckte ich es. Mehrere der großen Steine hatten tiefe Abschabungen und Rillen, waren teilweise völlig zerklüftet. »Stell dich etwas abseits und beobachte die Mauer. Meistens muss man keine fünf Minuten warten!«, hatte der Freund mir empfohlen. Und er hatte recht. Kaum hatte ich mich etwas entfernt, kamen zwei Gestalten heran und machten sich an der Mauer zu schaffen. Eine Frau und ein Mann. Beide glichen auf eigenartige Weise der abgemagerten, sich selbst abtastenden Erscheinung, der ich im Zug gegenübergesessen hatte. Die linkischen verlangsamten Bewegungen, die unter den Haaren nur schemenhaft erkennbaren verhärmten Gesichter, die schmerzliche Getriebenheit. Gleichzeitig auf der Suche und auf der Flucht. Die Frau nahm ein Geldstück, kratzte damit an der Mauer herum und schabte etwas vom Bahnhofsfundament in ein Plastiksäckchen. Dann schlurften sie davon. Von meinem Freund wusste ich, was sie abgeschabt hatten: Es war Kalk. Ich hatte es ihm nicht geglaubt. Seine Worte hatten mich fasziniert. Der Kalk würde zusammen mit Rauschgift und etwas Wasser in einem Löffelchen über einem Feuerzeug kurz aufgekocht. Ich ging zu den ausgekratzten Steinen. War das möglich? Dass rein rechnerisch der Hamburger Bahnhof in ferner Zukunft von Drogensüchtigen ab- und weggeschabt sein würde?

Bei meinem Weg um den Bahnhof herum, auf dem Bahnhofsvorplatz und in den angrenzenden Straßen sah ich unzählige befremdliche, mich verwirrende Gestalten. Sie zogen mich magisch an und stießen mich doch ab. Natürlich gab es auch in dem kleinen Ort, aus dem ich vor gerade einmal zweieinhalb Stunden abgefahren war, die ein oder andere stadtbekannte gestrandete Gestalt. Gab es eine Stelle in der pittoresken Fußgängerzone, wo sich drei oder vier, bei sonnigem Wetter auch fünf oder sechs Säufer trafen. Aber verglichen mit diesen lebendigen Toten, die niemand außer mir überhaupt zu sehen schien, hatten die Kleinstadtpenner fast etwas Romantisches: Bärte, große rote Nasen, Apfelkornflaschen. Doch eine solche Anhäufung von bizarren, herumlungernden Haut-und-Knochen-Existenzen hatte ich noch nie gesehen. Vielleicht, dachte ich, sehe ich sie ja nur deshalb, weil ich sie unbedingt sehen will. Vielleicht bin ich versessen auf ihren Anblick und das Opfer meiner selektiven Wahrnehmung. Denn es gab natürlich auch jede Menge andere Leute, die an mir vorbeieilten. Der Unterschied war dennoch massiv. Die, die in Eile waren, hatten ein Ziel, bewegten sich in einem völlig anderen Tempo. Die, die ich beobachtete, lungerten herum. Es war eine Zweiklassengesellschaft der Geschwindigkeit: die einen in der Zeit, die anderen aus der Zeit gefallen. Und dass manche von ihnen so taten, als wären sie cool, als hätte ihr Leben die Aura des Abenteuerlichen, machte es noch trostloser. Allein schon, dass sie glaubten, sich verstecken zu müssen! Außer mir interessierte sich kein Mensch für sie. Diesen Rest von Heimlichkeit zelebrierten sie mit letzter Kraft.

Ich lief eine Straße hinunter. Spritzen lagen auf dem Gehweg. Plötzlich der Blick in einen Hauseingang. Da kauerten zwei auf den Stufen, einer stand. Ich wagte nicht hinzusehen. Ging schneller weiter. Das war das Einzige, was half: Beschleunigung. Tatsächlich, je schneller ich lief, desto weniger fielen sie mir auf. Mütter mit Scheuklappen schoben ihre Kinderwagen und würdigten sie keines Blickes. Ich sah ein Mädchen mit tief liegenden, ungenau umtuschten Augen unter langen Ponyfransen, das sich bei Männern einhakte, lächelte und etwas sagte. Sie hatte den Reißverschluss ihrer grauen Sweatshirt-Jacke weit hinuntergezogen. Nichts drunter. Die Männer ignorierten sie. Einer stieß sie zur Seite. Das Mädchen pöbelte ihm hinterher: »Blöde Sau! Leck mich am Arsch, du Pisser!« Sie spuckte auf die Straße. Dann schlenderte sie an den nächsten Passanten heran, hakte sich ein, flüsterte und lächelte wieder. Eine andere Frau saß mitten auf dem Gehweg, neben ihr ein großer Hund, der bräunliche Brocken von einem Pappteller leckte. Als Halsband hatte er einen Nietengürtel. Sie umarmte den Hund, hing an ihm, hielt ihn fest umklammert. Ich hatte genug gesehen und verließ das Viertel.

Um halb zwölf erreichte ich das prächtige Haus, in dem im dritten Stock die Austauschorganisation residierte. Zur Eingangstür hinauf führte eine breite schmiedeeiserne Treppe, auf der in der Sonne mehrere Jungen und Mädchen in meinem Alter lagerten. Waren das überhaupt noch Jungen und Mädchen? Kinder waren es ganz sicher nicht mehr. Jugendliche? Heranwachsende? Oder waren das junge Männer und junge Frauen?

Ich selbst hatte das verwirrende Gefühl, jeden Tag bestimmt hundertmal vom Kind zum jungen Mann und mit Überschallgeschwindigkeit vom jungen Mann wieder zum Kind zurückkatapultiert zu werden. Wenn ich mich gut eingeschlossen im Badezimmer im Spiegel musterte, sprach schon einiges für einen Mann. Es sprach aber auch noch so einiges dagegen. In den letzten Monaten war ich noch einmal gewachsen, hatte endlich breitere Schultern und festere Beine bekommen, riesige Füße. Aber im Gesicht, da war für meinen Geschmack noch viel zu viel Weichheit. Nichts Markantes! Kein Grübchen im Kinn. Keine gut sichtbar malmenden Kieferknochen. Anstelle eines Charakterkopfes hatte ich unter den wuscheligen blonden Locken ein ovales, dicklippiges Kindergesicht. Sobald ich nicht daran dachte, meinen Mund geschlossen zu halten, öffneten sich meine Lippen, und ich sah aus wie ein unterbelichteter Karpfen. Besonders mein Blick gefiel mir nicht. Ein leicht dümmliches Erstauntsein vermochte ich daraus einfach nicht zu verbannen. Ich wollte endlich lernen, so zu gucken, als hätte ich ein Geheimnis, und nicht, als wäre mir die Welt eines. So, als wäre ich voller Rätsel und nicht die Welt ein riesengroßes.

Und ich hatte noch ein Problem: Ich mochte keinerlei alkoholische Getränke und war dadurch von der Mehrzahl pubertärer Initiationsriten von vornherein ausgeschlossen. Bier, Wein, Schnaps – fand ich alles ekelhaft. Ich mochte Milch und Saft. Das war auf jeder Party meine heimliche Hauptbeschäftigung: Bierflaschen ins Klo oder vom Balkon zu gießen, Cola-Bacardi-Gläser unauffällig im Regal abzustellen und betrunken zu spielen. Ich war voller aufkeimender, mich umtreibender, wilder Sehnsüchte, hatte aber die Zunge eines Grundschülers.

Während ich die schmiedeeiserne Treppe hinaufstieg, streiften mich die Blicke der Sitzenden. Warum, dachte ich, glotzen die mich denn alle so blöd an? Stimmt irgendetwas nicht? Bin ich hier falsch? Ich wählte einen Platz ganz oben, mit dem Rücken an der Hauswand, und setzte mich. Schlagartig war ich völlig verunsichert. Verunsichert und unglaublich wütend.

Ich möchte an dieser Stelle kurz etwas klarstellen: Ich war kein verschreckter, armer Außenseiter, der von seinen Mitschülern gequält, mit dem Hintern in den Mülleimer gestopft und aufs Lehrerpult gehievt wurde. Eher sogar umgekehrt. Ich gehörte oft zu den Quälgeistern. Was ich von meinen Brüdern einstecken musste, teilte ich in der Schule wieder aus. Ich hatte Freunde, einen liebevollen Vater, eine liebevolle Mutter und zwei geliebte Brüder, die mich bis aufs Blut quälten. Und ich hatte sogar eine Freundin, die ich aufregend fand und mit der sich gerade Dinge entwickelten, die mir sehr gefielen. Alles in allem war ich ein zufriedener und behüteter Siebzehnjähriger. Ein Siebzehnjähriger mit miserablen Schulnoten und großer Sportleidenschaft. Und doch war etwas vorgefallen. Es hatte mit meinen mich immer wieder heimsuchenden Zornattacken zu tun. Der Grund für diese Zornanfälle lag viel tiefer als die meist profanen Anlässe, die sie auslösten. Mit hübscher Regelmäßigkeit ergriff mich ein rasender, roter Furor, der mir selbst das größte Rätsel war. Ich konnte in diesen Abgrund nicht hineinsehen. Ich wusste nicht einmal, wo der Weg begann, der zur Klippe dieses Abgrunds führte. Ich hasste meinen Zorn. Er machte mich zornig. Er kam mir vor wie eine Krankheit. Ein Anfallsleiden, das mich erniedrigte und entmündigte. Doch niemand, ich selbst nicht und auch sonst niemand, fand den Krankheitsherd, den Zornherd. Das war mir oft unheimlich. Dass es da einen allzeit zur Explosion bereiten bollernden Ofen in mir gab, der sich mit mir selbst vollkommen im Dunkeln liegenden Kränkungen befeuerte. Meine Brüder nannten mich: die blonde Bombe! Sie wussten, wie man mich zündete! Und sie taten es gerne.

Bis auf diese rätselhafte Disposition für Totalausraster war aber alles vollkommen normal, ja, durchschnittlich an mir. Ich war kein norddeutscher Nerd, kein Einzelgänger mit fettigen Haaren, Pickeln und Bremsstreifen in der Unterhose, der tief im Wald mit einem gestohlenen Luftgewehr Eichhörnchen abknallt. Ich war kein Opfer, das missverstanden und gedemütigt versuchte, nach Amerika zu entkommen. All das war ich eben nicht! Und doch wollte und musste ich unbedingt weg!

Um zwölf versammelten sich alle jungen Männer und jungen Frauen, alle Jungen und Mädchen, alle Jugendlichen, vierzig waren es bestimmt, in einem hohen Raum, dessen

Zimmerdecke voller Stuck war, überreich mit Gipsgeschwüren verziert. Das Erste, was mir auffiel, noch bevor wir begrüßt wurden, war ein leichter Duft von Aftershave, der in der Luft hing und den ich deutlich roch, obwohl die Fenster geöffnet waren und von der Alster her, über die man eine wundervolle Sicht hatte, kühle Luft hineinwehte. Ich dachte, was, hier sind welche, die rasieren sich nicht nur schon jeden Morgen, die benutzen auch Aftershave?

»So, ich freu mich, dass ihr da seid!«, rief kichernd eine Frau um die dreißig in die Runde. »Setzt euch doch mal bitte alle hin!« Kleine Ansammlungen, die sich eben erst gebildet hatten, trennten sich wieder, und jeder suchte sich einen Platz. »Ich begrüße euch alle sehr herzlich zu unserem ersten Treffen hier in Hamburg. Mein Name ist Traudel Buscher-Böck, und ich freu mich riesig, euch alle zu sehen.« Hinter ihr saß ein Mann. Es fiel mir schwer, sein Alter zu schätzen. Dreißig? Vierzig? Vielleicht sogar schon fünfzig? Seine knackige Bräune verjüngte ihn, konnte aber die runzeligen Tränensäcke nur ansatzweise kaschieren. Neben ihm saßen zwei Schülerinnen, die etwas älter wirkten als wir anderen. »Also, ich bin eure deutsche Betreuerin, Koordinatorin der Sektion Hamburg und von allem, was da noch so im Norden kommt!« Das, was da noch so im Norden kommt, war ich! Sie kicherte wieder. Es klang seltsam metallisch, schepperte, so als würde sie in ihrer Kehle mit Kleingeld klimpern. »Für mich ist das heute ein gaaanz, gaaanz toller Tag. Endlich sitzt ihr mir gegenüber. Einige von euch kommen mir aus den Unterlagen schon bekannt vor. Ich freu mich wirklich waaaahnsinnig, euch zu sehen. Endlich geht es los. Ich bin sooo gespannt auf euch und, ach, ich weiß auch nicht, ich finde das alles sooo aufregend. Ich rufe euch jetzt mal der Reihe nach auf, um zu sehen, ob ihr alle da seid!«

Sie las die Namen von einer Liste ab und dazu die jeweilige Adresse. Der Tonfall, in dem die Aufgerufenen »Hier« sagten und ihre Hand hoben, verriet bereits viel über sie. Je näher sich das Alphabet auf meinen Namen hin durchbuchstabierte, desto sicherer wurde ich mir, niemals ein so lockeres und urbanes »Hier« zustande zu bringen wie die anderen. Ein Mädchen mit einem kunstvoll geflochtenen weißblonden Zopfnest auf dem Kopf, übermütigen Augen und Sommersprossen streckte den Arm, die Hand hoch – diese Hand schien leichter als Luft zu sein, davonfliegen zu wollen – und rief so laut »Hier!«, als stünde sie auf der anderen Seite der Elbe. Dabei winkte sie übermütig in die Runde. Allgemeine Heiterkeit. Ich übte leise, brummte »Hier«-Varianten vor mich hin, suchte nach der richtigen Mischung aus unangestrengter Souveränität und lässiger Überlegenheit. Ich war so beschäftigt mit »Hier«-denken und -flüstern, dass ich meinen Namen überhörte und erst beim dritten Aufruf begriff, dass dieser Name mein Name war. Erschrocken riss ich meinen Arm hoch und bellte mein »Hier« wie beim Morgenappell über den Exerzierplatz. Wieder allgemeine Heiterkeit. Beleidigt sah ich mich um.

Es gab einen riesigen Unterschied zwischen mir und den Jungs hier. Sie hatten Frisuren und ich nicht. Sie hatten ausrasierte Nacken, gelegte Scheitel oder absichtlich verwuschelte Haare, die wie zufällig in die Stirn, über ein Auge fielen. Meine Haare wurden nicht geschnitten, sie wurden gebändigt. Alle halbe Jahr ging ich zum stets selben Friseur und sagte mein Sprüchlein auf: »Ja kürzer, aber Ohren nicht frei, und bitte, bitte nicht zu kurz!« Ich ging immer erst dann, wenn meine Augen unter meinen blonden, wild wuchernden Locken zu verschwinden drohten, meine Brüder sich zu sehr über mich lustig machten und ich beim Schwimmtraining aussah, als hätte ich einen Baumkuchen unter meiner Badekappe versteckt. Hier sah ich sogar einen Jungen mit stramm zurückgegelten Haaren. Er trug einen flauschigen Kaschmirpullover mit V-Ausschnitt, eine weiße Stoffhose und Segelschuhe. Wie gerne hätte ich solch domestizierte Haare gehabt. Ich hatte versucht, meine mit Zuckerwasser zu zähmen, am Kopf festzuföhnen. Es war unmöglich. Wie Löwenzahn den Asphalt, so durchstießen meine Drahtlocken den Zuckerguss. Eine Reihe hinter dem Gegelten saß ein Junge, dem man tief in die Nasenlöcher sehen konnte und der wie ein fünfzehnjähriger Bankdirektor wirkte, hanseatisch, blasiert und zuverlässig bis zur Bewusstlosigkeit. Sein »Hier« hatte nasal geklungen. Hätte er nicht seine wurstige Hand gehoben, ich hätte gar nicht gewusst, dass dieses polypenüberwucherte »Hier!« seines gewesen war. Er hatte ein seidenes Einstecktuch, und ich betrachtete ihn und dachte: Mein Gott, hast du es gut. Der rote Teppich für dein ganzes Leben liegt ausgerollt vor dir. Und mit neunzig Jahren fällst du auf Sylt tot in den Sand! Daneben ein blendend aussehender Junge mit wilden schwarzen Haaren. In den Haaren sogar eine hochgeschobene Sonnenbrille. Auch diese Frisur hätte ich gerne gehabt: unordentlich-ordentlich, präzise zerzaust. Er sah aus, als käme er gerade aus dem Bett, ja als hätte er die Nacht durchgefeiert. In jedem Ohrläppchen hatte er einen goldenen Ring und die Trainingsjacke voller Buttons.

Zwei Mädchen am Nachbartisch tuschelten miteinander, schienen sich zu kennen. Wie schön sie waren! Ihre Augen so blau, drum herum so ein strahlendes Weiß, als könnte man direkt durch sie hindurch Segelschiffchen auf der Alster sehen. Ihre Gesichter klar und übersichtlich. Da die Stirn, da die Nase, da der Mund, da das Kinn, das kräftige Haar zum Pferdeschwanz gebunden. Sie sahen aus wie perfekte Gedecke auf einer Festtagstafel unter freiem Himmel. Da der saubere Teller, da das makellose Glas, da die spitze Gabel, da das scharfe Messer, da der Löffel und da die Serviette. Und so, wie es eine Freude gewesen wäre, im Schatten an einem klassisch gedeckten Tisch zu essen, so stellte ich mir vor, müsste es auch eine Freude sein, diesen symmetrischen, porentief reinen, nordischen Schönheiten einen Kuss auf ihre rot glasierten Porzellanlippen zu drücken. Für die Mehrzahl der hier Versammelten, begriff ich, würde das Jahr in Amerika nichts weiter als eine Selbstverständlichkeit sein, eine Reise wie viele andere, nur halt ein bisschen länger. Wer sich so die Sonnenbrille in die Haare schiebt, braucht sich vor nichts zu fürchten. Wer jetzt schon weiß, dass Sprachkenntnisse in der Überseevertretung des Vaters von Vorteil sein werden, der kennt seinen Weg.

Für mich sollte es ein Weltenwechsel werden, der totale Bruch, die Flucht nach vorne. Plötzlich kam ich mir in meiner Nullachtfünfzehn-Kleinstadtmontur – Sweatshirt, Jeans, Turnschuhe – deplatziert, ja armselig vor. Alle in diesem Raum schienen ihren eigenen Geschmack schon gefunden zu haben. Es gab durchaus mehrere Jungen, die genau das Gleiche trugen wie ich. Doch die Farbe des T-Shirts, der Aufdruck, der Schnitt der Jeans, die Marke der Turnschuhe, das zeugte von modischem Bewusstsein, einem Bewusstsein, das mir völlig abging. Was für mich galt, galt auch für die Mädchen in meiner Heimatstadt: Sweatshirt, Jeans, Turnschuhe. So kleidete sich auch meine Freundin. Hätte sie sich ein Sommerkleid angezogen, so ein Nest auf den Kopf gesetzt, Schuhe mit hohen Absätzen getragen und auf ihre Lippen geheimnisvollen Glanz gehext, ich hätte sie für verrückt erklärt. Wenn ich mit meiner Freundin am Wochenende in eine Kneipe oder in die einzige stadtbekannte Disco ging, trug ich hin und wieder ein Hemd. Dieses Hemd durfte man niemals in die Hose stecken, es musste über der Hose getragen werden. Schön schlabberig. Das Hemd in die Hose zu stopfen galt als spießig. Hier allerdings hing kein einziges Hemd über der Hose. Und die Mädchen? Röcke, so kurz, Kleider, so bunt, Blusen, so seidig, Schuhe mit Riemchen, so zierlich! Unter den Hamburger Mädchen schien das ganz normal zu sein. Und dezent geschminkt waren sie auch. Auf meiner Schule galt ein Mädchen, das sich schminkte, als verkommen. Natürlichkeit war bei uns das Schönheitsideal Nummer eins. Mädchen sollten in die kalte Ostsee rennen, gerne in Zelten schlafen, gut im Handball oder Volleyball sein, große Brüste haben, und vor allem eins mussten sie sein: gut gelaunt, unkompliziert und nicht zimperlich.

Auch der Junge mit der weißen Hose, den Segelschuhen und den gegelten Haaren wurde aufgerufen. Er hob seine Hand nur ein wenig von der Tischplatte und raunte ein tiefes, erdiges »Hier«. Dieses »Hier« war perfekt. Es ließ nicht den geringsten Zweifel daran, dass er tatsächlich hier war und hierhergehörte und hier sein wollte und musste. Er lächelte mit nur einer Gesichtshälfte, mit einem Mundwinkel, mit einer Augenbraue überheblich in die Runde, und mehrere Mädchen sahen ihn belustigt an. Aber bemerkt und gemerkt hatten ihn sich alle. Jeder in diesem Raum würde nachher wissen, wer gemeint war, wenn man von dem Typ mit den gegelten Haaren sprach. Von mir würde ganz sicher keines dieser Mädchen sprechen. Wie auch? Wie sollte man von mir reden? Der mit der Jeans? Der mit dem Sweatshirt? Der ohne Frisur? Der, der bei seinem Namen erst nach dem dritten Mal geschnallt hatte, dass er gemeint war, und wie ein Soldat »Hier!« gebrüllt hatte. Ja, daran würde man sich noch am ehesten erinnern. »War das nicht der Soldat mit der Wolle auf dem Kopf?«

»Ich sag euch kurz mal den Tagesablauf. Das wird soooo toll mit euch heute. Was wir alles mit euch vorhaben! Ihr werdet staunen. Als Erstes erzähle ich euch noch ein paar Dinge über unsere Organisation, und dann wird euch«, sie zeigte hinter sich, »Phil ein paar Dinge über Amerika erklären. So, dass ihr euch besser vorstellen könnt, was euch erwartet. Phil ist aus New York und euer Mann vor Ort. Also, es gibt natürlich noch in jedem Bundesstaat einen extra Ansprechpartner, aber Phil ist unser Supervisor drüben.« Der gebräunte Phil winkte uns zu. »Wir werden ein paar Spiele spielen. Auf Englisch. Dann hören wir noch Sandra und Veronika, die letztes Jahr in den USA waren und euch von ihren Erlebnissen und auch Sorgen berichten, ja, und dann haben wir noch einen Fragebogen. Der ist wichtig, damit wir für euch die richtige Gastfamilie finden können. Das soll ja passen. Wir haben so viele Anfragen dieses Jahr, also, das muss ich euch gleich ehrlich sagen, dass wir nicht alle in unser Programm aufnehmen können.« Also doch, dachte ich, die nehmen nicht jeden! Streifte mich ihr Blick? »Es gibt nur eine begrenzte Anzahl von Gastfamilien. Wir haben da eine riesige Verantwortung. Immerhin erklären diese Familien sich bereit, euch ein ganzes Jahr bei sich aufzunehmen. Und die bekommen kein Geld. Das müsst ihr euch mal klarmachen, die bekommen keinen Pfennig dafür, dass ihr ein Jahr bei denen wohnt, schlaft und esst. Und deshalb müssen wir sehr sorgfältig sein bei unserer Auswahl. Aber wenn ich mich hier so umsehe«, sie strahlte in die Runde, »das wird schon klappen. Also looooos geht's.«

Während dieser flotten Ausführungen wurde mir etwas erbarmungslos klar. Es hatte schon mit der Anwesenheitsliste begonnen. Damit, dass ich und noch ein Mädchen aus Kiel die beiden einzigen Nicht-Hamburger waren. Mir wurde klar, dass hier Großstädter saßen und ich ein Kleinstädter war und dass diese selbstbewussten Großstädter auch in den USA natürlich in eine Großstadt gehörten und ich natürlich ganz sicher nicht. Mir wurde, während ich die jungen Frauen und jungen Männer um mich herum betrachtete, immer klarer, dass ich meinem Großstadtwunsch gar nicht gewachsen war. Dass meine New-York-, meine Chicago-, meine Los-Angeles-Sehnsucht reine Selbstüberschätzung war. Mein Gott, auf welches Selbstbewusstsein, auf welche Qualitäten gründete sich eigentlich meine Hoffnung, eine New Yorker Familie glücklich machen zu können. Wollte ich hier noch eine Chance haben, musste ich mich augenblicklich von meinen großspurigen Anwandlungen befreien und einsehen, dass ich, der Kleinstädter, in eine Kleinstadt gehörte. Ich würde nachher im Fragebogen alles dafür tun müssen, als provinzielle Idealbesetzung zu glänzen, und nicht länger so, als wäre ich ein souveräner Weltenbummler, ein transatlantischer Hauptgewinn. Das wurde mir bei jedem weiteren Blick auf meine Mitbewerber klar. Uns trennten Welten.

Im Laufe des Nachmittags zementierten sich meine Befürchtungen. Wir spielten das sogenannte Mörderspiel: Alle mussten sich auf den Boden legen und die Augen schließen. Der Spielleiter, Phil, ging herum und tippte, von den anderen unbemerkt, einem von uns auf die Schulter. Der war der Mörder. Dann standen alle auf und gingen kreuz und quer im Raum herum. Wen der Mörder anblinzelte – es durfte niemand anderes als nur das Opfer sehen –, musste still bis zehn zählen und dann schreien und sterben. Der Mörder lief also durch die Gruppe und versuchte, unerkannt einen nach dem anderen mit einem Augenzwinkern über den Jordan zu schicken. Wer den Mörder beim Zwinkern erwischt hatte, ging zum Spielleiter und verriet ihn. Der Mörder hatte gewonnen, wenn er es geschafft hatte, alle zu töten, ohne selbst entdeckt zu werden. Ich kam kein Mal dran. Weder als Täter noch als Opfer. Eine Stunde lang kurvte ich unter den Stuckgeschwüren herum und wurde kein einziges Mal ermordet. Ich hätte mir sehr gewünscht, von einer der ebenmäßigen Porzellanschönheiten zu Tode gezwinkert zu werden. Ich hätte alle meine Scham fahren gelassen und wäre schreiend und zuckend für sie gestorben. Wieder und wieder kreuzten sie meinen Weg, stolzierten an mir vorbei, diese blasierten Stuten mit ihren weißen Gebissen, ihren angelegten Ohren, und ignorierten mich. Wie ein Idiot wich ich jedem aus oder rempelte herum. Ich rotierte durch den Raum und war unsichtbar. Ich hatte zwar »Hier« gerufen, war aber nicht hier. Da sah ich, wie der Junge mit den gegelten Haaren jemandem zuzwinkerte. Ich rannte zum Spielleiter, zeigte auf ihn und flüsterte: »Der da, der da hinten, der ist der Mörder.« Ich hatte recht. Er war es. Die Runde war aus, obwohl sie gerade erst begonnen hatte, und ich spürte abfällige Blicke. Blicke, die sagten: »Mein Gott, jetzt bleib mal locker.« Eben noch hatte mir das Glück der Denunziation einen Minitriumph verschafft, so einen kleinen gehässigen Glücksrausch, doch jetzt schämte ich mich bereits meines Übereifers, schämte mich für meinen auf den Mörder hinweisenden, in die Luft pickenden Finger. Der überführte Dandy sah mich an, zutiefst gelangweilt, und ich bildete mir ein, seine Gedanken lesen zu können: »Ausgerechnet du? Du Kleinstadt-Würstchen hast mich entlarvt. Na, was soll's. Hast du gut gemacht, Landei. Brav. Wirst bestimmt mal Polizist. Blöder Provinzarsch.« Da, wo ich heute Morgen hergekommen war, galt ich als durchaus selbstbewusst, manchen sogar als eingebildet. Nichts war mehr davon übrig.

Nach dem Mörderspiel redete Phil zu uns. Auf Englisch! Ich versuchte, zuzuhören, aber meine wachsende Verwirrung verstopfte mir die Gehörgänge. Ich fühlte mich beobachtet, unwohl und allein. »Your year will not always be easy, but we will do everything possible to help you. In the end, however, it will be up to you to make it successful or painful. You will have to be open and have a positive attitude towards all the things that will bombard your life each day in this strange country.« Ich hörte die Worte, verstand aber den Sinn nicht. Dann sprach Phil auf Deutsch weiter, aber mit starkem amerikanischem Akzent, sodass ich wieder kaum etwas verstand. »Kulturschrock«, andauernd hörte ich das Wort »Kulturschrock«. »Nach vier Wochen kommt die Kulturschrock auch zu dir!« »Fruher oder spater: Kulturschrock!« Dann mehrmals das Wort »prude«. »Wenn du bist an die Straand, oder in deine Garten, du musst gucken, dass du nicht bist nacket. Wir Amerikaner sind prude. Natürlich auf die Land ist noch pruder als in die Stadt. Aber lauf besser nicht nacket durch die Wohnung, deine Gasteltern könnten bekommen riesen Schrock.« Phil lachte, und alle lachten mit. »And I tell you one thing: Never forget the three d's! No drinking, no driving, no drugs! Und weißt du, es gibt viele Klischee uber uns Amerikaner. Dass wir oberflachlich sind. Dass wir schlechte Bildung haben. Dass schlechte Essen gibt. Dickdumm sind. Vielleicht stimmt sogar, aber hey, Amerika is groß, is riesige Land und du kommst und kannst dir selbst Bild machen. Das is die Chance, die du hast. Es liegt an dir. Ich bin sicher, du wirst treffen tolle Menschen. Sei offen fur Neuigkeiten und du wirst sehen, wie unterschiedlich is meine Land, und es nicht nur eine Wahrheit gibt. Vielleicht hilft dir folgende Spruch: There are two little magic words that open every door with ease. One little word is ›thanks‹ and the other little word is ›please‹.«

Dann kam der Test. War es überhaupt ein Test? Konnte man hier durchfallen? Nicht alle konnten genommen werden. So viel stand fest. Die Fragebögen wurden verteilt. Mehrere Blätter. Bei den ersten Fragen hatte man die Wahl zwischen ›unwichtig‹, ›wichtig‹ und ›sehr wichtig‹. Am liebsten hätte ich überall einfach ›unwichtig‹ angekreuzt, um so meine totale Demut zu bekunden. Aber war das geschickt? Da, wo es keine Rolle spielte, kreuzte ich ›sehr wichtig‹ an, aber bei den wesentlichen Fragen ›unwichtig‹. Die wesentlichen Fragen, die über meine Zukunft entscheiden würden, die ich vorsätzlich falsch beantwortete und mit Ausrufezeichen betonte, waren: 1. Wie wichtig ist es für dich, das Jahr in einer großen amerikanischen Stadt zu verbringen? Meine Antwort: unwichtig! 2. Wie wichtig ist es für dich, das Jahr in einer mittelgroßen amerikanischen Stadt zu verbringen? Meine Antwort: unwichtig! 3. Wie wichtig ist für dich die Nähe zur Natur? Meine Antwort: sehr wichtig! 4. Wie wichtig ist dir ein eigenes Zimmer? Das war hart. Das war wahrscheinlich genau die Frage, mit der ich mich aus der Menge der Verwöhnten zur raren Klasse der Anspruchslosen hinaufbefördern konnte. Keiner hier in diesem Raum, da war ich mir sicher, war es gewohnt, sein Zimmer mit jemandem zu teilen. Das war meine Chance! Also meine Antwort: unwichtig! 5. Wie wichtig ist Religion für dich? Nächste Chance! Meine Antwort: sehr wichtig! Nur bei einer einzigen Frage war ich mir sicher, dass eine wahrheitsgetreue Antwort meine Chancen nicht drastisch verschlechtern würde. Auf die Frage ›Wie wichtig ist Sport für dich?‹ antwortete ich ›sehr wichtig!‹ und unterstrich das ›Sehr wichtig!‹ dick. Nach meiner Lieblingssportart gefragt, schrieb ich: Basketball! Hast du irgendwelche Allergien? Ich überlegte kurz. War es schlau, hier zu lügen? Wenn es Frühling wurde, nahm ich Tabletten, war schlapp, nieste, stocherte mir mit der Gabel im juckenden Rachen herum und bekam kaum Luft. Aber wer mochte schon ein geschlagenes Jahr lang einen Allergiker bei sich wohnen haben? Antwort: keine Allergien. Hast du psychische Probleme, und falls ja, welche? Und ob! Hin und wieder übermannt mich der Zorn, und ich haue alles kurz und klein. Antwort: nein, keine. Nächste Frage: Wie würdest du deine Englischkenntnisse beschreiben? Schlecht, eher mäßig, gut oder sehr gut. Also gut war ich in Englisch nicht. Aber wer hier die richtige Auskunft gab, dachte ich, ist selber schuld. Da konnte man ja auch gleich fragen: Willst du nach Amerika? Ja oder nein? Ich kreuzte ›sehr gut‹ an! Schwierige Frage: Warst du schon mal in den USA und falls ja, wo? Was sollte das? Was ging die das überhaupt an? Was sollte ich da schreiben? War es von Vorteil, schon mal da gewesen zu sein, oder von Nachteil? Jemand, der schon mal da war, dachte ich, der braucht nicht noch mal hin. Also: nein. Allerdings hat jemand, der noch nicht da war, sein Interesse an Land und Leuten noch nicht unter Beweis gestellt, hat sich noch nicht als offen und reisetüchtig erwiesen. Also: ja! Oder ging es darum, wohin man kommen würde? Käme jemand, der schon mal in New York war, wieder nach New York oder aus Gerechtigkeitsgründen diesmal aufs Land? Hinter jeder Frage lauerte ein Abgrund, eine Perfidie. Nach zehn Minuten schrieb ich, dass ich schon mal in Amerika gewesen wäre, allerdings mit fünf Jahren in Texas. Letzte Frage: Was erwartest du dir von diesem Jahr? Ich hatte so lange über die anderen Fragen nachgegrübelt, dass ich einer der wenigen war, die noch nicht abgegeben hatten. Ein aufgeregtes Stimmengewirr erfüllte den Raum. Adressen wurden ausgetauscht, und der Gegelte stand mit dem Haarnestmädchen am offenen Fenster. Ich schrieb: Ich würde gerne Basketball spielen und …

Ich überflog mein Blatt. Das war doch alles kompletter Quatsch. Was hatte ich da bloß alles angekreuzt und geschrieben? Nie, niemals würde ich genommen werden. Jemand, der gerne in der Provinz in Mehrbettzimmern schläft, strenggläubig ist und mit fünf Jahren schon mal in Texas war! Und zur großen Überraschung seiner Gastfamilie stellt sich heraus, dass er kein Wort Englisch spricht und nachts in seinem Bett an einem Asthmaanfall stirbt. Wie war die Frage? Was erwartest du dir von diesem Jahr: Ich würde gerne Basketball spielen und … »So, gib jetzt bitte deinen Fragebogen ab«, forderte mich Traudel Buscher-Böck auf. Ich schrieb: Ich würde gerne Basketball spielen und … und – ein anderer Mensch werden! – und weg war das Blatt.

Wer wollte, durfte nun die beiden Mädchen befragen, die

bereits in Amerika gewesen waren. Ich sah den anderen beim Fragen zu. Verabschiedete mich von niemandem, was niemandem auffiel. Als ich die schmiedeeiserne Treppe hinunterging, war ich komplett niedergeschlagen. Wie hatte das passieren können? Ich war so guter Dinge nach Hamburg aufgebrochen, und nun war alles schiefgelaufen. Alles, aber auch alles hatte ich vermasselt. Keiner hatte mich angesprochen, um seine Adresse mit mir zu tauschen, keiner hatte sich zu mir gestellt und mich gefragt: »Und, glaubst du, das wird was?« Ich war plötzlich todmüde und hungrig.

Ganz in der Nähe fand ich ein türkisches Restaurant, in dem orientalische Musik lief und in einem Hinterzimmer, das sah ich durch den Spalt einer angelehnten Tür, Männer um einen Plastiktisch saßen, würfelten und Wasserpfeife rauchten, die Pfeife von einem zum anderen weiterreichten. Ich bestellte mir einen Lammspieß mit Reis und – es war das erste Mal, dass ich das freiwillig tat – ein Bier. Ich hatte unfassbare Lust auf ein kaltes Bier. Ich saß am Tisch und wartete auf mein Essen.

Im letzten Sommer hatte ich mit meiner Freundin, meiner ersten Freundin überhaupt, eine Reise in die Türkei gemacht. Wir waren beide gerade sechzehn geworden. Sie hatte einen Sprachkurs an der Volkshochschule belegt. Wir fuhren mit dem Auto. Von Kiel bis Istanbul. Zusammen mit einem Kette rauchenden türkischen Heavy-Metal-Fan. Wir hatten uns, um Geld zu sparen, bei einer Mitfahrzentrale gemeldet. Er fuhr nie schneller als hundertzwanzig und unterhielt sich dreiundzwanzig Stunden lang mit meiner Freundin, die vorne sitzen durfte. Er überbrüllte dreiundzwanzig Stunden lang seine infernalische türkische Heavy-Metal-Musik, und meine Freundin schleuderte stolz ihre Türkischbrocken in den Lärm. Sie: »müzikten çok hoşlanıyorum!« Er: »gıdıklarsa müzik mest oluyorum!« Dann wippten sie wieder beide mit den Köpfen zur Musik. Sie verstanden sich prächtig. Ich saß hinten, eingequetscht, mit Kaninchenaugen im Zigarettenqualm, und verstand kein Wort. Kurz vor Istanbul ließ er uns an einer gottverlassenen Kreuzung aussteigen. Nach Stunden fanden wir ein Hotel, wo wir für ein Heidengeld auf dem Dach unter Antennen unsere Schlafsäcke ausrollen durften. Sobald man die Augen schloss, schlichen räudige Katzen heran und schnupperten an den Rucksäcken. Beugte man sich über ein kleines Mäuerchen, sah man viele Meter in eine Straßenschlucht hinab. In ein Sammeltaxi eingepfercht erreichten wir am nächsten Abend die mit halb fertig gebauten Hotelkomplexen verschandelte Küste. Unten wurde schon gewohnt, oben noch gebaut. In dem Sammeltaxi zwinkerte mir ein Mann zu, machte obszöne Andeutungen mit seiner Zunge, dellte sich mit ihr die Wange aus oder leckte sich über die Lippen. Am verdreckten Strand waren überall Soldaten. Sie kamen und ließen sich zusammen mit meiner Freundin fotografieren, teilten mit einem Handkantenschlag überreife Melonen und legten den Arm um sie. Als ich mich beschwerte, zeigten sie auf meine kurze Hose, lachten und schlenderten davon. Nach einer Stunde am Meer bekam meine Freundin eine Sonnenallergie. Mit dicken Pusteln am ganzen Körper lag sie im glühend heißen Zelt. Nachts zirpten die Grillen so nervtötend, dass wir nicht schlafen konnten. Am Morgen wurde ich von Motorengeräusch geweckt. Ich steckte den Kopf aus dem Zelt. Ein Flugzeug flog in geringer Höhe über den Campingplatz und versprühte ein Pulver. Auf alles, auf die Zelte, die Zedern, die Wasch-Baracken rieselte diese gelbliche Asche herab. Meine Freundin wachte auf. Ihr Gesicht war so zugeschwollen, dass sie die Augen kaum öffnen konnte. Barfuß stand sie in dem eigenartigen Pulver, weinte und kratzte sich die Sonnenpusteln auf. Sie wollte nur noch zurück. Also, wieder auf nach Istanbul und dann mit dem Zug über Bukarest, dreizehn Stunden auf dem Gang stehend nach München und von da aus Richtung Norden. Drei Tage und zwei Nächte waren wir fort gewesen.

Mein türkisches Essen kam und sah köstlich aus. Sogar die sehr scharf angebratenen, ja, stellenweise schwarz verbrannten Paprika schmeckten mir. Ich bestellte mir noch ein Bier. Dieser ungewohnte Bierdurst erstaunte mich. Ich aß das zarte Lammfleisch, den Reis, die Paprika, warmes Brot dazu und trank das Bier. Es roch so gut in diesem kleinen Restaurant. Nach der Wasserpfeife, dem gegrillten Fleisch. Das Stimmengewirr, die Musik. Ich kaute langsamer, holte tiefer Luft und trank in kleineren Schlucken. Es war Viertel vor fünf. Ich griff in die Sporttasche und legte den Bullensack vor mir auf den Tisch. Das erste der drei Hs, für die Hamburg für mich stand, hatte ich schon besichtigt. Es blieben noch H wie Herbertstraße und H wie Hafenstraße. Von der berüchtigten Herbertstraße hatte ich bestimmt das erste Mal mit zehn gehört. Stundenlang redeten wir über die Herbertstraße. Wenn ich bei einem Freund übernachtete, im Bett lag, das Licht schon gelöscht war, schwelgten wir in Herbertstraßenfantasien. Die Herbertstraße war das Land unserer versauten Träume. Später wurde dann immer mehr über die besetzten Häuser der Hafenstraße gesprochen. Ja, das Wort Hafenstraße ersetzte unerbittlich das Wort Herbertstraße. Vielleicht habe ich mir damals zum ersten Mal, durchaus beschämt, mein vollkommenes politisches Desinteresse eingestehen müssen, da mich jede Unterhaltung über die Herbertstraße tausendmal mehr interessiert hat als über die Hafenstraße. Das Wort ›Herbertstraße‹ hat mich immer sofort elektrisiert, wohingegen mich das Wort ›Hafenstraße‹ augenblicklich mit Langeweile erfüllte. Mehrere von der linken Schülervertretung organisierte Busreisen gingen zur Hafenstraße. Ich habe an keiner teilgenommen. Hätte aber jemand, egal wer, eine Schülerbusreise zur Herbertstraße organisiert, wäre ich sicher sofort dabei gewesen. Viel wurde über die Preise der Prostituierten in der Herbertstraße spekuliert. Doch für gut hundertfünfzig Mark sollte einiges möglich sein. Ich bezahlte meinen Lammspieß und machte mich auf den Weg zur U-Bahn.

Es war kühl geworden, und ich nahm den Pullover aus meiner Sporttasche und zog ihn mir an. Das tat mir gut. Vom Bier war mir etwas schummerig. Allein schon an der Haltestelle, die St. Pauli hieß, auszusteigen, kam mir wie eine verbotene, waghalsige, extrem verruchte Aktion vor. Es dauerte eine Zeit lang, bis ich den durch eine plakatierte Wand versperrten Eingang der Herbertstraße fand. »Für Frauen verboten!« stand auf einem Schild. Links und rechts konnte man an der Wand vorbei hineingehen. In meiner Hand lag schwer der mit Münzen prall gefüllte Bullensack. Ich atmete ein und lief um die Wand herum.

Es waren tatsächlich schon ein paar Prostituierte da. Sie saßen in verglasten Nischen, leicht erhöht, auf Barhockern und hatten es sichtlich schön warm in ihren Schaufenstern. Panisch hin- und herblickend lief ich zügig einmal die Herbertstraße hinunter. Das, wonach ich suchte, hatte ich nicht gesehen: eine dunkelhäutige Frau. In den letzten Wochen, ja, Monaten hatte mich das Verlangen nach einer dunkelhäutigen Frau anfangs nur gelegentlich, dann mehr und mehr ausgefüllt und zuletzt regelrecht beherrscht. All diese blassen, blonden, blauäugigen Mädchen auf meiner Schule, meine Freundin! Da musste es doch noch etwas anderes geben! Ich war versessen auf die Begegnung mit einer Schwarzen, dachte ununterbrochen an sie, verzehrte mich nach ihren schwarzen Brüsten, dem schwarzen Hintern und den großen Lippen. Klischierte Momentaufnahmen von Geschmeidigkeit und Wildheit zerrten an meinen Nerven. Doch eine dunkelhäutige Prostituierte hatte ich nicht gesehen. Bis auf eine, die mit abstehenden Zöpfen, Bluse und Minifaltenrock an einem rot-weißen Lolly lutschte und wie zwölf aussah, waren sie alle eher älter gewesen. Hatten einen gelangweilten Eindruck auf mich gemacht. Sahen aus wie vollbusige müde Lehrerinnen. Ich beschloss, später noch einmal wiederzukommen, vielleicht war sechs Uhr auch einfach noch zu früh.

Ich machte einen Spaziergang runter zur Elbe und kam zum dritten H, zu den schon erwähnten Häusern der Hafenstraße, die mich wie erwartet völlig kaltließen. Ein Freund der linken Schülervertretung hatte geschwärmt: »Da kannst du in jedes Haus einfach reingehen und dich mit deinem Schlafsack in irgendeinem Zimmer in die Ecke hauen und da wohnen, so lange du willst.« Vor einem der bunt bemalten Häuser standen unter einem Wellblechvorsprung zwei schwarz angezogene Männer und tranken Bier. Um ihre Füße herum hatten sie jeder einen noch nicht ganz geschlossenen Kreis aus leeren Bierdosen gestellt. Auf den geschlossenen Flügel der Eingangstür waren sehr gekonnt drei grimmig dreinblickende lebensgroße Polizisten gemalt. Zwei von ihnen standen aufrecht, hatten prügelbereit ihre Schlagstöcke erhoben. Einer kniete. Sein Mund war der Briefkastenschlitz. Über ihnen folgender Warnhinweis: »Wir müssen leider draußen bleiben.« Um die Tür herum waren in einem Bogen zerbrochene Flaschenböden und -hälse in den Mörtel gedrückt. Auch Hunderte Braun-, Weiß- und Grünglasscherben. Ich schritt durch diesen liebevoll gestalteten scharfkantigen Bogen hindurch in den Hausflur und stieg die ehemals sicher prächtige, jetzt arg ramponierte Treppe empor. Auf den ausgelatschten Stufen lagen überall getrocknete Erbsen herum, und ich überlegte, ob diese dort wie in einem Einbrecherwitzfilm absichtlich verstreut worden waren, um etwaige Eindringlinge zum Straucheln zu bringen. Konnte das sein?

Mit Hülsenfrüchten gegen die Staatsmacht? Ich kam in den ersten Stock. Eine Tür stand halb offen. Auf einer wie mitten im Zimmer abgeworfenen Matratze lagen mehrere Personen. Drei oder vier? Vielleicht aber auch fünf oder sechs? Wie viele es waren, konnte ich nicht erkennen, da sie sich in ihren überdimensionierten Strickpullovern eng aneinandergeschmiegt hatten. Es sah aus, als würden sie alle zusammen in einem einzigen Pullover stecken. Einem grobmaschigen Riesenpullover mit mehreren zu langen Ärmeln. An einigen Stellen ragten Köpfe aus der Wolle. Die Haare teilweise gefärbt, teilweise bis auf die Kopfhaut abrasiert. Einige der Pulloverbewohner sahen zum Fernseher, der auf dem Boden stand, hinüber, andere schienen zu dösen. Aus zwei Dosen wurden Erdnüsse gegessen. Es war nicht zu erkennen, ob diejenigen, die die Dosen hielten, selbst aßen oder die anderen fütterten. Im Fernseher liefen »Die Waltons«. Ich sah Jim Bob mit seinem irritierend großen Muttermal auf der Wange, das ich schon immer abstoßend gefunden hatte, an seiner Schreibmaschine sitzen. Wenn sich einer der Körper im Pullover bewegte, gaben die anderen leise Unmutslaute von sich, und unter der Wollhaut wurde sich hin und her gewendet. Beine sah ich keine. Sich hier, wie mein Freund begeistert geschwärmt hatte, einfach dazulegen zu dürfen, zu den anderen in den Pullover zu schlüpfen, mit ihnen eins zu werden und Nüsschen zu knabbern, sei es auch nur für ein Stündchen, kam mir alles andere als erstrebenswert vor. Leise trat ich den Rückzug an.

Gegen acht durchquerte ich die Herbertstraße ein zweites Mal. Diesmal war schon mehr los. Ich nahm mir vor, langsam zu gehen und nicht wieder wie ein Karnickel auf der Flucht an den üppigen Damen vorbeizuhoppeln. Da sah ich sie. Dunkle Haut. Sie trug strahlend weiße Wäsche. Sie sah mich. Sah sofort, wie ich sie anstarrte, und klopfte an die Scheibe. Ich ging zu ihr. Sie öffnete ihr Fenster. Sie war wirklich schön. Viel schöner, als ich es mir erhofft hatte, und sie war tätowiert. Darüber hatte ich noch nie nachgedacht. Das hatte ich nicht für möglich gehalten, dass man dunkle Haut so farbenprächtig tätowieren konnte. Aus dem offenen Fenster strömte mir Wärme und ein eigentümlicher Geruch entgegen. Eine Mischung aus billigem Parfüm, öligem Kokosaroma und scharfem Putzmittel. In breitem Hamburgisch sprach sie mich an: »Na, möchste nich ma reinkomm? Hast du Lust, was zu machen?« Ich war sehr verlegen, auch enttäuscht, da ich eher auf einen gutturalen Akzent gehofft hatte. In unseren Gesprächen über die Herbertstraße war immer wieder davor gewarnt worden, ohne feste Preisabsprachen die Schaufenster zu betreten. Man müsse immer genau absprechen, was für wie viel Geld gemacht werden solle. »Na, du redst wohl nich so gerne. Komm doch erst ma rein.« Ich fragte leise: »Wie teuer ist es denn?« »Kommt ganz drauf an, was du machen möchtest.« »Tja, was gibt es denn so?« Ich wäre gerne weggerannt, aber da zählte sie mir schon alles auf. Einfach so, zack, den ganzen Einkaufszettel runter: »Mit der Hand kostet vierzig, wenn ich mich dabei obenrum ausziehe fünfzig. Französisch sechzig. Nen schöner Tittenfick ab achtzig. Richtig ficken hundert. Ganz nackt hundertzwanzig. Zweimal mit Stellungswechsel hundertfünfzig. Wenn du richtig was erleben möchtest, gibst du mir zweihundert, und dann haben wir schön 'ne ganze Stunde Zeit, und ich lass dich auch mal hinten rein.« »Zweihundert hab ich nicht«, sagte ich, »ich muss auch bald schon mit dem Zug nach Hause.« Da lachte sie, und ich sah die Füllungen in ihren Backenzähnen. »Komm doch erst ma rein.« Und sehr sanft: »Hey, möchste nich reinkomm?« Ihre Lippen waren unglaublich, so voll, so glänzend. Doch darauf fiel ich nicht herein. »Ich weiß nicht. Ich glaub, ich muss noch ein bisschen überlegen.« »Na, dann überleg ma schön. Mir wird kalt«, und sie schloss ihr Fenster.

Ich winkte ihr, lief aus der Herbertstraße hinaus, drehte ein paar Runden auf einem Platz mit einer Hans-Albers-Büste und ging wieder in die Herbertstraße hinein, zielstrebig zu ihrer Scheibe. »Hey, hallo!« Ich vergriff mich völlig im Ton, als wäre ich eine Woche lang weg gewesen, und begrüßte sie wie eine alte Bekannte. »Ich hab mir was ausgesucht. Ich hätte gerne das mit äh … äh … mit den … Brüsten für achtzig.« »Na, dann komm ma rein.« Ich folgte ihr in ein kleines Hinterzimmer. Auf dem Bett lag ein großer Plüschpanther mit knallgelben Augen. »So, zuerst die achtzig Mark, bitte.« Ich holte meinen prall gefüllten Bullensack aus der Sporttasche, setzte mich aufs Bett und stapelte je zehn Markstücke zu Türmchen neben die rötlich glimmende Lampe auf den Nachttisch. »Was machst du denn da?«, fragte sie mich. »Hast du dein Sparschwein geschlachtet?« »Nee, nee. Ich bin … äh … ich gebe kleinen … Schwimm… ich bin Rettungsschwimmer.« »Rettungsschwimmer? Und da gibt's so viel Trinkgeld?« Sie lachte über ihren Witz. Ich schob die acht Türmchen zusammen und gab ihr das Geld. »Zieh dich aus und leg dich hin. Bin gleich wieder da.«

Als ich nackt neben dem Panther auf dem Bett lag, nicht auf einem Bettlaken, sondern auf einem großen Frotteehandtuch, sah ich mich über mir in einem riesigen Spiegel unter der Decke schweben. Dieser schlaksige, nackte Junge mit dem Lockenturban: Das war ich. Ich sah zu mir hinauf, hatte aber eher das Gefühl, ich würde auf mich hinunterblicken. Hinunter auf ein erwachsenes Baby, das zusammen mit seinem Lieblingsstofftier auf einem gigantischen Wickeltisch liegt. Sie kam zurück. Ich war mir sicher, dass sie sich für mich umziehen oder nackt zurückkommen würde. Doch sie sah genauso aus wie vorher, roch aber leicht nach

Zigarette. Jetzt sah ich ihre Tätowierungen besser. Aus dem knappen Netzhöschen heraus, über Leisten und Bauch hinweg nach oben wucherten tropische Pflanzen mit roten und auch weißen Blüten, was auf der schwarzen Haut einen erstaunlichen Effekt hatte. Da eine gelbe Schlange, züngelnd, da ein Schmetterling, da eine reife, aufgebrochene Frucht. Ihr BH bedeckte die Brüste nur spärlich, trug sie eher. So kam sie auf mich zu, setzte sich zu mir auf die Bettkante. Schwer lagen ihre dunklen Brüste in diesen zwei Körbchen aus durchwirkter Spitze. Das gefiel mir. Sie drehte mir den Rücken zu: »Mach ma auf!« Ich öffnete geschickt den kleinen Haken, und die Träger glitten über ihre glatten Schultern hinunter. In Schönschrift stand unmittelbar über den üppigen Pobacken ein tätowiertes Wort, die Buchstaben eigenartig verdreht, unlesbar: *ytinretE*. Sie drehte sich zu mir. Jetzt sah ich das ganze Bild: Bis knapp unter ihren Busen wucherte der tätowierte Dschungel. In den Baumkronen saßen Papageien, und über ihre Brüste hinweg entfalteten, in einer wahrhaft überwältigenden Farbexplosion, exotische Vögel ihre Flügel. Sie verschränkte die Arme hinter ihrem Kopf und sagte: »Schön, ne?« Die langen Federn der Paradiesvögel reichten bis über die Schulterkuppen zu den Oberarmen. Die Farben waren gleichzeitig prächtig und matt, durch das Dunkle ihrer Haut gedämpft. Ein Dschungel bei Nacht. Ihre Brustwarzen sahen allerdings eigenartig aus. Komisch verlaufen wie die Uhren auf dem berühmten Dalí-Gemälde.

»So, dann wolln wa ma.« Sie zog mir ein Kondom über, setzte sich auf meine Beine, die Wärme ihres Hinterns auf meinen Knien, beugte sich vor und rieb und rubbelte mit ihren Brüsten an mir rum. Im Spiegel über mir sah ich ihren Rücken, die einzelnen Wirbel, ihre schmale Taille – und auch das Wort. Jetzt konnte ich es auf einmal lesen: *Eternity*. Ich lag mit dem Kopf neben dem Panther, der so ähnlich roch wie unser Hund, und beobachtete sie beziehungsweise uns. Sah, wie die Paradiesvögel um meinen Schwanz flatterten. Doch erregt war ich nicht. Ich spürte nichts! So, als hätte ich eine örtliche Betäubung bekommen, fand es aber hochinteressant. Nach einer Weile sagte sie: »Mein Jung, ich glaub, das wird heut nichts mit uns zwein.« »Och, nich so schlimm«, antwortete ich und stand eilig auf. Ich verhedderte mich in meiner Unterhose. Ohne dass ich sie danach gefragt hätte, sagte sie »Ich heiße Blanche!«, und dann schnappte sie zweimal mit den Zähnen in die Luft. Ich fragte sie: »Und, woher kommst du?« Fast melancholisch antwortete sie: »Von hier. Aus Harburg.« Ich zog mein T-Shirt an, dann die Jeans. »Äh … und mein Geld?«, fragte ich. »Das lässt du ma schön hier. Lag ja nich an mir.« Sie nahm den Bullensack vom Nachttischchen und reichte ihn mir herüber. Da hielt sie inne und sah ihn sich genau an. »Was ist das denn? Dein Portemonnaie hat ja Haare.« »Das ist ein echter Bullensack«, erklärte ich ihr. Sie gab ihn mir und sagte leise wie zu sich selbst: »Sachen gibt's …« Durch eine Hintertür ließ sie mich hinaus. »Na denn, bis zum nächsten Mal. Tschüs.« »Ja, tschüs.« »Hier, Lebensretter, vergiss deine Sporttasche nich.« »Oh ja, danke. Tschüüs!«

Ich ging ein Stückchen und setzte mich auf die Bordsteinkante. »Mein Gott«, dachte ich, »was ist das für ein beschissener Tag!« Plötzlich hatte ich Sehnsucht nach meinen Eltern, meinen Brüdern, nach meinem Zimmer, danach, den Schlüssel in die Haustür zu stecken und »Hallo!« zu rufen. Wenn ich mich beeilen würde, wären sie vielleicht noch wach. Ich hatte genug von dieser Stadt, den drei sagenumwobenen Hs. Für mich hielt diese Stadt nichts als Niederlagen bereit. Ich wollte nach Hause.

Ich sprang auf und rannte die Straße entlang. Hetzte, drei Stufen auf einmal nehmend, die Treppen zur U-Bahn hinab und machte mich so schnell es ging auf den Heimweg. Doch es dauerte noch einmal geschlagene zwei Stunden, bis ich endlich im Zug saß und in die Stadt, in der ich aufgewachsen, aber nicht geboren war, heimkehren konnte. Erst gegen Mitternacht würde ich ankommen. Der Zug war leer. Ich zog mir die Schuhe aus, klappte den Sitz hinunter, zog auch den gegenüberliegenden heran, legte meinen von Haaren gut gepolsterten Kopf auf die Sporttasche und schlief sofort ein. Der Schaffner weckte mich. Noch zwanzig Minuten bis nach Hause. Sogar die Rendsburger Hochbrücke hatte ich verschlafen. Ich sah aus dem Fenster in die Nacht hinaus. Sah aber nur mich selbst. Mein leicht verzerrtes Spiegelbild. »Du hast heute total versagt.« Ich sprach mit mir selbst. »Versagt auf ganzer Linie. Das mit Amerika kannst du vergessen. Und alles andere auch. Du bist kein Reisender, kapier das endlich, du bist und bleibst ein Pendler!«

Endlich war ich da. Vom Bahnhof bis zu unserem Haus lief ich zu Fuß. Es war nicht nah, eine Dreiviertelstunde, aber ich hatte plötzlich große Lust, noch ein Stückchen zu gehen. Meine Eltern würden eh schon schlafen. Wie still es hier war. Totenstill. Ich kam an dem Kino vorbei, in das mich der Sohn des Besitzers, ein Freund von mir, heimlich in einen Film geschleust hatte. Ich war zwölf, und der Film hieß »Piranhas«. Das Kino war ein sogenanntes Verzehrkino. Wie stolz war meine kleine Stadt, als dieses Verzehrkino eröffnet wurde. Ich dachte danach jahrelang, es gäbe in großen Städten nur Verzehrkinos, und ein Kino, in dem man nichts zu essen bestellen könne, sei ein Provinzkino. Dass ich aber nirgends sonst jemals wieder auf ein Verzehrkino gestoßen bin, wundert mich noch heute. Während des Films konnte man vor sich auf eine Klingel drücken und Würstchen und Bier bestellen. Als ich »Piranhas« sah, der ab achtzehn war, bin ich vor Angst fast ohnmächtig geworden. Aus dem Swimmingpool eines wahnsinnigen Professors entkommen die Piranhas in einen Fluss. Da ein Liebespaar verschwunden ist und ihre Kleidung noch rund um den Pool liegt, pumpt die Polizei das Wasser aus dem Becken, wodurch die Piranhas in die Kanalisation gelangen. Ich hatte gesehen, wie der Mann und die Frau sich nackt ausgezogen hatten und baden gegangen waren. Ruckartig wurden sie unter Wasser gezogen. Das Wasser sah aus, als ob es kochen würde. Immer wieder wechselte die Kamera von den schreienden Mündern zu den zubeißenden spitzzahnigen Mäulern der Fische. Später kroch dann noch ein Angler, der gemütlich seine Füße im Fluss gebadet hatte, mit abgenagten Unterschenkeln über eine Wiese. Der abgebrühte Sohn des Kinobesitzers verzog keine Miene und aß einen Teller Chili con Carne. Ich traute mich nicht, ihm zu sagen, dass ich gehen wollte, dass es mir zu gruselig war. Ich wollte kein Feigling sein. Ich traute mich nicht einmal, die Augen zu schließen, und sah den ganzen Film.

Ich ging die wohlbekannten Straßen entlang und dachte darüber nach, ob ich es eigentlich mochte, dass es hier so still war. Jetzt gerade, nach diesem verkorksten Tag, tat es mir gut, aber eigentlich hasste ich diese Stille. Das, dachte ich, gibt es in Hamburg nicht. Da verdichtet sich das Brummen und Bremsen und Gasgeben zu einer nie abbrechenden Geräuschkulisse, einem Geräuschpegel, den man immer hört, Tag und Nacht, der einen trägt. Durch den Tag in die Nacht trägt, durch die Nacht bis zum Morgen trägt, bis ins Bett, und während man schläft, draußen schon wieder auf einen wartet. Und ich stellte mir die Menschen in Hamburg vor, wie sie morgens aufwachten, dieser Klangteppich schon für sie ausgerollt war und sie sich nur anzuziehen, aus der Tür zu treten und sich treiben zu lassen brauchten. In meiner Stadt war Stille noch der Urzustand. Beruhigend, aber eben auch anstrengend, da man immer alleine von vorn anfangen musste, Lärm zu machen. Kein Weiterreichen, kein Einklinken – jeder für sich allein in seiner Stille. So brummten auch die Autos an mir vorbei. Aus der Stille kommend, in die Stille fahrend. Die Ziele dieser Autos erfüllten mich mit Langeweile. Garagen oder verkehrsberuhigte Wohnstraßen. Und während der Motor noch warm war, krabbelten die Kleinstädter in ihre heimeligen Betten und versanken gedankenlos in eben dieser Stille. Wie vereinzelt hier alles war. Einzelne Häuser, einzelne Autos, einzelne Bäume.

Behutsam steckte ich den Schlüssel ins Schloss, um niemanden zu wecken. Doch in der Küche brannte noch Licht. Ich ging um die Ecke, und da saß meine Mutter und las. »Hallo!« »Oh, hast du mich erschreckt!« »Tschuldigung!« Der Hund kam, wedelte mit dem Schwanz und stupste mich mit seiner Nase in die Handfläche. »Hast du Hunger? Es ist noch was vom Hühnerfrikassee da. Wie war es denn?« »Ach, ging so.« Mein Vater kam in seinem abenteuerlich verschlissenen Bademantel herein. »Hab ich doch richtig gehört. Na, mein Lieber, Reisender, wie war's? Und da fuhrst du los.« ›Und da fuhrst du los‹ bedeutete, dass ich alles ganz genau erzählen sollte, bloß nichts auslassen. Mein Vater wollte immer jede Einzelheit wissen, wenn man unterwegs gewesen war. »Ach, es war ganz okay.« Da kamen mir die Tränen. Ich setzte mich auf die Küchenbank und weinte bitterlich. Sie setzten sich zu mir. »Ach, mein Lieber, was ist denn passiert? Komm, iss mal was, sonst ist es gleich wieder kalt.« Ich aß und weinte, kaute und erzählte: »Die waren total bescheuert da. Alles so Lackaffen. Ich kam mir vor wie der letzte Idiot.« Mein Vater stellte mir ein Glas kalte Milch hin. Er hatte sich auch eine Gabel geholt und aß mit von meinem Teller. »Lauter so bescheuerte Fragen. Und dann mussten wir ein Spiel spielen, und diese Frau da, die war so ätzend, die hat voll komisch gesprochen: ›Ich freu mich soooo, dass ihr da seid.

Das wird gaaaaanz, gaaaaanz toll heute.‹« Meine Eltern lachten. »Und so ein Amerikaner war auch da, den hab ich kaum verstanden, der hat irgendwas von Kulturschreck oder Kulturschock gefaselt. Und wie die da alle ausgesehen haben. Totale Streber, und die Mädchen alle wie so Zuckerpüppchen! Am Ende kam ein Fragebogen. So bescheuerte Fragen!« »Was denn zum Beispiel?«, wollte mein Vater wissen. »Ach, keine Ahnung. Ob ich die Natur liebe, oder ob ich an Gott glaube.« Ich hatte aufgehört zu weinen: »Und wisst ihr, was ich bei der Frage, ob ich gläubig bin, angekreuzt habe?« »Nein, was denn?« »Sehr gläubig!« Ich erzählte und erzählte und wunderte mich darüber, wie viel ich erlebt hatte. »Und dieses Treffen da ging den ganzen Tag?« »Nee, bis fünf.« »Und was hast du dann gemacht?« »Bin rumgelaufen.« »Warst du im Museum? In der Warhol-Ausstellung?«, fragte mein Vater. »Nee!« »Aber was hast du denn gemacht?« »Sag ich nicht!« »Warum grinst du eigentlich die ganze Zeit so komisch vor dich hin?«, wollte mein Vater wissen. »Du siehst irgendwie verändert aus.« »Ach, nichts.« Meine Mutter fragte: »Was ist denn so lustig? Hab ich irgendwas verpasst?«, und sie lachte, ohne zu wissen, warum, und auch mein Vater lachte mit. Er klopfte mir auf den Rücken, da ich mich an einer Kaper verschluckt hatte und hustete. Ich stand auf. »So, ich bin müde. Gute Nacht!« »Ja, gute Nacht. Morgen musst du aber noch mal ganz genau erzählen, ja: Und da fuhrst du los!« Ich küsste erst meinen Vater, dann meine Mutter auf den Kopf und ging in mein Zimmer. Ich zog mich aus. Pfefferte meine Provinzjeans und mein Allerweltssweatshirt voller Verachtung in die Ecke und ging ins Bett. Kurz bevor ich einschlief, dachte ich noch: Vielleicht war der Tag ja doch nicht so schlecht. Eine Niederlage ist immerhin auch ein Erlebnis. Vielleicht ist es sogar spannender, an unbekannten Orten Niederlagen zu erleiden, als an den bekannten Orten Erfolge zu feiern. Darüber dachte ich nach, war mir nicht ganz sicher, ob das so stimmte. Was hatte noch mal auf ihrem Rücken gestanden? Ich machte das Licht wieder an, ging zu meinem Schreibtisch und schlug das Wort in meinem Englischwörterbuch nach. Ich fand »Eternity: Ewigkeit, das ewige Leben«.

Drei Wochen später kam die Zusage für Amerika und die Kontonummer, wohin meine Eltern beziehungsweise meine Großeltern das Geld überweisen sollten.

2. Kapitel

»Bist du überhaupt schon mal geflogen?«, rief mir der beste Freund meines mittleren Bruders vom Beifahrersitz aus zu. »Ja, klar«, rief ich sehr laut von der Rückbank, da ich mein Fenster aufhatte und der Fahrtwind so stark war, dass meine Drahtlocken im Wind tanzten. »Ist aber schon voll lange her!« Wir waren auf der Autobahn Richtung Frankfurt unterwegs. Hamburg hatten wir schon hinter uns gelassen. Der Elbtunnel war länger, als ich es erwartet hatte. Mein Bruder fuhr. Schnell. Hundertsechzig bis hundertachtzig Stundenkilometer. Das Auto gehörte unserem Vater. Automatik mit Kickdown. Wenn wir überholten und mein Bruder das Gaspedal kräftig durchtrat, ging ein Ruck durch den Wagen und er zog gewaltig an, sodass wir in unsere Sitze gedrückt wurden. Davon konnten mein Bruder und sein Freund nicht genug bekommen. Andauernd riefen sie gemeinsam: »Uuuund: Kickdown!« Und schon jagte unser Auto am nächsten Laster vorbei und mir wurde flau im Magen. Der Freund meines Bruders hatte die Schuhe ausgezogen und seine bestrumpften Füße von innen gegen die Windschutzscheibe gestemmt. Mein mittlerer Bruder tat nur so, als wäre er ein rabiater Autobahnraser, das sah ich genau. Mich konnte er nicht täuschen, dafür kannte ich ihn viel zu gut. Ich sah es an seinem Nacken, seinen flackernden Augen, die mir ab und zu im

Rückspiegel begegneten, an seinen blutleeren Fingern, die sich am Lenkrad festkrallten. Er hatte Angst. Blickte bei jedem Überholmanöver zigmal zwischen Rück- und Außenspiegel hin und her. Jahrelang hatte mein Bruder eine dicke Brille getragen und zur Korrektur seiner auffällig großen Vorderzähne eine Zahnspange. Wenn ich ihn ärgern wollte, nannte ich ihn Ratte. Seit ein paar Wochen trug er nun Kontaktlinsen und sah dadurch vollkommen verwandelt aus. Die Zahnspangenfolter der letzten Jahre hatte Erfolg gehabt, die drahtlosen Vorderzähne waren makellos, symmetrisch eingereiht. Sein Gesicht kam mir fremd vor, ohne die Brille schutzlos, irgendwie nackt. Die Augen kleiner. Ich hatte sie immer nur vergrößert durch die gewölbten Brillengläser gesehen. Ein gut aussehender junger Mann mit feinen, ja, empfindlichen Gesichtszügen war aus ihm geworden.

Erst vor einem halben Jahr hatte er seinen Führerschein gemacht, nachdem er zuvor zweimal durch die praktische Prüfung gefallen war. Bei der ersten Prüfung war er überheblich aus dem Haus gegangen, hatte mir auf den Hintern gehauen und gesagt: »Wenn du nett zu mir bist, Bruderherz, bring ich dich vielleicht morgen mit dem Auto zum Training.« Da die Stadt, aus der ich komme, nur geringe Anforderungen an einen Führerscheinanwärter stellt, musste jeder Fahrschüler immer wieder über die einzige große Kreuzung fahren, ja, im ständigen Überqueren dieser Kreuzung, dem sogenannten Gottorf-Knoten, aus jeder nur möglichen Richtung bestand die ganze Prüfung. Da bekannt war, wann ein Freund seine Prüfung haben würde, verabredete man sich mit selbst gemalten Schildern und Pappen am Gottorf-Knoten, um dem Führerscheinanwärter beizustehen. Das war eine Tradition, und so standen auch, als mein Bruder seine Prüfung hatte, Freunde und Freundinnen am Straßenrand. Winkten und hielten ihre mitgebrachten Plakate hoch. Da stand dann zum Beispiel »Blinker raus, altes Haus!«, »Schalten nicht vergessen!« oder »Vorsicht Kurve, alte Sau!«. Auch ich hatte schon dort gestanden und meinen Freunden, die bereits achtzehn waren, beigestanden. Natürlich war diese Art von Beistand für den sich hoch konzentrierenden Prüfling im Grunde eine weitere Belastung, ja, eigentlich eine Zumutung. Doch genau darum ging es: gelassen zu bleiben, es zu ertragen und nicht etwa kleinlich zu reagieren. Wenn man das Auto kommen sah, fingen alle an zu johlen und zu schreien oder mit geballten Fäusten anfeuernd ein Stück neben dem Auto herzurennen. Wenn es vorbeigefahren war, zog man gemächlich auf die andere Straßenseite um, da man genau wusste, bald würden sie zurückkommen. Bei seiner ersten Prüfung hatte mein Bruder auf dem Gottorf-Knoten meisterhaft alle dekonzentrierenden Animationen dieser Art ausgeblendet und war den Anforderungen dieses kleinstädtischen Verkehrsknotens vollkommen gerecht geworden. Die Gewissheit, das Schwierigste geschafft zu haben, muss ihn auf der Rückfahrt zum Parkplatz in euphorische Unaufmerksamkeit versetzt haben. Beim Einbiegen auf den Platz übersah er ein Schulkind auf einem Fahrrad. Hätte der zu Tode erschrockene Fahrlehrer nicht in letzter Sekunde auf seine zweite Bremse getreten – auch er hatte sich ja schon entspannt und Vertrauen in die Fahrkünste meines Bruders gewonnen –, wäre dem Schulkind vielleicht ernsthaft etwas passiert. Er bremste so scharf, dass der Prüfer auf der Rückbank mit der Stirn gegen die Kopfstütze vor ihm knallte. Mein Bruder hatte das Kind immer noch nicht gesehen, glaubte sogar an einen etwas rustikalen Scherz des Fahrlehrers als Zeichen seiner bestandenen Prüfung. Das Kind rutschte vor Schreck mit der Sandale vom Pedal in die Speichen hinein, quetschte sich die Zehen, stürzte und schlitterte schmerzhaft mit den Handflächen über den Asphalt. Der Fahrlehrer sprang aus dem Wagen und beugte sich auf die Straße hinunter. Das sah mein Bruder und wusste noch immer nicht, was geschehen war. Da tauchte an der rechten Seite des Autos das käsebleiche Gesicht eines Jungen auf. Wie ein Verstorbener, der sich aus seinem Grab erhebt und ungelenk ein paar Schritte macht, sei das Kind auf ihn zugegangen, erzählte mein Bruder später tief erschüttert. Fünfzehn weitere Fahrstunden musste er nehmen. Bei seiner zweiten Prüfung hatte er siebenundzwanzig Fahrstunden. Das war unter seinen Freunden der Minusrekord. Oft, und insbesondere, wenn es Schüler aus dem meine Stadt zur Genüge umgebenden dörflichen Umland waren, die auf Feldwegen übten oder auf dem Bauernhof schon mit acht Jahren Trecker fuhren, brauchten sie kaum mehr als zehn Fahrstunden.

Und trotz seiner rufschädigenden siebenundzwanzig Fahrstunden – »Ich kann diesen scheiß Gottorf-Knoten nicht mehr sehen!« – schaffte mein Bruder auch seine zweite Prüfung nicht. Diesmal beging er keinen Kapitalfehler, sondern eine ganze Reihe von klassischen Unachtsamkeiten, die jedoch in ihrer Summe zu nichts anderem führen konnten als zur neuerlichen Disqualifikation. Aufgrund einer ihn heimtückisch heimsuchenden Nervosität, die seine Fingerspitzen zittern ließ, würgte er mehrmals den Motor ab, vergaß, rechtzeitig zu blinken, schaltete aus Versehen den Scheibenwischer ein und bekam ihn nicht mehr aus. Erst Wochen später konnte mein Bruder über das, was ihm der Prüfer damals gesagt hatte, lachen: »Gibt's gleich Regen? Da, wo ich herkomme, schaltet man den Scheibenwischer erst an, wenn es regnet, und nicht 'ne halbe Stunde vorher. Blinken allerdings tut man da, wo ich herkomme, schon bevor man abbiegt und nicht erst danach!« Nach diesem erneuten Tief-, ja, Niederschlag kam mein Bruder nach Hause und schloss sich im Badezimmer ein. Meine Mutter und ich standen vor der Tür, drinnen hörte man klägliches Schluchzen, Rotzehochziehen und Seufzen, und der Hund, der ja sein Hund war, leckte emphatisch die Klinke. Vor seiner dritten und, wie er schwor, letzten Prüfung brachte ihm mein Vater einen, wie er sagte, »leichten Betablocker« aus seiner Praxis mit, da mein Bruder, sobald er nur an die Prüfung dachte, zu schlottern begann. Ich sagte zu ihm: »So was bekommen Schweine, damit sie beim Transport vor Panik nicht an Nierenversagen sterben.« »Halts Maul!« Mehr sagte er nicht. Er hatte dunkle Augenringe, war aber guter Dinge. Nach dem Frühstück drückte er den Betablocker aus dem Plastik heraus auf seinen Teller. Die Tablette war groß. Er legte sie sich auf die Zunge, sah mit fatalistischer Heiterkeit von einem zum anderen. Mit viel Wasser und mehreren Schluckversuchen bekam er die Pille hinunter. Meine Mutter, mein Vater und ich sahen ihm dabei zu und wünschten ihm viel Glück. Eine Stunde später ging er aus dem Haus. Immer wieder hatte ich ihn gefragt: »Merkst du schon was?« Alle zehn Minuten: »Merkst du jetzt was?« Mein Bruder gab mir gemeine Antworten wie »Ja, ich merke, dass ich dir gleich eine reinhaue!«, die mich aber beruhigten, da ich dadurch wusste, dass er in guter Verfassung war. Mein Bruder sprang über seinen labilen Schatten und bat alle Freunde nachdrücklich, bei seiner dritten Prüfung dem Gottorf-Knoten fernzubleiben. Diese dritte Prüfung schaffte er fehlerfrei. Er wäre, erzählte er später, auf einer goldenen Wolke durch den Verkehr geschwebt. Butterweich hätte er geschaltet und geblinkt und es dem Gottorf-Knoten so richtig besorgt. Einzig, dass er mehrmals nur einhändig gefahren war, hätte der Prüfer moniert.

Auf dem Weg zum Frankfurter Flughafen beschlossen mein Bruder und sein Freund bei jeder sich bietenden Gelegenheit, von der Autobahn abzufahren und auf einem Parkplatz oder an einer Raststätte ein, wie sie sagten oder im Duett riefen, »Zigarettenpäuschen« einzulegen. Rauchend lehnten sie am Wagen, und als die Sonne rauskam, zogen sie sich ihre T-Shirts aus und legten sich auf die Motorhaube. Während dieser Rauchpausen sah ich die Lastwagen, Busse und Autos, an denen wir kurz zuvor vorbeigeschossen waren, hübsch der Reihe nach am Parkplatz vorbeifahren. Zwanzig Minuten »Kickdown!« und zwanzig Minuten »Zigarettenpäuschen!«, so näherten wir uns dem Frankfurter Flughafen. Ich stieg schon gar nicht mehr mit aus, und da ich nicht rauchte, noch nie auch nur an einer Zigarette gezogen hatte, langweilten mich die ständigen Unterbrechungen gewaltig. Bei einer dieser Pausen holte ich meinen Brustbeutel unter dem T-Shirt hervor und nahm das Geldbündel heraus. Ich zählte die Scheine. Grün und weich waren sie. Vierhundert Dollar. Das Zählen, Befühlen, Gegen-das-Licht-Halten und Auf-die-Rückbank-Hinblättern dieser Geldscheine hatte etwas Erregendes. Das war die Währung, in der ich meine Abenteuer bezahlen würde. Wer mit Dollars zahlt, dachte ich, der kann gar nicht anders im Leben stehen als felsenfest und standhaft. Gegen George Washington war Elsbeth Tucher chancenlos. Wir fuhren weiter. Während ich meine Hand aus dem offenen Fenster streckte, meine Finger wellenförmig durch den schlagenden, knatternden Luftstrom gleiten ließ, dachte ich über die Frage des Freundes meines Bruders nach, ob ich schon mal geflogen war. Ja, war ich. Ein einziges Mal.

Mit fünf Jahren, zusammen mit meinen Großeltern und meiner Mutter nach Lanzarote. Bis zu dieser Reise sind meine Erinnerungen bruchstückhaft, nebulös, halb geträumt, halb erfunden. Doch von der Lanzarote-Reise weiß ich vieles, Ureigenes, unverwässert durch Fotos und Erzählungen. Der Landeanflug auf Lanzarote. Ich sitze am Fenster. Neben mir meine Mutter mit einem geblümten Kopftuch. Vor mir am Fenster mein Großvater. Über der Sitzkante sein weißes Haar, durch das ich auf der Kopfhaut kleine Muttermale erkenne. Daneben meine Großmutter. Sie ist zu klein, um über die Sitzkante zu ragen, aber zwischen den Lehnen sehe ich ihren Arm liegen. Gebräunt. Am Handgelenk einen schweren Goldreif, an den Fingern mehrere breite Ringe. Ein Stein, über den sie gesagt hatte, es sei ein Mondstein. Konnte das sein? Ein Stein vom Mond? Der Flugkapitän hatte die Landung bereits angekündigt. Das Flugzeug verlor an Höhe, und das Meer kam näher. Blau versteinert sah es aus, zwar gekräuselt, mit Schaumkronen, aber starr. Immer näher kam dieses metallische, gefrorene Blau. Ich sah kein Land, keine noch so kleine Insel weit und breit. Wir rasten über das Meer hinweg, das zögerlich in Bewegung zu geraten, sich zu verflüssigen schien. Ich entdeckte einzelne wogende Wellen. So nah! So nah kam die Wasseroberfläche. Laut rief ich ins Flugzeug hinein: »Großvater, wir stürzen ab!« Vollkommen glücklich, dabei sein zu dürfen. Ich drückte meine Nase an das Fensterchen, sah den Schatten unseres Flugzeugs über die prächtigen Wellen gleiten und erwartete den Absturz. Oder zumindest, dass wir eintauchen und unter Wasser weiterfliegen würden. Da sah ich zerklüftete Felsen, an denen sich die Wellen brachen, die Gischt in feuchten Schwaden vom Wind davongetragen wurde. Unmittelbar danach setzten die Räder auf, und wir waren auf Lanzarote angekommen. Hat diese Absturzbegeisterung mein Erinnerungsvermögen erweckt? Vielleicht. Es kommt mir so vor, als ob sich in diesem Moment ein bis dahin brachliegendes Areal in meinem Gehirn aktiviert und die nächsten zwei Wochen Lanzarote penibel aufgezeichnet hätte.

Meine Mutter, meine Großeltern und ich wohnten in

einem Bungalow. In einem Halbkreis um die Terrasse herum gab es gegen den heißen Wind eine hohe Steinmauer. In diese geschützte Biegung hinein baute ich aus den Strandguthölzern im Laufe der zwei Inselwochen eine sich an der Mauer hinauftürmende Stadt. Die Holzstückchen, Klötze und Brettchen, die ich fand, waren leicht und geschwungen. Das Meer hatte ihnen die scharfen Kanten und das Gewicht genommen. Die Brettchen steckte ich in die Ritzen zwischen den Mauersteinen. Das waren die stabilen Fundamente, auf denen ich alles, was ich gefunden hatte und noch finden würde, aufschichten konnte. So entstand eine etagenartige, kunstvoll an den Hang geschmiegte Miniaturstadt. Jeden Tag ging ich zum Strand und suchte und sammelte. Ins Meer durfte ich nicht, da die Strömung der abfließenden Wellen sehr stark war. Als ich einmal zu nah am Meer mit gesenktem Kopf den Sand absuchte, überspülte mich plötzlich eine weißrauschende Welle. Nicht ganz. Aber meine kurze Hose wurde nass bis zum Bund. Die Welle hob mich ein Stück, trug mich zwei, drei Meter den Strand hinauf. Setzte mich behutsam ab und floss weiter an mir vorbei. Es dauerte noch eine ganze Weile, bis sie allen Schwung verloren hatte und sich auf den Rückweg ins Meer machte. Ich stand im Wasser und hielt meine Fundstücke in die Höhe. Das Wasser kam zurück. Umspülte meine Waden. Der Boden unter meinen Füßen verwandelte sich in flüssigen Sand. Was für ein Sog! Ich fiel ins Wasser. Ich konnte nicht schwimmen. Tauchte unter, und wenn ich an die Oberfläche gestrudelt wurde, sah ich den Himmel oder das Meer. Da packten mich zwei Hände und mein Großvater riss mich aus dem schäumenden Wasser, stemmte mich über seine Schultern in die Luft. Von da an musste ich stets einen Sicherheitsabstand vom Meer einhalten und durfte nur noch in einem zwanzig Zentimeter tiefen Kinderplanschbecken herumwaten, in dem tote Kellerasseln trieben. Am Strand fand ich auch rund geschliffene Glasscherben, weiß, grün, braun, Fischernetzfetzen und drei Angelgewichte aus Blei. Wie ein Maler vor der Staffelei stand ich vor meiner Mauerstadt, trat heran, trat zurück, kletterte auf einen Hocker und fügte die neu gefundenen Teile ein. Die Stadt wuchs und wuchs. Es gab Hütten, Klettersteige, Höhlen und sogar einen waghalsig konstruierten, alles andere überragenden Palast mit einem Muschelthron. Ich dekorierte dieses Treibgutschloss mit glitzernden Steinen, steckte Äste in Ritzen als Fahnenstangen, an denen an Fäden getrocknete Sepien hingen und sich im Wind drehten. In die Sepien ritzte ich ein Zeichen ein, das Wappen des Mauerkaisers.

Am Morgen unserer Abreise bat ich meine Mutter um einen Karton. Ganz genau genommen sagte ich Folgendes: »Mama. Hast du vielleicht irgendeine Kiste oder einen Karton? Obwohl, ich glaube nicht, dass eine Kiste reichen wird.« »Wofür brauchst du die denn?« »Für die Stadt!« »Ach Lieber, die können wir doch nicht mitnehmen.« »Was?« »Sei nicht traurig!« »Ich will die aber zu Hause wieder aufbauen!« »Ach, mein Lieber, das geht doch nicht. Komm, guck nicht so. Tut mir ja auch leid, aber das geht wirklich nicht.« Ich weinte, und meine Großmutter kam aus dem Bungalow und fragte meine Mutter: »Was hat er denn? Ist was passiert?« »Ach, er ist traurig, dass er seine Klötzchen nicht mitnehmen kann!« Meine Großmutter wandte sich zu mir und sagte: »Ach Lieberling, das geht wirklich nicht. Wir haben eh so viel Gepäck.« Ich weinte lauter. Mein Großvater kam dazu: »Was ist denn hier los? Warum weint er schon wieder?« Meine Großmutter begann den Satz, »Er ist traurig …«, und meine Mutter sprach ihn zu Ende, »… weil er seine Stadt nicht mitnehmen darf«. Mein Großvater legte mir die Hand auf den Kopf: »Weißt du, das geht wirklich nicht. Wir dürfen nicht mehr mitnehmen, als wir mit hergenommen haben!« Da hatte ich genug. Ich ließ mich rückwärts auf die Terrakottafliesen fallen und bekam einen meiner allseits bekannten Wutanfälle. Das ungeschützte Fallenlassen war wichtig und stets der Auftakt, da ich das Aufschlagen des Hinterkopfes auf etwas Hartes brauchte, um den richtigen Ragegrad zu erreichen. Ich fällte mich selbst. Das war der Startschuss. Der Schmerz überwältigte mich, und wie in einem Topf fing das Blut unterm Lockendeckel zu kochen an. Ich trat und schlug um mich, zuckte und zappelte und brüllte meinen Zorn heraus. Ich kannte diese Attacken zu Genüge. Die Reaktionen auf diese Wutausbrüche waren sehr unterschiedlich. Reichten von Festhalten und In-den-Arm-Nehmen über lautes Rufen bis hin zu Überforderung und Abwendung. Sauber verteilt waren die Rollen auch diesmal. Meine Mutter versuchte, mich vom Boden zu heben, mich zu umarmen, meine Arme und Beine durch eine liebevolle Umklammerung zu bändigen. Meine Großmutter rief laut: »Junge! Bitte, was soll denn das? Hallo! Hallo! So hör doch auf! Ist denn das die Möglichkeit? Was ist denn mit dem Jungen los?«, und mein Großvater, und das hörte ich trotz tosenden Bluts und verzieh es ihm nie mehr ganz, wandte sich angewidert ab und sprach sein Fazit, einen echten Fallbeilsatz: »Dieses Kind ist ja krank im Kopf!« Als ich das hörte, rastete ich komplett aus, kämpfte mich aus der Mutterumarmung heraus und rannte auf die Mauer zu. »Nein, nicht! Nicht!«, rief meine Mutter noch. Mit voller Wucht warf ich mich in die Aufbauten hinein. Wie ein wahnsinnig gewordener Diktator drosch und prügelte ich auf mein Kaiserreich ein. Wischte und riss alles, was ich erreichen konnte, herunter. Schob im Zorn den Hocker heran und sprang von ihm mit dem Rücken voran in den höher gelegenen, fischernetzumspannten Palast. Mein Großvater ging in den Bungalow und zog die Glastür zu. Meine Großmutter stand da, kopfschüttelnd, und meiner Mutter konnte ich ansehen, wie leid ich ihr tat, während ihr die Erfahrung sagte, abwarten sei hier das einzig Richtige. Meine Zornausdauer hat mich stets selbst überrascht. Nur beim Sport und im Zorn bewies ich solche Hingabe. Ich gab erst Ruhe, als auch das letzte Brettchen aus der Mauer gerissen, jede einzelne Sepia zerbrochen, mein Reich ausradiert war.

Mein mittlerer Bruder und sein bester Freund hatten eine Musikkassette eingelegt, und jetzt vermischten sich monotone Beats, elektrisches Knistern mit dem Rauschen des Fahrtwindes. Noch knapp drei Stunden bis zum Flughafen. Wir waren auf die massive Empfehlung meines unbelehrbaren Vaters hin überfrüh abgefahren und würden trotz all der Zigarettenpäuschen auch überfrüh am Flughafen ankommen. Mein Vater hatte eine groteske Rechnung aufgestellt: Wir sollten doppelt so viel Zeit einplanen, wie wir im ungünstigsten Fall brauchen würden. Nach zähen Verhandlungen waren wir immerhin so losgefahren, dass wir bei normalem Verkehr spätestens vier Stunden vor meinem Abflug am Flughafen wären. Ich sah auf die Uhr. Wir hatten alle Zeit der Welt.

Beim großen Abschiednehmen war mir etwas Unangenehmes, vielleicht sogar Unverzeihliches passiert. Etwas, das mich jetzt, da ich wieder daran dachte, betrübte, aber auch etwas widerwillig machte. Viele meiner Freunde waren gekommen, meine Freundin war da, meine Eltern, mein mittlerer Bruder. Von meinen Großeltern und meinem ältesten Bruder hatte ich mich bereits am Morgen am Telefon verabschiedet. Nun standen wir alle um das voll beladene Auto herum. Zwei schwere Reisetaschen und eine Sporttasche von mir, von meinem Bruder zwei Koffer, ein Müllsack voller Wäsche und auf der Rückbank angeschnallt sein Lieblingsrattansessel. Ich wollte keine Koffer. Zwischen uns rannte aufgeregt der Hund vom einen zum anderen. Meine Mutter versuchte, nicht zu weinen. Weinte dann aber doch, legte ihre Stirn an meine Brust und hielt sich an mir fest. Dann lachte sie und sagte: »Ich freu mich so für dich, dass es jetzt endlich losgeht! Ach, mein Lieber!« Mein Vater nahm meinen Kopf in seine vom vielen Waschen und Desinfizieren weichen Arzthände und sagte: »Hab es gut, mein lieber Sohn. Pass gut auf dich auf und erlebe lauter schöne Dinge. Ich beneide dich sehr und hab dich schrecklich lieb.« Ich bekam Sorge, dass dieser Abschied für ein Jahr den nötigen Schwung verlieren könnte. Den Schwung, den ich brauchen würde, um froh ins Auto zu steigen und davonzubrausen. Meine Freunde klopften mir auf die Schulter, oder wir umarmten uns kurz und kantig. Ich muss jetzt sofort los!, dachte ich, sonst wird es nur immer schwerer. »Müssen wir nicht langsam mal fahren?«, fragte ich meinen Bruder, der schon im Auto saß und sich den Rückspiegel einstellte. Auch der beste Freund meines Bruders, seine Reisebegleitung, war schon eingestiegen. »Nee, ist doch noch viel zu früh!« Ich kniete mich hin und verabschiedete mich von unserem Hund. Ich umarmte ihn, mein Ohr an seinem Ohr, und kraulte ihm den Nacken. Der Hund wurde eigenartig still, stand regungslos da, und ich kauerte vor ihm und hielt ihn ganz fest. Ein inniger Abschied. Belustigt hörte ich einen Freund seufzen: »Och nee, guck mal!« Ich war mir sicher: Wenn ich jetzt nicht sofort in dieses Auto steige und losfahre, fang ich zu heulen an. Ich sprang auf, heraus aus der warmen Hundeumarmung, und rief: »Los gehts!« In Richtung meiner Eltern: »Ich ruf euch an, wenn ich in New York gelandet bin!« Mein Bruder fragte: »Echt, wollen wir jetzt schon los?« »Ja«, sagte mein Vater, »dann habt ihr keine Eile. Fahrt bitte vorsichtig!« Ein letztes Mal umarmte ich meine

Eltern und krabbelte zum Rattansessel auf den Rücksitz. Die Türen flogen zu.

Mein Bruder ließ den Motor an, und wir rollten los. Ich drehte mich um und winkte durch die Rückscheibe der ebenfalls winkenden Menschentraube zu. Wir waren schon vom Parkplatz auf die Straße abgebogen, und ich sah nun durch das Seitenfenster zurück. Noch fünf Meter Straße, dann würden sie alle für ein Jahr von der näher kommenden Häuserecke verschluckt werden. Da veränderte sich ihr Winken. Sie winkten nicht länger zum Abschied, sie winkten mich wild zurück. Hatte ich etwas vergessen? Ich griff mir ans T-Shirt. Der Brustbeutel war da. Pass, Flugtickets, Geld! Das war doch alles im Brustbeutel! Das hatte ich doch kurz vorm Einsteigen noch mal kontrolliert. »Stopp mal!«, rief ich, »ich glaub, ich hab irgendwas vergessen. Keine Ahnung, was. Die winken so komisch!« »Oh Mann, echt?« Mein Bruder fuhr in die nächste Einfahrt und wendete den Wagen. Jetzt sah ich die Gruppe langsam wieder auf mich zukommen. Meinen Vater, meine Mutter, die den an der Leine zerrenden Hund festhielt, meine Freunde: Alle winkten mich zurück. Wir kamen näher. Da entdeckte ich sie und begriff. In der ersten Reihe, vor allen anderen, stand meine Freundin. Der Wagen hielt. Ich stieg aus. Ein Freund sagte: »Na, wie wars in Amerika?« Ein anderer: »Ich finde, er hat sich gar nicht verändert.« Ich ging zu meiner Freundin und umarmte sie. Ich flüsterte: »Tut mir leid. Tut mir so leid!« Ihre Arme hingen schlaff hinunter: »Ist schon gut. Nicht so schlimm!« »Aber wo warst du denn eben?« »Auf'm Klo!« »Auf dem Klo?« »Ja, ich dachte, es ist noch nicht so weit. Ihr wolltet doch um Viertel vor los, und als ich rauskam, warst du weg!« Alle waren jetzt still geworden. Ich drückte sie an mich, küsste sie auf ihren schlaffen Mund. »Tut mir leid, aber ich muss jetzt echt los!« Ich hatte überhaupt keine Lust, sie zu trösten. Meine Mutter kam dazu: »Jetzt fahrt mal.« Dieser ganze Abschied begann erheblich zu knirschen. Das zweite Ins-Auto-Steigen war seltsam schal. Das Winken der Eltern und Freunde nur noch eine müde Imitation des ersten Abschieds. Sogar der Hund, das sah ich genau, zog nicht mehr an der Leine in meine Richtung, sondern schnüffelte am Boden herum. In der Mitte stand meine Freundin und winkte mir nach, winkte mir nach, ohne mir nachzusehen, winkte mit gesenktem Blick, winkte bestimmt noch, als wir schon um die Ecke waren, winkte ins Leere.

»Du bist ja ein echt harter Hund!«, sagte der Freund meines Bruders. »Verschwindet für ein Jahr nach Amerika und sagt seiner Freundin nicht Tschüs!« Kurz nach Hannover tankten wir. Mein Bruder und sein Freund rochen am tropfenden Benzinhahn und der Freund sagte: »Das knallt!« Danach übernahm er das Steuer und fuhr noch schneller als mein Bruder. »Hat den dein Vater schon mal richtig ausgefahren?« »Nee, bestimmt nicht. Der fährt nie schneller als hundertzwanzig.« »Das ist aber wichtig für den Motor. Wenn man den nicht hin und wieder richtig durchpustet, verstopfen die Ventile.« Wir wurden schneller. »Los: zweihundert. Mal sehen, ob das die Karre draufhat.« Noch schneller. »Und jetzt durchbrechen wir gleich die Schallmauer!« Tatsächlich zitterte sich die Tachonadel über die hundertneunzig auf die zweihundert zu. »Komm, ist gut!«, rief mein Bruder. »Gleich! Wir habens doch gleich geschafft! Da ist noch einiges drin!« Mein Bruder sah immer mehr so aus, als würde er im ersten Wagen einer Achterbahn sitzen: »Ey, ist gut jetzt!« Der Freund ging vom Gas, bremste. »Ah, da ein Parkplatz! Zigarettenpäuschen gefällig?« Mein Bruder nickte, und mit hundertvierzig Sachen jagte das Auto auf die rechte Spur zwischen zwei Lastern hindurch direkt auf den Parkplatz und kam mit etwas, das man durchaus als »Vollbremsung« bezeichnen konnte, zum Stehen. Mein Bruder war kreidebleich und stöhnte voller Anerkennung: »Du hast ja nicht mehr alle Tassen im Schrank! Ey Alter, was war denn das für ein Manöver?« »Was denn, was denn? Alles unter Kontrolle! Komm, lass uns eine rauchen.«

Mir war schlecht, ich stieg aus. »Ich bin gleich wieder da!« Ich ging ein Stückchen und kam am Rand des Parkplatzes zu einem Fichtenwäldchen. Ich lief hinein. Waldgeruch. Verstreut auf dem braun benadelten Waldboden Taschentücher und unterschiedlich stark verwitterte Exkremente. Durch die Bäume hindurch sah ich eine Wiese. Ich duckte mich. Die unteren, trockenen Äste der Nadelbäume kratzten über meinen Rücken. Als ich aus diesem schmalen Autobahnparkplatzbegrenzungsfichtenwaldstreifen ins Freie trat und mich aufrichtete, fand ich mich leicht erhöht und hatte einen herrlichen Ausblick über weitläufige Wiesen, in denen malerisch Grüppchen von Birken standen. Wie gerne wäre ich in diese Landschaft hineingewandert. Mit einem Stock über der Schulter, an dem ein kleines Bündel hängt. Da hörte ich meinen Bruder: »Ey, wo bist du denn. Komm ma aus dem Wäldchen raus! Wir wollen weiter!« Ich rief in die Fichten: »Ja, gleich. Komm ja schon!« Ich atmete tief ein und aus und hatte nicht die geringste Lust, mich wieder auf die Rückbank zu zwängen, den Kopf einzuziehen und meine langen Beine zusammenzufalten. »Ey, los, komm.« Ich hörte sie lachen. Ich bückte mich und kroch zurück. Als ich zum Auto kam, grinsten sie mich beide an. »Naaa, was haben wir denn da so lange im Wäldchen getrieben, junger Mann?«, fragte mich der Freund, und mein Bruder: »Ich find, hier riechts ein bisschen streng!« Wir fuhren los, und nach einer Viertelstunde fragte mich plötzlich der Freund meines Bruders, ohne sich zu mir nach hinten zu wenden, trocken: »Sag mal, Alter, hast du da echt eben in das winzige Wäldchen reingewichst?« Mein Bruder brüllte los vor

Lachen, und sogar ich musste lachen, obwohl es mir peinlich war, so etwas gefragt zu werden: »Quatsch, Mann. Ich bin da nur ein bisschen rumgegangen!« Während der restlichen Fahrt prusteten die beiden mehrmals los, wenn sie sich daran erinnerten, und mir wurde diese erste Etappe meiner Auswanderung länger und länger.

Drei Stunden vor meinem Abflug kamen wir in Frankfurt am Flughafen an. Der Abschied von meinem Bruder dauerte keine zwei Minuten. Wir hielten direkt vor dem Terminal, da ich meine schweren Taschen nicht so weit schleppen wollte. Mein Bruder half mir beim Ausladen. Ich holte mir einen Gepäckwagen. Kam zurück. Da stand schon ein Parkplatzwächter bei meinem Bruder und rief: »Fahren Sie weiter. Sehen Sie nicht die Schlange? Hier ist nur Entladezone. Fahren Sie bitte weiter!« Ich umarmte meinen Bruder und sagte: »Bis bald!« »Bis bald? Du bist gut. Mach keinen Blödsinn, Bruderherz, und grüß mir die Cowboys!« »Mach ich.« Hinter uns hupte jemand. Ich verabschiedete den besten Freund meines Bruders, der gar nicht ausgestiegen war und mir durch die heruntergekurbelte Scheibe die Hand gab. Mein Bruder nickte mir zu und stieg ein. Für einen Moment legte ich meine Hand auf das warme Autodach. Es fuhr unter meiner Hand davon. Ich sah dem Auto nach, bis es hinter einer Biegung verschwunden war. Jetzt war ich allein. Endlich allein.

Ich schob den schwer beladenen Gepäckwagen in die Abflughalle hinein und suchte nach einer Telefonzelle, um meine Freundin anzurufen. »Hallo, ich bins.« »Na.« »Bin gerade in Frankfurt angekommen!« »Aha.« »Die sind gefahren wie die Idioten!« »Echt?« »Was machst du gerade?« »Lieg auf dem Bett und höre Musik.« »Was denn?« »Ach, irgendwas.« »Nee, sag mal, was?« »Eine von deinen Kassetten.« »Tut mir so leid wegen heute Morgen!« Keine Antwort. »Wirklich! Ich wollte auf einmal so schnell wie möglich weg!« »Schon gut. Wie lange hast du jetzt noch Zeit?« »Drei Stunden. Bin viel zu früh.« Kleine Pause. »Es tut mir wirklich leid. Bitte sei nicht böse.« »Bin ich ja gar nicht.« »Ach komm, ich hörs doch an deiner Stimme!« »Was hörst du?« »Na, dass du traurig bist.« »Traurig ist was anderes als böse.« »Stimmt. Ich vermisse dich!« »Hm.« »Ach Mann, dann eben nicht!« Ich hängte ein. Einerseits konnte ich verstehen, dass sie gekränkt war, dieser vergessene Abschied war wahrlich kein gutes Omen für eine einjährige platonische Liebe. Andererseits spürte ich einen gewissen Widerwillen. Mir meine Abreise, meinen Aufbruch durch Kleinmut so zu vergällen. Ich wollte, dass sie es heiter verliebt großartig fand, dass ich mich aus dem Staub machte. Ich wollte Liebesschwüre und Gutereiseküsse und keine wehleidigen Einwortsätze.

Ich rief meine Eltern an. Mein Vater hob ab. »Hallo, ich bins!« »Ah hallo, wo bist du?« »Schon am Flughafen.« »Was, jetzt schon? Da seid ihr aber gut durchgekommen!« »Ja, ging alles super!« »Mit dem Auto alles okay?« »Ja, alles gut.« »Ist dein Bruder vorsichtig gefahren?« »Total. Was macht Mama?« »Weiß nicht. Ist glaub ich mit dem Hund spazieren. Was machst du jetzt?« »Vielleicht mal was essen. Was machst du gerade?« »Was glaubst du?« »Lesen?« »Richtig! Ruf unbedingt später noch mal an, wenn deine Mutter wieder da ist, ja?« »Ja, mach ich.« »Ach, mein lieber Sohn sitzt in Frankfurt am Flughafen und fliegt gleich nach Amerika.« »Ja, so isses! Bis später Papa und futter nicht so viel!« Mein Vater tat so, als ob er den Mund voll hätte: »Ischweißnischwovondu-redescht!« »Bis dann!« »Ja, bis dann.«

In einer abseits gelegenen Ecke baute ich mir auf dem blanken Steinfußboden mit den Reisetaschen und der Sporttasche ein Lager, zog mir den Brustbeutel, mein Dollaramulett, über den Kopf und sah mir mein Ticket an. TWA: Trans World Airlines. Aus der Sporttasche nahm ich einen Ordner heraus. Da war alles drin, was mir die Organisation geschickt hatte, und noch etwas, das ich mir in den letzten Wochen täglich angesehen hatte: ein Foto meiner Gastfamilie. Ein paar Wochen nach der Zusage hatte in meinem Zimmer auf dem Schreibtisch ein dicker Briefumschlag gelegen. Ich hatte mich in meine Fensternische gesetzt und ihn vorsichtig geöffnet. Gleich auf der ersten Seite hatte nach dem ersten Absatz, den ich nur überflogen hatte, Folgendes gestanden: Wir freuen uns, dir mitteilen zu dürfen, dass wir eine Gastfamilie für dich gefunden haben. Hier deine neue Adresse: 2926 MOUNTAIN VIEW LANE, LARAMIE, WYOMING 82070. Fassungslos hatte ich auf diese Adresse gestarrt. Laramie? Wyoming? Hatte ich noch nie gehört. Unter der Adresse stand: »Deine Gasteltern heißen: STAN und HAZEL. Der Familienname ist: ATKINSON. Sie haben drei Söhne: BILL, BRIAN und DONALD.« Ich nahm den amerikanischen Straßenatlas, den mein Vater mir geschenkt hatte. War Laramie oder Wyoming die Stadt? Ich fand die Seitenangabe und blätterte mich durch die Staaten. Mein erster Eindruck von Wyoming war: Keine Straßen. Andere Staaten waren überzogen von engmaschigem Straßengewirr. Wyoming war total leer. Eine blaue Straße von links nach rechts knapp über der Staatsgrenze zu Colorado und eine blaue Straße von unten nach oben. Das wars. Die Farbe der Karte: ocker. Dieser Bundesstaat war ein die gesamte Atlasseite überspannendes ödes ockerfarbenes Viereck. Bisschen grün oben links, das war alles. Nach längerem Suchen fand ich Laramie. Es war nicht einmal die größte Stadt in Wyoming. Unscheinbar, ohne jegliche Verheißung, lag der Name »Laramie« in dieser lehmfarbenen Ödnis herum. In den beigefügten Materialien hatte ich dann einiges über Laramie gelesen. Dass es eine Universitätsstadt war. Das Sportangebot der Laramie Highschool hatte mich sprachlos gemacht. Nach und nach hatte ich mich mit der Idee, in dieses Kaff auszuwandern, abgefunden, ja mich von Tag zu Tag mehr damit angefreundet. Was mich versöhnlich gestimmt hatte, war die Aussicht, es in so einem Nest vielleicht tatsächlich ins Basketballteam zu schaffen. Damit tröstete ich mich, baute ich mich auf. Niemals würdest du das in New York oder Dallas schaffen, sagte ich mir. Die da in den ersten Mannschaften sind, haben ja nie etwas anderes gemacht, als Basketball zu spielen. Ich las auch, dass der Anteil von Schwarzen an der Gesamtbevölkerung im erzrepublikanischen Wyoming minimal war. Auch das erhöht deine Chancen, dachte ich. Dann kam ein mit Schreibmaschine getippter Brief meiner Gastmutter mit eben diesem Foto, das ich auch jetzt wieder auf meinem Reisetaschenlager ungläubig musterte. Vor einem Felsen stehen die drei Söhne mit Topffrisuren in Cordanzügen und spitz zulaufenden Hemdkrägen, offen getragen. Davor sitzen meine zukünftigen Eltern. Er mit streng gescheiteltem Haar und einer eckigen Hornbrille, ebenfalls in einem Anzug, allerdings mit Schlips. Daneben sie in einem grauen Strickkostüm, Jacke und Rock. Die beiden Beinstückchen zwischen Rocksaum und Schuhkante in einer blickdichten Strumpfhose hatten eigenartigerweise exakt den gleichen Braunton wie die Felsen dahinter. Dadurch sind sie unsichtbar, und es wirkt so, als seien sie amputiert. Um die Amputation auf dem Foto zu kaschieren, hat man ihr, solche Sachen stellte ich mir immer gerne vor, zwei leere Schuhe unter den Rock gestellt. Die Bluse hochgeschlossen mit einer Kette und einem Kreuz daran. Eigenartig fand ich, dass keiner den anderen berührt, obwohl alle Familienmitglieder eng beieinanderstehen. Zwischen den Schultern der Brüder gibt es einen feinen Spalt, durch den ich den Hintergrundfelsen sehen konnte. Und auch die Eltern sitzen aufrecht, frontal die Hände im Schoß gefaltet. Keines der Kinder hat seine Hand auf die Schultern der Eltern gelegt. Die Arme der Söhne hängen herab. Sechs hängende Cordröhren. Die ganze Familie hat im Moment der Aufnahme direkt in die Kamera gesehen. Als ich das Foto meinen Eltern zeigte, bekamen sie einen Sekundenkollaps, bevor sie die Sprache wiederfanden und meine Mutter mit belegter Stimme sagte: »Die sehen doch nett aus!« Meine Brüder kannten keine Gnade: »Dass es so was noch gibt! Er sieht aus wie ein perverser Prediger und sie, als hätte sie Verstopfung.« »Ach, hört doch auf«, versuchte es meine Mutter. »Ich finde, sie sieht ganz nett aus!« »Guck mal der da!«, mein ältester Bruder tippte auf den jüngsten der drei Gastbrüder, auf Donald: »Das ist ein Psycho, das seh ich sofort. Der hat so einen durchtriebenen Blick. Vor dem würde ich mich in Acht nehmen, der ist böse!« Mein mittlerer Bruder stimmte mit verstellter Zombiestimme zu: »Verdammt böse!«

Ich schob alles wieder in den Ordner und streckte mich. Ich zog meine Turnschuhe aus und bewegte die Zehen. Da fand ich an meinen Socken mehrere klettige Kügelchen, erbsengroß. Ich zupfte sie ab. Wo kamen die denn her? Wahrscheinlich von der Wiese hinter dem Autobahnparkplatz. Ich ließ meinen Kopf auf die Sporttasche zurücksinken, streckte mich noch einmal und schloss die Augen. Zwei Stunden bis zum Abflug hatte ich noch. Erst von Frankfurt nach New York und dann weiter nach Denver. Ich drehte eines der Klettkügelchen zwischen Daumen und Zeigefinger. Die Zeit verging quälend langsam. Jede Minute dehnte sich zäh in dieser glasumbauten, von Schritten und Durchsagen widerhallenden Weitläufigkeit. Auch die Zeit selbst schien hier auf etwas zu warten, auf irgendeinen verspäteten Anschlussflug zur anderen Seite der Welt. Mit jeder Minute wurde ich einsamer.

Ein Zwischenstadium, ein Zustand des unfreiwilligen Innehaltens, eine Zwangsandacht, in der sich meine Einsamkeit unter optimalen Bedingungen entfalten konnte, den perfekten Nährboden fand: noch nicht richtig weg, aber eben auch noch nicht richtig unterwegs. Dieses Warten war die Hölle.

Ich war der einzige Austauschschüler, der an diesem Nachmittag von Frankfurt aus flog. Normalerweise war es üblich, dass sich die Austauschschüler am Flughafen trafen, gemeinsam nach New York flogen und sich dort trennten und weiter zu ihren Gasteltern reisten. Durch einen nicht nachvollziehbaren Zufall war ich in ein Organisationsloch gefallen. Wäre ich von Hamburg mit den dortigen Teilnehmern geflogen, hätte ich in New York allein übernachten müssen, und das wollte ich auf keinen Fall. Dann ergab sich die Möglichkeit, mit meinem mittleren Bruder nach Frankfurt zu fahren, der auf seinem Weg nach Gießen war, wo in Kürze sein heiß ersehntes Medizinstudium beginnen sollte. Zum Schrecken meines Vaters hatte er vor, ein Zimmer in der düsteren Villa einer schlagenden Verbindung zu beziehen. Der Abflug der Austauschschüler aus der Frankfurter Region war eine Woche später. Ich war also vollkommen alleine unterwegs. Mehrmals hatte mich die Hamburger Betreuerin angerufen und gefragt: »Ist das wirklich okay für dich? Wenn du nicht alleine fliegen willst, wird uns schon was einfallen.« Und: »Also, ich buche jetzt den Flug für dich. Ich schicke dir noch ein Formular, deine Eltern müssen unterschreiben, dass sie damit einverstanden sind, dass du alleine unterwegs bist. Also, du bist sicher?« »Ja, bin ich.« »Wow! Du bist sooo mutig!« Da ich mich auch auf den zwei weiteren Vorbereitungstreffen in Hamburg mit niemandem angefreundet hatte, die Kluft zwischen mir, dem Kleinstädter, und den lässigen Großstädtern eher noch gewachsen war, fand ich die Vorstellung, allein unterwegs zu sein, nur konsequent. Ich hatte mich getraut, eins der schimmernden Porzellanmädchen anzusprechen: »Hast du vielleicht Lust, mit mir nachher an der Elbe spazieren zu gehen? Ist so schönes Wetter heute.« Sie hatte mir nicht mal geantwortet, den Kopf geschüttelt, sodass ihre duftenden Zöpfe hin und her pendelten, und war lachend zu den anderen gegangen. Sie ließ mich einfach stehen. Sie hatte mich kurz angesehen, mit fragender Geringschätzung, so, als würde sie ihren kleinen Perlmuttohren nicht trauen, so, als wäre ich ein stinkender Bauer, der eine Königin zum Rendezvous bittet. Ich wollte die alle nie wieder sehen, diese verwöhnten Hamburger Diplomaten- und Kaufmannskinder.

Ich nahm aus dem Seitenfach meiner Sporttasche einen Briefumschlag. Darin waren fünf Fotos. Eines meiner Eltern auf einem Spaziergang am Meer in gelben Regenjacken, sogenannten Ostfriesennerzen. Meine Mutter trotzt wie immer den widrigen Umständen mit einem heiteren Gesichtsausdruck. Eine Heiterkeit, die es demonstrativ mit Regen und Wind aufnimmt und dadurch verkrampft wirkt. Ein Foto meines mittleren Bruders mit unserem Hund, der eigentlich sein Hund war. Mein Bruder sitzt auf einem weißen Gartenstuhl in der Wiese. Er hat es mit Selbstauslöser gemacht. Er hält den Kopf des Hundes in die Kamera. Der Hund versucht, abzuhauen. Mein Bruder lacht. Eines meines ältesten Bruders beim Angeln in Schweden. Er hält stolz eine Meerforelle in die Kamera. Aus der dem Betrachter zugewandten Kieme des Fisches rinnt Blut. Und eines meiner mondänen Großeltern. Sie sitzen auf ihrer Terrasse. Die Glyzinie blüht, umrankt das Foto wie eine Zierbordüre, und die Sonne bricht sich in den Whiskeygläsern. Das Foto war so gestochen scharf, dass ich die Eiswürfel in den Gläsern zählen konnte. Mein Großvater zwei. Meine Großmutter drei. So wie immer. Sie tragen beide riesige Sonnenbrillen, die schon zigmal aus der und wieder in Mode waren. Dann natürlich noch ein Foto meiner Freundin. Sie trägt einen Mantel ihres verstorbenen Opas und hält sich einen Hagebuttenzweig vor das Gesicht, linst schelmisch durch die Zweige hindurch. Ich sah mir das Bild an, mochte ihren Blick sehr und vermisste sie. Wir waren uns erst vor drei Monaten begegnet. Da wusste ich schon, dass ich nach Amerika gehen würde. Sie war weder aus meinem Jahrgang noch von meiner Schule. Diese drei Monate von unserem Kennenlernen bis zum verpatzten Abschied am heutigen Morgen waren in jeder Hinsicht erregend und nervenaufreibend gewesen.

Kennengelernt hatten wir uns auf einem Steg am Langsee. Das war ein einsam gelegener, zum Großteil von einem dichten Schilfgürtel zugewachsener tiefer See. Durch den Schilfgürtel führten brüchige Holzstege, deren morsche Bretter teilweise eingebrochen waren. In der Nähe des Stegs, auf dem meine Freunde und ich lagen, war ein Stückchen uferabwärts der nächste. Darauf entdeckten wir drei Mädchen. Eines der Mädchen lag ohne Oberteil auf dem Rücken auf einem orangefarbenen Handtuch, die beiden anderen auf dem Bauch und lasen oder schrieben etwas, machten vielleicht Hausaufgaben. Wir kannten die Mädchen nicht, hatten sie hier an unserem See noch nie gesehen. Meine Freunde und ich benahmen uns wie Vollidioten. Der blanke Busen auf dem Nachbarsteg, die geballte Ladung von in der Sonne schmorenden Schlüsselreizen, Schenkeln, Bäuchen, Schultern, Hintern und Brüsten ließ uns, die wir doch eher schüchterne Norddeutsche waren, zu sizilianischen Lackaffen mutieren. Dass uns die Mädchen bemerkt hatten und nur so taten, als würden sie nichts von dem mitbekommen, was wir auf unserem Steg veranstalteten, war sicher. Und während sie seelenruhig dalagen oder träge das ein oder andere von der Sonne durchwärmte Körperteil umlagerten, sprangen wir mit vollem Anlauf in den See, kämpften miteinander auf dem Steg oder schubsten uns ins Wasser. Ich schielte sogar im Fallen vom Steg zu ihnen hinüber. Sah, bevor mich das grün-gruselige Wasser des schon einen Meter unter der Wasseroberfläche eiskalten Endzeitmoränensees verschluckte, den großen eingeölten Busen des Mädchens. Wir brüllten einfallsreiche Dinge wie: »Ey Alter, spinnst du!«, »Sag mal, wo glotzt du eigentlich die ganze Zeit hin?« oder »Gib nicht so an, du Spacko!«. Ich war mir nicht zu blöd, im Schmetterlingsstil – auch genannt Delfin –, der Angeberschwimmstil Nummer eins, am Mädchensteg vorbeizupflügen. Die Missachtung der Mädchen trieb uns zu immer waghalsigeren Manövern. Wir kletterten in eine am Ufer stehende Buche, balancierten auf einem waagerechten Stamm und versuchten über den Schilfgürtel hinweg in den See zu springen. Wir landeten im knietiefen Wasser, hatten die Beine voller Schlick und schrien und lachten: »Ey Alter, wie siehst du denn aus!« »Oh Mann, der Matsch, der stinkt voll derbe!« Erst als sich die drei Mädchen erhoben, zum Schwimmen bereit machten und die übrigen beiden auch noch ihre T-Shirts auszogen, sie sich alle drei barbusig am Stegrand aufstellten und wie in einer Wasserrevue nacheinander kopfüber hineinfallen ließen, erst da wurden wir still, legten uns auf den Bauch und pressten unsere Erregung gegen die verwitterten Holzplanken. Ohne uns auch nur eines Blickes zu würdigen, glitten ihre Köpfe schwanengleich ganz nah an unserem Steg vorbei, und uns fielen fast die Augen ins grüne Wasser. Draußen auf dem See drehten sie sich auf den Rücken, und wieder sahen wir, während sie wild mit den Füßen schlugen und das Wasser spritzen ließen, ihre Brüste auf- und untertauchen. Mein Freund flüsterte: »Ich möchte sterben!« Uns beeindruckte, wie weit sie im kalten Wasser hinausschwammen. »Die sind echt hart im Nehmen!«, sagte ein Freund, und ein anderer:

»So was findet man nicht so leicht!« Wir alle standen in einem permanenten Wettkampf, Kälte zu ertragen. Im T-Shirt bei fünf Grad durch die trostlose Einkaufsstraße zu flanieren. Da standen die Mädchen bei uns drauf. Und spätestens am ersten Mai in der Ostsee baden. Bei acht, neun Grad. Unser Körperkult war ein Kältekult. Mädchen, die kälteresistent waren, punkteten gewaltig. Bibbernde Frauen? Da konnte eine noch so hübsch sein – wenn sie sich zierte, wenn man sie mit Schnee einrieb oder in die Ostsee schubste, hatte sie keine Chance. Die ging uns auf die Nerven. Kälte ignorieren zu können war unsere einzige Möglichkeit, dem norddeutschen Sommer ein paar Strand- oder Badetage abzutrotzen. Ich habe viele Wochenenden unter bewölkten Himmeln mit blauen Lippen bei vierzehn Grad in der Badehose am Strand oder am See gelegen, als wäre ich an der Copacabana, und schreiend vor Kälteschmerzen im Wasser geplanscht.

Die Mädchen kamen zurück. Mühsam kletterten sie auf den Steg hinauf. Sie halfen sich gegenseitig, stemmten und zogen sich hoch. Dann drückten sie ihre Haare in den Handtüchern aus, legten dabei die Köpfe schräg und machten sich Turbane – orange, rot, weiß. Sie setzten sich an die Stegkante und rauchten eine Zigarette. Das war eher ein Minuspunkt. Sie ließen ihre Beine baumeln, tippten mit den Zehen ins Wasser, reichten die Zigarette weiter und sahen über den See. Und wir lagen auf dem warmen Holz und taten so, als sähen wir ebenfalls in die Ferne. Da standen sie plötzlich auf, packten eilig zusammen und verließen den Steg. Wir beschlossen, auch aufzubrechen. Doch als wir den steilen Hang durch den Wald hinaufgeklettert waren und zu unseren Fahrrädern kamen, war niemand zu sehen. Wir wollten losfahren. »Oh ne, ich hab ’nen Platten!« »Echt. Oh, ich auch.« Bei allen Reifen waren die Ventile herausgedreht worden und verschwunden. Weg war auch die einzige Luftpumpe. »Diese blöden

Kühe!« »So ein Scheiß, ich muss zum Handballtraining!« »Ja, und ich hab gleich noch meine Schwimmgruppe!« »Was sollen wir denn jetzt machen?« »Ey, da sind sie ja!« Da kamen die drei Mädchen in abgeschnittenen, ausgefransten Jeans und anderen T-Shirts, ihre Fahrräder schiebend den holprigen Weg entlang auf uns zu. Sie sahen in unsere Richtung, sprachen miteinander und schienen zu lächeln. Wir stellten uns auf den Weg. »Los, gebt uns unsere Ventile wieder!« »Was denn für Ventile?« »Tut nicht so blöd. Her mit der Luftpumpe und den Ventilen.« Sie schoben die Räder auf uns zu, drängelten sich an uns vorbei Richtung Straße. »Was sollen wir denn mit eurer Luftpumpe?« Ich sagte: »Unsere Reifen sind platt. Jemand hat die Luft rausgelassen und die Ventile geklaut.« Eines der Mädchen sah mich an, und schon während sie antwortete, schon in diesem ersten Moment, irritierte mich etwas in ihrem Gesicht: »Also, wir waren das nicht. Wir haben wirklich Besseres zu tun.« »Erzählt keinen Mist. Wer soll das denn sonst gewesen sein?« »Also, wir nicht! Ventile aus Fahrrädern drehen, Mann, wie blöd ist das denn? Dürften wir vielleicht mal durch?« Sie schoben ihre Räder – alle drei hatten schwere schwarze Hollandräder – an uns vorbei. Sie waren schon aufgestiegen und fuhren an, stehend, da der Weg leicht bergauf ging, als mein Freund ihnen hinterherrief: »Ey, könnt ihr uns nicht ein Stückchen mitnehmen?« Wir rannten hinter ihnen her. Kürzten den Weg querfeldein durch den Raps ab. Kamen vor ihnen auf die Straße: »Bitte, ja, wir müssen alle in die Stadt!« »Sind doch nur fünf Kilometer!« »Fünf? Das sind mindestens zehn!« »Und wie soll das bitte schön gehen?« »Na, hinten drauf! Wartet ja, ey, das geht schon. Wir müssen nur schnell unser Zeug holen.« Die Mädchen waren unschlüssig. »Wir habens auch eilig!« »Dann fahren eben wir, und ihr sitzt hinten drauf!« »Na, schönen Dank!« »Wir sind gleich wieder da!« »Wir sind zu dritt, ihr zu viert! Ich hab das Gefühl, da bleibt einer über!« »Einer läuft nebenher und wir wechseln uns ab!« Wir sprangen wie die Rehe durch die Ackerfurchen zu unseren Rädern. Immer wieder wandten wir uns um, ob sie nicht doch einfach davonradeln würden. Doch sie standen auf der Straße und schienen tatsächlich zu warten. Während wir durch das Feld hoppelten, zischelten wir uns zu: »Ich nehm die mit der Fransenhose!« »Blödmann, die haben alle Fransenhosen!« »Na, die, die auf dem orangen Handtuch lag! Mit dem orangen Turban.« »Nee, mit der fahr ich!« »Ich will die mit dem Kirschturban!« »Also, ich renn aber nicht nebenher!« »Wir müssen uns doch eh abwechseln!« Als wir zurückkamen, waren wir uns immer noch nicht einig geworden. Die mit dem Kirschturban teilte uns ein: »Du fährst mit ihr. Du mit ihr und du mit mir. Und du läufst als Erster!« Unter den neidischen Blicken meiner Freunde setzte ich mich auf den Sattel des Mädchens, das auf dem orangefarbenen Handtuch gelegen hatte.

So machten wir uns auf den Heimweg. Die ersten Meter versuchte sich das Mädchen hinter mir seitlich am Gepäckträger festzuhalten. Dann am Sattel, und schließlich, ohne ein Wort zu sagen, legte sie mir die Hände auf die Hüften. Ich fuhr so schnell ich konnte, wollte nicht tauschen und auf gar keinen Fall neben den Fahrrädern herlaufen. Ich fragte: »Ich hab euch hier an unserem See noch nie gesehen.« Sie von hinten: »Wieso denn euer See?« »Na ja, wir sind total oft hier.« »Wir waren aber auch schön öfter da!« »Von welcher Schule seid ihr eigentlich?« »Von der Realschule.« »Von welcher?« »Bruno Lorenzen! Und ihr?« »Lornsenschule!« »Oha, Gymnasiasten!« Neben mir rannte der Freund heran, der gerade mit Laufen dran war. Außer Atem im Takt seiner klatschenden Sandalen hechelte er: »Ey … lass … uns … mal … tauschen … ich … kann … nicht … mehr …!« »Gleich ja, bis Neuberend noch!« »Neu…berend … spinnst … du …!«

Ich trat stärker in die Pedale und hängte ihn ab. Er rief mir hinterher: »Ey, du Arsch, warte mal!« Ich fragte nach hinten über die Schulter: »Ihr wart ganz schön lange drin!« Nach einer Pause rief sie nach vorne: »Du schwimmst echt gut!« »Ja, findest du?« »Ja, wie du da bei uns vorbeigeschwommen bist. Nicht schlecht.« Meinte sie das ernst? Machte sie sich über mich lustig? Es klang ehrlich. »Ja, ich bin im Verein!« »Dreht ihr immer so durch, wenn ihr Mädchen seht?« Von hinten schloss ein anderes Gespann zu uns auf, kam auf unsere Höhe: »Ey, du musst jetzt mal wechseln. Jeder muss mal laufen. Der kotzt gleich, so fertig ist der!« »Ja, ja!«, rief ich rüber, »nur noch den Berg nach Neuberend runter.« Sie sagte: »Ich glaub, du musst jetzt mal anhalten, sonst werden deine Freunde noch sauer auf dich!« Ich wollte nicht. »Außerdem«, sagte sie, »krieg ich einen nassen Hintern, weil ich auf dem Handtuch sitze!« Ich hatte endlich die Kuppe erreicht, hinter der es hinabging. »Nur noch den Hügel runter, ja? Los gehts!« Ich trat ein paar Mal kräftig in die Pedale und stellte dann beide Füße in den Rahmen des Damenfahrrads. Wir wurden schneller. Da legte sie ihren Kopf auf meinen Rücken. Nahm ihre Hände von meinen Hüften und schlang sie ganz um mich. Um meinen Bauch. An diesem Hügel testeten wir jedes Mal, wessen Fahrrad die besten Kugellager hatte, am weitesten rollte, ohne zu treten. Dafür legten wir uns wie die Profiradrennfahrer weit nach vorne, machten den Rücken krumm, bogen den Kopf bis zum Lenker hinab. Doch jetzt, mit ihrer warmen Wange auf meinem Rücken, den Händen und Armen, die mich hielten, saß ich brav aufrecht da, hütete mich davor, das Geringste zu verändern. Unter uns auf dem Asphalt wechselten zuckend die Schatten der Bäume mit Sonnenflecken, und in der Luft hingen kühle Schneisen. Unser Schwung reichte weit. Dann wurde das Fahrrad langsamer, stand schon fast, wackelte, und ich stellte den Fuß auf die Straße. Sie blieb noch einen Moment so sitzen und stieg vom Gepäckträger ab. Die anderen kamen johlend den Hang hinuntergerollt. Kurz bevor sie uns erreichten, sagte sie: »Schön war das.« Ich nickte ihr zu. Was war nur so eigenartig in diesem Gesicht? Etwas stimmte da nicht, irritierte mich. Die anderen kamen. Wir setzten uns an den Straßenrand, tranken warmen Orangensaft und warteten auf den abgehängten Läufer. Er kam über den Hügel, warf einen gespenstisch langen Schatten. Die Mädchen lachten, riefen: »Hast es gleich geschafft.« Er war völlig durchgeschwitzt, wütend, ließ sich aber nichts anmerken. Wir wechselten. Jetzt war ich dran mit Laufen. Mit Genugtuung sah ich, dass das Mädchen ihrem neuen Chauffeur die Arme nicht so um die Taille schlang wie mir. Ich bekam Seitenstechen, behielt die beiden aber im Auge, bis wir die Stadt erreichten. Wir waren alle zu spät und trennten uns rasch.

Ich ging zu dem Mädchen, fragte sie nach ihrem Namen, und wir verabredeten uns am nächsten Tag zum Eisessen. Ich wollte gerade gehen, da sagte sie: »Soll ich dir noch was zeigen?« Es war mir später oft wahnsinnig peinlich, wenn ich an diesen Moment zurückdachte, aber ich glaubte damals wirklich, dass sie ihre Brüste meinte. Dass sie an einer dicht befahrenen Kreuzung ihr T-Shirt lüften würde. Ich sagte: »Ja, klar, gerne!« Sie kniete sich auf die Straße und faltete das feuchte Handtuch auseinander. »Darfst du aber niemandem erzählen, dass ich dir das verraten habe. Meine Freundinnen killen mich. Versprochen?« »Ja, klar«, sagte ich, »versprochen!« »Hoch und heilig!« »Hoch und heilig!« Sie zog die letzte Handtuchecke beiseite: »Das hättest du nicht gedacht, was?« Da lagen acht Ventile und acht rote Ventilkappen! Mir fiel nichts Besseres ein als zu fragen: »Und wo ist die Pumpe?« »Die Pumpe haben wir in die Brombeeren geworfen!« »Na, besten Dank auch. Warum habt ihr das denn gemacht?« Sie strahlte mich an: »Bis morgen! Bei Venezia.« Ging ein Stück, drehte sich um: »Du hast es versprochen! Kein Sterbenswörtchen.« Ging noch ein Stück und drehte sich wieder um: »Hoch und heilig!« Sie wandte sich endgültig ab und ging auf dem Bürgersteig davon. Ihr Hintern war vom Handtuch tatsächlich feucht geworden, ein dunkler Fleck im Jeansstoff. Ich sah auf die Uhr. Oh Gott, die Nichtschwimmer saßen schon auf dem Beckenrand und warteten auf mich.

Noch gut eine Stunde hatte ich bis zu meinem Abflug nach New York. War ich eingeschlafen? Ich belud einen Gepäckwagen und machte mich auf den Weg zum Gate. Beim Eingang in den Abflugbereich sagte der Sicherheitsmann, zu Tode gelangweilt und gleichzeitig wütend: »He, mit dem Gepäckwagen darfst du da nicht durch. Zeig mir mal deine Bordkarte.« Ich holte sie aus meinem Brustbeutel. »Das ist keine Bordkarte. Das ist nur eine Flugbestätigung. Damit musst du zum Schalter.« »Wo muss ich denn da hin?« »Warte mal. Hier, hier stehts doch: TWA. Das ist ganz hinten im Terminal zwei.« »Ich glaub, ich bin etwas knapp dran. Bekomme ich das nicht vielleicht auch bei Ihnen?« »Die Bordkarte bei mir? So ein Quatsch! Außerdem darfst du mit dem ganzen Gepäck da doch nicht ins Flugzeug. Das sind mindestens fünfzig Kilo! Da musst du was nachzahlen und noch zum Sonderschalter. Übergewicht!!« »Glauben Sie denn, dass ich das alles noch schaffe?« »Lass mal sehen!« Er fand die Abflugzeit auf der Bestätigung. »Nee, ich glaub nicht.« Ich machte mich auf den Weg. Rannte. Schob den Wagen vor mir her wie einen Rammbock und fuhr Slalom. Als ich den Schalter fand, stand in Absperrbänder gepfercht eine Menschenmenge vor mir. Sich da anzustellen würde zu lange dauern. »Dürfte ich bitte vor? Ich hab es eilig!« »Flitzpiepe! Eilig hats hier jeder.« Ich reihte mich ein. Doch nach zehn Minuten war ich nicht weiter als eine Gepäckwagenlänge vorangekommen. Ich kämpfte mich aus der Schlange heraus und fuhr ratlos um den TWA-Schalter herum. Auf der anderen Seite stand kein Mensch. Ich fragte am Schalter, ob ich eine Bordkarte bekommen könne. »Where are you going?« »New York!« »Business Class?« »Yes, äh, no!« Sie nahm meinen Ausweis, sah auf die Flugbestätigung, flüchtig auf ihre Armbanduhr, musterte mich, zögerte, musterte mich abermals – und deutete auf das Gepäckband. Meine beiden großen Taschen fuhren davon. Die Grifflasche der vorderen verhakte sich schon in der ersten Abzweigung. Die Frau hinterm Schalter musste aufstehen und sie befreien. »You have too much weight!« Mir fiel nichts Besseres ein, als »Sorry, I am late!« zu sagen, was klang, als hätte ich aus Zeitnot Wackersteine in meine Sporttaschen geworfen. Sie gab mir meine Bordkarte und sagte: »Hurry up!« Ich rannte los, und es machte mir Spaß, tat mir so gut zu laufen. Die Sporttasche schlug gegen meinen Rücken, und der Brustbeutel flog mir um den Hals. Durch einen abschüssigen Gangway-Schlauch konnte ich direkt in das Flugzeug hineinstürmen. Eine dunkelhäutige Stewardess reichte mir die New York Times und hieß mich willkommen: »Welcome on board, Sir!«

Zwei Gänge, in der Mitte vier Plätze, links und rechts jeweils drei Sitze. Stickig war es hier drinnen. Viele Menschen. Ich lief durch den rechten Gang, hörte über Lautsprecher »Boarding completed!«. Ich musste ganz nach hinten bis zur vorletzten Reihe. Mehrere der Passagiere sahen mich genervt an. Zwei, drei schüttelten die Köpfe. Ich fand meinen Platz, rechte Reihe, in der Mitte. Im Gangplatz steckte ein ungewöhnlich dicker Mann in einem schwarzen Anzug, dessen Bauch über beide Armlehnen hing. Er war sichtlich enttäuscht, dass sein Sitznachbar so spät doch noch aufgetaucht war. Am Fenster, links von mir, saß ein kleiner Mann, der sich nervös die Hände rieb und abwechselnd zu mir und aus dem Fenster sah. Ich quetschte mich am Koloss vorbei und ließ mich in meinen Sitz fallen. So, dachte ich, jetzt gibt es endlich kein Zurück mehr.

Während der nächsten fünf Stunden flogen wir in einen nicht enden wollenden rosafarbenen Sonnenuntergang hinein. Fünf Stunden lang wurde der Himmel nicht dunkler, sondern immer nur noch prächtiger. Doch dann wurden die Wolkenberge schlagartig schwarz, und es war finster. Der Dicke neben mir bewegte seinen Kopf wie eine Eule, drehte ihn um hundertachtzig Grad. Nach links, um in die Wolken zu schauen, nach rechts, um zu fragen, wann das Essen endlich käme. Eine Stewardess brachte ihm eine Gurtverlängerung. Sein fettes Gesicht glänzte im Abendrot wie ein poliertes Osterei. Sein speckiger Hals war scharf rasiert bis in den Hemdkragen hinein. Das Fleisch seiner Wangen vibrierte, als wäre es aus Gelee. Ein Mann in Aspik. Er war nicht, wie ich gedacht hatte, Amerikaner, sondern Holländer. »Mevrouw, mag ik nog een portie?« Er behielt beim Essen seinen Plastikbecher in der Hand und stellte den viereckigen, in Fächer eingeteilten Teller auf seinen Bauch, da er das Tablett nicht herausklappen konnte. Er machte große Pausen zwischen den einzelnen Bissen und kaute und kaute, so lange, dass es mir auf die Nerven ging und ich bei jedem Bissen dachte: »Mensch, jetzt schluck schon endlich runter!« Ganz anders das Kerlchen am Fenster. Es verhielt sich wie ein Äffchen. Ein neurotisches Äffchen mit Halbglatze. Er legte gleich nach dem Start einen kleinen Karton auf seine Ablage, riss daran herum und packte ein Schweizer Taschenmesser aus. Ich war erstaunt und besorgt, dass man ein Messer mit an Bord nehmen durfte. Er las in der Gebrauchsanweisung und probierte sämtliche Funktionen an sich selbst aus. Kratzte sich mit dem Messer den Dreck unter den Fingernägeln hervor, schnitt sich mit der Nagelschere die Nägel und warf die Hornspäne unter den Sitz. Zog die Feile heraus. Er sah mit seinen flinken Augen und den struppigen Haaren über den Ohren nicht nur wie ein Äffchen aus, er bewegte sich auch so. Bei jeder noch so kleinen Turbulenz erschrak er und sah blitzschnell aus dem Fenster, als hätte ihn der Schrei eines wilden Tieres beim Lausen gestört, um sich dann genauso ruckartig wieder dem Messer zuzuwenden. Die dicke Eule war müde vom Essen und schlief ein. Dadurch wurde ihr Bauch noch größer, entspannte sich und floss bis auf meinen Oberschenkel. Ich dachte über sein Hemd nach. Wie schaffte man es bei so einer Wampe, dass das Hemd in der Hose stecken blieb? War es an der Unterhose befestigt? War es ein spezielles Stretchhemd für Extrafette? Gab es solche Hemden in Amerika? Sollte ich meinem Vater so eins mitbringen? Oder wäre er dann beleidigt? Die Eule schnaubte, und das Äffchen besah sich durch die Schweizer Messerlupe die Kringel seiner Fingerabdrücke auf den Gläsern seiner Lesebrille. Kurz flackerte sein unsteter Tierblick zu mir herüber, bevor er mit der Sägefunktion die Pappschachtel zersägte und dann mit der Zange die Schnipsel schnappte und in seinen Becher warf.

Im Flugzeug wurde es still und stiller, und auch ich wurde müde. So müde, dass ich mich der Fettlawine von rechts nicht länger erwehren konnte. Über Stunden hatte ich um einen Sicherheitsabstand gerungen, meine Wirbelsäule weggekrümmt und saß auf der winzigen Fläche meines Sitzes ganz an den linken Rand gepresst. Mir fielen die Augen zu, und so gab ich allen Widerstand auf und verschmolz mit dem warmen Bauch meines holländischen Nachbarn. Im Halbschlaf hatte ich mehrmals das Gefühl, meine rechte Körperhälfte würde in Treibsand versinken. Als Letztes sah ich noch, wie das geschäftige Männlein mit der Pinzette tief in seiner Nase herumdokterte, sich Borken mit Nasenhaaren herausriss und sie sorgfältig auf die Ablage reihte. Sie sahen aus wie gelbe eingetrocknete Spinnen mit Beinchen. Wollte er sie etwa mit dem Schweizer Zahnstocher aufspießen und essen? Ich schloss endgültig die Augen. Rechts neben mir Schlafseufzer, Stoßatmer, und tief in seinem Fett meinte ich, ein gegen Fleischwände anpochendes Herz zu hören. Oder war das mein Herz? Oder waren das Fluggeräusche? Links nun doch nicht etwa wirklich Knuspergeräusche, oder was war das? Was aß der denn? Geweckt wurde ich durch die in breitem Amerikanisch durchs Flugzeug schallende Ansage des Kapitäns. Es klang wunderbar gelassen, doch ich verstand kein Wort. Das war kein gutes Omen. Sollte mein Englisch so schlecht sein, dass ich nicht mal die Ansage in einem Flugzeug verstand? Dabei hatte uns unsere Austauschbetreuerin Traudel Buscher-Böck ausdrücklich darauf hingewiesen, dass es eine Weile bräuchte, bis man sich, und das waren exakt ihre Worte, »in den Sound der Amis eingegroovt hat«. Ich hatte mich definitiv noch nicht eingegroovt und keine Ahnung, was durchgesagt worden war. Das Flugzeug veränderte seinen Brummpegel und ging in den Landeanflug über. Ich hätte so gerne die Freiheitsstatue gesehen oder einen Blick auf das vertikale Lichtermeer der Skyline genossen. Doch wir flogen durch Allerweltsdunkel auf die Landebahn zu. Die Eule schlief immer noch tief und fest. Das Äffchen tupfte einen kleinen Schnitt am Finger mit einer blutig gesprenkelten Serviette ab. »Prepare for landing!« Die Räder setzten auf, und der Ruck, der durch das Flugzeug ging, war der selbstverständlich hingenommene Weckruck der Vielflieger. Überall wurde sich gestreckt und gedehnt. Selbst wenn man von Frankfurt nach New York fliegt, wurde mir klar, ist man noch lange kein Reisender. Selbst wenn man todesmutig in einer Zaubermaschine aus Blech und Eisen durch Zeitzonen rast, ist man umgeben von Pendlern.

»Thank you for flying TWA, Sir!« Ich machte mich auf die Suche nach meinem Anschlussflug nach Denver. Der Flughafengang war so lang, dass ich meinte, die Krümmung der Erdoberfläche zu sehen. Meine Müdigkeit machte mich völlig gefühllos, und ich verirrte mich. Durch eine Fensterfront sah ich das Rollfeld und darauf absonderliche Mondfahrzeuge herumkurven. Da beobachtete ich, wie von einem völlig überladenen Gepäckwagen zwei Koffer hinunterfielen. Der eine schlitterte über den Beton, der andere überschlug sich mehrmals und brach auseinander. Kleidungsstücke und Papiere flogen heraus. Der ganze Gepäckzug war einfach weitergefahren. Ich erkannte eine Hose, mehrere zerfledderte Bücher, einen zusammengerollten kurzen Teppich. Der nächste Gepäckzug kam heran. Bremste. Ein Mann stieg aus, warf den heilen Koffer auf die überfüllte Ladefläche und wühlte mit der Schuhspitze ohne einen Anflug von Scham im aufgebrochenen Koffer herum. Fand etwas und steckte es sich in die Tasche. Nahm eine Hose heraus und hielt sie sich vor seine eigene Hose. Den kaputten Koffer schob er mit dem Fuß zur Seite, gab ihm einen Tritt. Die Hose nahm er mit in sein Führerhäuschen und reihte sich wieder ein in das undurchschaubare Kreisen der Fahrzeuge. Wo wohl gerade meine beiden Reisetaschen waren? Hoffentlich, dachte ich, bleiben sie zusammen! Ich kam zu einem Passkontrollhäuschen, das von einer eindrucksvollen Schwarzen bewohnt wurde. Sie sah sich meinen Pass und mein Ticket an. »Young man, you are completely wrong!« Ich antwortete nur: »Okay!« Ich war außerstande, auf Englisch nach meinem Gate zu fragen, und schlug einfach eine neue Richtung ein. War ich eigentlich schon wieder spät dran? Ich stand unter einer meterhohen Anzeigetafel, auf der Flüge in alle Städte der Welt aufgelistet waren. Alle paar Momente fing die ganze Tafel zu tanzen an und auf Abertausenden flatternden Plättchen wirbelten

Zahlen und Buchstaben durcheinander. Danach hatte jeder Flug, jede Stadt eine minimal höhere Position. Einen Flug nach Denver fand ich nicht. Auf einer Bank saß eine Frau mit einem ungefähr zehnjährigen Sohn, der seinen Kopf in ihren Schoß gelegt hatte. Ich erkannte sie wieder. Sie hatten im selben Flugzeug gesessen wie ich. Die Frau las in einem Buch mit deutschem Titel. Ich weiß ihn noch genau: »Nächstes Jahr in Jerusalem«. Ich ging zu ihnen: »Entschuldigen Sie bitte, ich glaub, ich hab mich total verlaufen. Könnten Sie mir vielleicht helfen?« Sie sah mich freundlich an, sprach leise, um ihren Sohn nicht zu wecken: »Dieser Flughafen ist riesig, was?« »Ja, allerdings.« »Wo musst du denn hin?« »Nach Denver.« »Zeig mir mal dein Ticket.« Ich holte den Brustbeutel heraus und gab es ihr. »Ah, schau hier. Flug 746, Gate neunzehn!« Während sie mit mir sprach, kraulte sie ihrem Sohn die Locken, die nicht ganz so störrisch zu sein schienen wie meine, liebevoll mit den Fingern. »Guck mal, da ist Gate vier. Kann nicht so weit sein.« Sie blickte in die andere Richtung. »Schau mal, dahinten, da geht eine Treppe runter. Da steht Gate achtzehn bis vierundzwanzig!« »Ah, das hatte ich nicht gesehen. Vielen Dank!« »Gern geschehen. Gute Reise.«

Als ich die Abzweigung erreicht hatte, sah ich mich noch mal nach ihr um. Sie nickte und deutete dabei mit dem Finger in die Richtung der Treppe. Ich winkte und nickte zurück und fand kurze Zeit später mein Gate. Über dem Eingang blinkte: DELAY. Zweieinhalb Stunden Verspätung. Ich ging auf die Toilette. Die Klobrille war höher, das merkte ich sofort, das war angenehm, und auch etwas breiter. Meine Oberschenkel perfekt horizontal zum Boden. So gerade wie mit einer Wasserwaage austariert. »Gutes Klo«, dachte ich, »nicht wie bei mir zu Hause!« Die Seifenflüssigkeit, die wie ein bonbonfarbenes Ejakulat aus dem Spender spritzte, roch intensiv nach Rosen. Ich fühlte mich erschöpft, aber gut. Die freundliche Frau, das wohlproportionierte WC, meine duftenden Hände. Ich errechnete mir die Zuhauseuhrzeit. Oh nein, ich hatte vergessen, meine Mutter noch einmal anzurufen. Meiner Freundin hatte ich versprochen, mich zu melden, sobald ich in New York ankäme. »Ich stelle das Telefon in den Flur auf den Boden!«, hatte sie gesagt. »Weck mich ruhig.« Ich fand eine Telefonzelle. Kein Kleingeld. Nun war es also so weit. An einem verchromten Tresen bestellte ich mir einen Kaffee. Ich sagte tatsächlich: »Kaffee«, auf Deutsch, allerdings mit amerikanischem Akzent. Mehr würde ich in dieser Nacht noch nicht herausbekommen. Ich öffnete den Brustbeuteldruckknopf, nahm das grüne Bündel, zog einen Zehndollarschein heraus und bezahlte. Eigentlich mochte ich keinen Kaffee, trank zu Hause jeden Morgen einen großen Becher kalten Kakao, aber ich wollte wach sein. Der Kaffee war heiß, dünn und schmeckte köstlich. Der Filterkaffee, den mein Vater jeden Morgen trank, war ein schwarzbitteres Gebräu, das einem die Koffeinfaust in den Magen rammte. Dieser erste amerikanische Kaffee dagegen war eine wässrige Wohltat. Ich hatte mir vorgenommen, während der ganzen Reise so wenig wie möglich zu schlafen, um der Zeitumstellung ein Schnippchen zu schlagen. Also holte ich mir noch einen Kaffee. Ich wollte wieder mit einem Zehndollarschein bezahlen, um genügend Kleingeld für das Telefonat zu haben. Doch der Mann hinterm Tresen schenkte mir ein und sagte: »No Sir, we have refill.« Das passierte mir in den kommenden Wochen häufig, dass sich in einer Kleinigkeit die ganze Andersartigkeit meiner neuen Umgebung offenbarte. Dadurch, dass ich so willig und bereit war, die Dinge anders zu sehen, fiel es ihnen auch leicht, anders zu sein. Wobei – dieser Kaffee war ja wirklich vollkommen anders!

Zuerst rief ich zu Hause an. Meine Mutter hob hellwach nach dem ersten Klingeln ab. »Ah, da bist du ja endlich! Alles gut gegangen?« Ihre Stimme klang ganz nah. »Ja, Mama, alles bestens.« »Wie war der Flug?« »Super.« Ich wollte es kurz machen, um genügend Kleingeld für das Telefonat mit meiner Freundin übrig zu haben. Ich sagte: »Du, Mama, ich glaub, jetzt ist gleich Schluss. Ich melde mich morgen.« »Och, schade, wirf doch noch was ein.« »Ja, warte mal, ich …« Ich drückte den Finger kurz auf die Unterbrechungstaste und das Gespräch war beendet. Ich nahm noch einen dritten Becher, wurde zunehmend munterer und wählte 0049462122789. Ich wollte schon wieder auflegen, als sich die schlaftrunkene Stimme meiner Freundin doch noch meldete. »Hallo, na?« Es klang genauso, als würde ich sie von zu Hause aus anrufen. Ich hätte mir gewünscht, dass sich durch Knistern und Rauschen meine bereits zurückgelegte Strecke bemerkbar machen würde. Das war doch enttäuschend! »Hallo.« »Wo bist du?« »Ich bin in New York. Mein Flug nach Denver hat zweieinhalb Stunden Verspätung.« »Du Armer.« »Hab ich dich geweckt?« »Ja klar, nicht schlimm.« Ich freute mich so sehr, sie zu hören, und doch tat mir ihre verschlafene Stimme auch weh. Obwohl ich all mein Wechselgeld eingeworfen hatte und die Anzeige noch mehr als vier Dollar anzeigte, sagte ich: »Schlaf weiter, ja. Wir hören uns morgen.« »Ja, mach ich. Pass gut auf dich auf!« Ich hängte ein, und das Geld rutschte in eine tiefere Region des Münztelefons.

Ich sah meine Freundin vor mir. Wir hatten nur eine einzige Nacht miteinander verbracht. Hin und wieder war sie nachmittags müde geworden. Ich mochte es, wenn sie verschlafen war, ihre Haare wild über ihrem Gesicht und dem Kissen lagen. Von dem Moment in der Eisdiele an, als sich unsere gekühlten Zungen berührt hatten – ich Malaga, sie Mango –, bis zur letzten Nacht vor meinem Abflug hatte ich mir nichts sehnlicher gewünscht, als mit ihr zu schlafen. Doch daraus wurde nichts. Die ersten zwei Wochen durfte ich sie nur küssen. Auf Spaziergängen, in ihrem oder meinem Zimmer auf dem Bett liegend, im Kino. Doch sobald ich auch nur versuchte, meine Hand unter ihr Sweatshirt zu schieben, sagte sie liebevoll: »Eins nach dem anderen!« Auf ihren Augenlidern hatte sie zwei kreisrunde Leberflecke. Das war es, was mich am See so irritiert hatte. Wenn sie blinzelte oder die Augen schloss, sahen mich die Leberfleckpupillen an. Wenn ich im Dunklen versuchte, ihre Augen zu erkennen, wusste ich oft nicht, ob sie mich anstarrte oder schlief. So stand ich unter ständiger Beobachtung und geriet durch meinen heranrasenden Abflugtermin nach Amerika in einen unguten Zustand aus angestautem Verlangen und Zeitnot. Meine Zunge kannte nach diesen zwei Wochen jeden einzelnen ihrer Zähne, die Wellungen ihres Gaumensegels, jede noch so abgelegene Mundhöhlennische. Meine Lippen waren vom vielen Küssen spröde und taub geworden, und sosehr ich sie auch mochte, so aufregend ich es fand, es war schon befremdlich, ganze Nachmittage lang eine fremde Zunge im Mund zu haben. Nach zwei weiteren Wochen durfte ich ihren Rücken und die Schulterblätter streicheln. Mit den Fingerspitzen den gespannten Träger des BHs entlangfahren. Ich fing an zu rechnen. Wie weit würde ich in diesem Tempo bis zu meinem Abflug kommen? Wenn ich weiter so fleißig war, würde ich es haarscharf in ihre Unterhose schaffen. Ich wurde ungeduldig und schämte mich der Dinge, die ich mir wünschte. Als ich meine Hand über den Rücken, über ihre Rippen, zu ihrer Brust schob und mir ein Schauer durch den ganzen Leib fuhr, weil mein Zeigefinger an etwas Warmes, Rundes stieß, war es wieder so weit: »Eins nach dem anderen!« Ich wollte nicht: eins nach dem anderen! Ich wollte alles gleichzeitig. Sie ausziehen. Sie nackt umschlingen. Mit ihr schlafen. Sie dabei küssen und ihre großen Brüste halten und drücken! Und nicht: eins nach dem anderen!

An unserem letzten Abend lagen wir in meinem Bett. In der Mitte des Zimmers standen die beiden Reisetaschen, darauf die Sporttasche und auf der Sporttasche die Anziehsachen, die ich für die Reise herausgesucht hatte. Ganz oben lag der Brustbeutel. »Würde es dich freuen, wenn ich heute Nacht bei dir bleibe?« »Was?« »Ja, hier bei dir. Ist ja unsere letzte Nacht. Ich mag nicht allein sein heute Nacht.« »Ja, klar.« Ich konnte kaum glauben, was ich da hörte. Unter der Bettdecke zogen wir uns nackt aus, lagen nebeneinander und hielten uns an den Händen. Sie atmete tief ein und aus wie jemand, der gleich zum Meeresgrund hinabtauchen würde. Ich rollte mich an ihre Seite und begann, ihren Hals zu küssen, die Schlüsselbeine, etwas tiefer. Ihr Atem ging schnell. Sie zog mich auf sich: »Sei vorsichtig, bitte.« Ich wäre gerne vorsichtig gewesen, aber nach zwei unbeholfenen Versuchen gaben wir auf, lagen da, Rücken an Rücken, nackt, und wachten genau so am Morgen wieder auf.

Jetzt, auf dem Flughafen in New York, konnte ich nicht fassen, dass es erst eine Nacht her gewesen sein sollte. Verblasste diese Nacht dadurch so schnell, dass ich mich nicht nur zeitlich, sondern auch räumlich von ihr entfernt hatte? Insgesamt trank ich so um die sechs Tassen Kaffee und bestieg aufgekratzt das Flugzeug. Der Anflug auf Denver bei Nacht war überwältigend. Das sieht ja aus, dachte ich, wie ein auseinandergeharktes Lagerfeuer, wie Tausende glühender Kohlestückchen! Während ich auf mein Gepäck wartete, sah ich mir noch mal das Foto meiner Gasteltern an. Ich wollte sie nicht übersehen. Drei Stunden war ich zu spät. Ob sie so lange auf mich gewartet hatten? Ich beobachtete die Menschen, die übermüdet am Förderband aufgereiht auf ihre Koffer warteten und sich, sobald sie ihr Gepäckstück entdeckten, in drängelnde zuschnappende Hyänen verwandelten. Als ich meine erste Tasche sah, am Gurt stolz geschmückt mit den Klebelaschen ihrer Reise, war ich selbst erstaunt, wie froh mich das machte. Am liebsten hätte ich laut gerufen: »Da! Dahinten! Die Tasche, die da kommt, ist meine!« Kurz darauf kam auch die andere aus dem Gepäckschlund gefahren. Etwas ramponiert, aber unversehrt. Ich lud alles auf einen Wagen und machte mich auf den Weg zum Ausgang.

Das Erste, was mir an meinen Gasteltern auffiel, war, dass sie genauso aussahen wie auf dem Foto. Wie ausgestanzt und aufgestellt. Sie hatten nicht nur genau dieselben Frisuren, nein, auch der Anzug und das Wollkostüm sahen haargenau gleich aus. Auch sie erkannten mich sofort und kamen mir entgegen. Hazel umarmte mich und Stan gab mir die Hand und sagte: »Finally here. Quite a long way!« Hazel: »So good to have you here.« Zwei Frauen stellten sich zu uns, die sich ähnlich sahen, die gleiche pausbackige Fröhlichkeit hatten und sich als Stans Schwestern vorstellten. »Let's go«, sagte Hazel, »it's still a long way home!« Wir verließen den Flughafen. Stan sagte: »I'll go and get the car.« Ich setzte mich neben die drei Frauen auf eine Bank. Sie hatten alle ihre Jacken übergezogen. Ich saß nur im Sweatshirt da. »Huuh ...«, machte eine der Schwestern, rieb die Handflächen aneinander: »It's cold out here.« Und sie drehte sich zu mir und fragte mich, ob mir in meinem Sweatshirt nicht kalt wäre. »No, no!«, antwortete ich, »I am warm.« Sie lachten. Hazel sagte: »Wait till you get to Laramie.« Die Schwester nahm meine Hand und war begeistert, wie warm sie war. Ich hatte tatsächlich immer warme Hände, selbst im tiefsten Winter ohne Handschuhe. Mein Vater sagte stets, das hätte ich von ihm geerbt. Ich überlegte einen Satz. »I like it cold.« Eigentlich wollte ich sagen, dass es da, wo ich herkam, auch oft kalt und selten warm war, aber mehr als »I like it cold!« steuerte ich nicht zur Unterhaltung bei. Hazel sagte: »Well, then you have found the perfect place: Laramie is very cold!« Die eine Schwester hielt noch immer meine warme Hand. Die andere Schwester sagte zu ihr: »Are you sure he likes that?« Sie antwortete: »He is so cosy. Like a little oven. I really could get used to it!« Ein Auto, das ich gar nicht hatte kommen hören, hielt direkt vor unserer Bank. Ein knallrotes Schlachtschiff. Stan stieg aus. Hazel fragte: »Where have you been for such a long time?« Er antwortete und schien genau zu wissen, dass das seine Schwestern amüsieren würde: »Couldn't find the car in the stupid parking lot. Damn.« Ich wuchtete meine beiden Reisetaschen und die Sporttasche in den Kofferraum, in dem schon zwei eigenartige Koffer lagen. Auf ihnen war großformatig jeweils eine der Schwestern zu sehen. Das kannte ich nicht, mit dem eigenen Porträt bedruckte Motivkoffer.

Wir stiegen ein. Das Auto hatte nicht nur hinten eine Sitzbank, sondern auch vorne. Das hatte ich noch nie gesehen, nicht einmal davon gehört. Kein Fahrersitz, kein Beifahrersitz, nein, ein weiches, durchgesessenes Sofa. Im Flugzeug war es eng gewesen. Hier, ich saß vorne rechts, Hazel neben mir, Stan fuhr, und die Schwestern saßen, ja, lagen fast auf dem hinteren Sofa, hier in diesem Auto war Platz. Unglaublich viel Platz! Ich konnte meine Beine ausstrecken, den Kopf anlehnen. Sicherheitsgurte gab es nicht. Wir fuhren los, durch die von Leuchtreklamen flankierten Vororte auf dem Highway Richtung Norden, Richtung Wyoming. Ich sah aus dem Fenster. Alles anders: die Farbe der Straßenschilder, die Straßenbegrenzungen, die groß auf die Straße gemalten Zahlen und Pfeile. Die Entfernungsangaben in Meilen. Ich dachte an die Fahrt mit meinem Bruder und seinem Freund nach Frankfurt. Was war das für eine hektische, aufgekratzte Fahrt gewesen! Nicht nur wir im Wagen meines Vaters, alle Autos auf dieser deutschen Autobahn kamen mir rückblickend wie aggressive, aufgescheuchte Hornissen vor. Und hier? Hummeln! Träge durch die vierspurige Finsternis brummende, friedfertige Hummeln. Die Beleuchtung des Armaturenbretts glimmte schwach grün. Der Tacho, die Uhr, versunken, wie in einem Aquarium bei Nacht. Wie viel Uhr war es jetzt eigentlich gerade zu Hause? Ich war immer noch wach vom Kaffee, aber trotzdem zu müde, um mir die Heimatzeit zu errechnen. So viel Licht. Jede Tankstelle, jedes Fast-Food-Restaurant illuminiert wie Bohrinseln in der Dunkelheit. Wir kamen durch einen Ort namens Fort Collins. Stan fragte, ob jemand Hunger hätte. Die Schwestern riefen von hinten im Chor: »That's for sure!« Beim nächsten McDonald's bogen wir ein. Ich wollte mich schon zum Aussteigen bereit machen, als Stan sagte: »Let's eat in the car. We are late anyway!« Wir fuhren um den McDonald's herum und kamen zu einem Fenster, an dem man direkt bei einer Dame hinter Glas mit Mikrofon aus dem Auto heraus bestellen konnte. Ich nahm einen Double Cheeseburger, Pommes und eine Cola. Wir bekamen mehrere Papiertüten hineingereicht und die Getränke.

In der Stadt, aus der ich kam, gab es nur zwei Imbisse: den »Dani Grill« und den »Kochlöffel«. Da gab es halbe Hähnchen oder die sogenannte »Meterwurst«. Eine ewig lange Bratwurst, die wie ein aufgerollter Schiffstampen auf dem Grill lag. Wenn man etwas von der Meterwurst bestellte, sagte man nicht: »Ich hätte gerne eine Bratwurst!«, sondern: »Ich hätte gerne von der Meterwurst.« »Wie viel?« »Och, so vierzig Zentimeter!«

Die Schwestern mussten aufs Klo. Stan sagte »Come on, the burgers are getting cold. Hurry up!«, und Hazel sagte: »It will take a while!« Ich drückte mich aus dem tiefen Sofa und lief ein paar Schritte auf dem Parkplatz umher. Streckte mich, dehnte den Nacken. Ich war schon über zweiundzwanzig Stunden unterwegs. In der Ferne sah ich eine dunkle Wand, aber ich konnte nicht erkennen, ob es Berge oder Wolken waren. Die Schwestern kamen zurück und wir fuhren weiter. Jeder bekam seine Tüte auf den Schoß. In den Türen und am Armaturenbrett gab es kleine Tabletts und Halterungen für die Pappbecher. Genau wie im Flugzeug, dachte ich. Aber diese Tabletts waren viel schöner. Aus poliertem, mit Maserungen durchzogenem Holz. Natürlich hatte ich schon mal einen Hamburger oder einen Doppelcheeseburger von McDonald's gegessen, aber nicht oft, und so gut wie dieser hatte mir noch nie einer geschmeckt. Stan legte eine Kassette ein: Countrymusic. Eine brüchige Frauenstimme sang. Ich verstand einzelne Worte: »… bluuuuee mountains … oh thiiiis road … coming hooome …« Hinter mir hörte ich die Schwestern schmatzen. Die eine hielt Stan, ohne dass er es merkte, zwei Pommes wie Teufelshörner an den Kopf. Sie kicherten. Hazel neben mir aß, trank und sang hin und wieder eine Zeile mit. Es kam ein Lied, das jeder im Auto zu kennen und zu mögen schien. Beim Refrain stimmten alle mit ein, und Stan fuhr zum Spaß ein paar Schlangenlinien im Takt der Melodie. Es roch gut im Auto. Nach den Schwestern, die sich entweder einparfümiert oder auf der Toilette mit einer intensiven Seife gewaschen hatten, und nach den Burgern, dem geschmolzenen Käse und den salzigen Pommes. Hinter mir hörte ich Pustgeräusche. Ich drehte mich um und sah, wie beide Schwestern Luftballons aufbliesen, ihre knallroten Köpfe mit jedem Atemstoß ein wenig mehr hinter den sich blähenden Ballons verschwanden. Wo hatten sie diese Ballons her? Sie versuchten, sie zuzuknoten, doch einer der Ballons sauste pupsend durchs Auto an Stans Kopf vorbei. Hazel und die Schwestern warfen sich vor Lachen auf den Sofas hin und her. Auch ich blies den Luftballon auf, den ich auf dem Boden meiner Papiertüte zwischen kalten Pommes entdeckt hatte, und knotete ihn zu. Die beiden Ballons wurden mit den Fingern durch das Auto geschnippt, und Stan sagte mehrmals leise »Jesus!«. Das ist hier ja wie auf einem Kindergeburtstag, dachte ich. Ob die wohl immer so sind? Dass Stan so gelassen blieb, erstaunte mich.

Ich hatte einmal bei einem Ausflug mit meinen Großeltern auf der Rückbank eine Butterbrottüte aufgeblasen und zerknallt. Ich war selbst erschrocken, wie trocken der Tütenschuss die Stille im Auto zerrissen hatte. Mein Großvater fuhr an den Seitenstreifen, stieg aus, öffnete meine Tür, packte mich am Handgelenk und zog mich aus dem Auto: »Das machst du nie wieder! Haben wir uns verstanden?« »Ja.« »Nie, nie wieder. Wenn du so etwas noch ein einziges Mal tust, während ich fahre, dann Gnade dir Gott!«

Nachdem alle aufgegessen hatten, sammelte Hazel den Müll in einem Plastiksack ein, den wir auf dem nächsten Parkplatz in eine Tonne warfen – wieder ohne auszusteigen. Dann wurde es still im Wagen. Die Schwestern hatten es sich gemütlich gemacht, ihre Schuhe ausgezogen und sich überraschend gelenkig auf dem Rücksofa zusammengerollt. Hazel legte sich ein Kissen unter den Kopf und schlief ein. Stan sagte: »Just the two of us!« Ich wollte auch etwas sagen, überlegte lange und entschied mich für: »The stars look the same like at home!« Stan nickte mir zu. »Oh yes, they are the same almost everywhere.« Ich hatte es erst gar nicht bemerkt, aber nach einer weiteren halben Stunde ging es stetig bergauf, und Nebelschwaden waberten über die Fahrbahn. Hazel schlief tief und fest, auch den Schwestern hingen ihre fleischigen Wangen schlaff auf das Sofapolster. Der Nebel wurde dichter, die Sicht immer schlechter. Stan richtete sich auf, drückte den Rücken durch, das Gesicht näher an der Windschutzscheibe. Der Highway wurde steiler. Hin und wieder tauchten gespenstisch Scheinwerfer auf der gegenüberliegenden Fahrbahn auf, und ein paarmal wurden wir überholt. Stan fluchte leise: »These folks are crazy!« Ich überlegte lange das englische Wort für Nebel, aber es fiel mir nicht ein, und »white air« war zu unsinnig. Hatte ich nicht in der Schule etwas lesen müssen, wo Nebel vorkam? Ich versuchte mich zu erinnern. Magischer Nebel? Menschen gehen durch den Nebel und landen wo? Fahren mit dem Schiff durch Nebelbänke? Wo kamen sie hin? Was lag hinter dem Nebel? Ein anderes Land? Ging es um eine Reise ins Jenseits? Glitten sie durch die Zeit? Ich wusste es nicht mehr. Stan machte das Radio aus und hatte Schweißtropfen auf der Stirn. Doch genau so, wie der Nebel gekommen war, verschwand er wieder. Wie in einem Zaubertrick fuhren wir in Sekundenschnelle aus der milchigen Brühe heraus und hinein in eine sternklare, mondhelle Nacht. Vor uns lag eine weit offene Landschaft, geschwungen und ja, tatsächlich, von schneebedeckten Bergen umgrenzt. Stan wischte sich mit einem aus der Hosentasche hervorgekramten Taschentuch die Stirn ab, drehte das Fenster einen Spaltbreit hinunter. Wir kamen durch Chayenne. Er sagte zu mir: »One more hour to go!« Der Highway führte durch freigesprengte Felsschneisen und an tiefen Schluchten vorbei. Erst da wurde mir endgültig klar, dass das, was ich auf dem Fragebogen angekreuzt hatte, gründlicher in Erfüllung gehen würde, als ich es mir bis jetzt hatte vorstellen können. Und während ich mich immer weiter in diese fahle Einöde hineinbohrte, dachte ich an die anderen Austauschschüler, diese blasierten Angeber, die schon bald in Kalifornien auf dem Surfbrett liegend auf die Welle ihres Lebens lauern würden.

Wir erreichten Laramie. Bogen allerdings noch vor der Stadt vom Highway ab und fuhren auf einer Sandpiste in eine Siedlung hinein. Auffahrten, Briefkästen auf Stangen, die Umrisse von Holzhäusern. Ganz am Ende der Siedlung lenkte Stan den Straßenkreuzer mit einem letzten runden Schwung in eine von Bäumen und Sträuchern umstandene, ja überwucherte Einfahrt hinein. Die müden Schwestern zogen sich nicht einmal mehr ihre Schuhe an und trippelten wie übergewichtige Ballerinas ins Haus hinein. Ein grauer Pudel rannte und hüpfte um unsere Beine herum. Schnappte vor Willkommensfreude in die Luft, jaulte und wedelte überdreht mit seinem Schwanzstummel. Hazel sprach mit ihm: »There you are. Yes, everybody is here. No need to worry!« Auch an mir sprang er hoch, als hätte er mich vermisst. Ich klopfte ihm auf den Rücken. In den Augenwinkeln hatte er gelbliche Krusten. Alle außer mir waren todmüde. Die Schwestern riefen: »Good night everybody!« und schlafwandelten in ihre Zimmer. Hazel öffnete eine Tür und sagte gähnend: »This is your room. Hope you like it. Have a good night.« Ich trug meine beiden Taschen hinein, stellte die Sporttasche ab. Zog mir den Brustbeutel über den Kopf und hängte ihn an den Fenstergriff. Ich setzte mich auf den einzigen Stuhl, zog meine Turnschuhe aus und sah mich um. Das also ist mein Zimmer, dachte ich. Mein Zimmer? Rustikal, Holzwände, schwere Deckenbalken. In den Regalen standen massiv aussehende, tatsächlich aber federleichte Pokale mit silbernen Sportlern, die angeberisch, schräg in der Luft stehend und nur mit einem Fuß im Pokalsockel eingegossen, einen Football warfen. Der spielentscheidende Ball und nur noch drei Sekunden auf der Uhr. Große Medaillen hingen an Haken, auf denen sich im Halbrelief Läufer aus dem Metall herausarbeiteten und mehr durch ein Zielband fielen als liefen, das Haar in golderstarrten Strähnen. Und vergilbte Urkunden mit Schwimmern, gebückt, sprungbereit auf dem Startblock, auf dem Urkundenpapier etwas erhaben, Basketballer im Zweikampf, schwerelos in der Luft. Auf den Sockeln der Pokale, den Medaillen und Urkunden stand immer der derselbe Name: Brian Atkinson. Er war der mittlere der drei

Gastbrüder und der Stolz der Familie. Ich wusste, dass er als Schüler ein guter Sportler gewesen war und nun Medizin studierte. Das hatten sie mir geschrieben. Sie hatten sehr verschieden ausführlich über ihre Söhne berichtet. Am meisten über Brian, den Mittleren, auch über Bill, den Ältesten, aber am wenigsten über Don, den Jüngsten. Über ihn hätten sie mir doch eigentlich am genauesten schreiben sollen, da ich das gesamte Jahr in seiner Nähe verbringen würde.

In der Mitte meines Zimmers stand ein großes Bett. Ein eigenartiges Bett. Was für ein Klotz! Das war doch nicht etwa? Ich stand vom Stuhl auf und drückte mit beiden Händen auf den Bettüberwurf. Eine schwappende Welle rollte durch die Matratze. Mein Gott! Das war tatsächlich ein Wasserbett. Ich hatte ein Wasserbett! An der Bettkante waren ein drehbarer Schalter und eine Temperaturanzeige. Es war nicht nur ein Wasserbett, es war auch noch heizbar. Dieses temperierbare Bett sollte in der ersten Woche meines Aufenthalts zum Inbegriff der neuen Welt, der Welt der unbegrenzten Möglichkeiten werden. Dieses riesige schwankende, mit Bergmotivbettwäsche bezogene Ungetüm! Ich legte mich angezogen auf den Überwurf. Wenn ich mich umdrehte, gluckste es im Inneren, und meine Bewegung schwappte zu den Seiten, kam zurück und hob und senkte mich. Ließ ich die Füße fallen, rollte die Welle unter meinen Beinen entlang, schlängelte sich die Wirbelsäule hinauf und ließ meinen Kopf leicht nicken, wurde vom Kopfende zurückgeworfen und plätscherte unter mir zurück zum Fußende. Ich stand auf und sah mir den Schalter an. Die Temperatur stellte ich auf Maximum. Ganz allmählich wurde es von unten warm. Ich sollte besser endlich schlafen, dachte ich, aber ich war nicht müde. Ich lag da, auf diesem heißen Vierquadratmetermeer, und ließ mich treiben. Der Unterschied hätte nicht größer sein können. Aus einem schmalen, fest in der elterlichen Erde verankerten deutschen Bett auf diesen schwankenden, bis in die Knochen hinein wärmenden ankergelichteten Ponton. Zu Hause würde es gleich Frühstück geben und mein Vater wäre wie jeden Morgen stolz auf seinen von der Zeitschaltuhr vorgekochten Kaffee. Frühstück? Ich rechnete. Nein, es war ja schon Mittag vorbei. Ich holte zwei Wecker, die zum Schutz in Handtücher eingewickelt waren, aus einer Reisetasche und stellte sie auf meinen Nachttisch. Das war die Idee meines Vaters gewesen. Den einen mit der zurückgelassenen, den anderen mit der neuen Zeit. Wenn ich ganz still lag, konnte ich mir die Position meines verlassenen Bettes so genau vorstellen, dass ich mich plötzlich tatsächlich dort befand. Dieses Spiel, mir in einem Bett liegend mit geschlossenen Augen ein längst vergangenes Zimmer zu vergegenwärtigen, spiele ich bis heute. Es ist wie das Heraufbeschwören einer verinnerlichten Geometrie. Es klappt nicht immer, aber wenn es klappt und sich der verlassene oder verloren gegangene Schlafplatz schlagartig wieder herstellt, sich in seiner exakten dreidimensionalen Eigenart als vertrauter Raum zusammensetzt, ist es ein erstaunlich reales Erlebnis. Eine Zeit lang, denn es ist auch eine Sache des Trainings, der Beschwörungskondition, konnte ich mich wie in einem zügigen inneren Diavortrag durch bis zu zehn Zimmer klicken, in bis zu zehn vergangene Schlafpositionen zurückkriechen. Da fliegen dann die Fenster und Vorhänge, die Tür, der Schrank und der oder die Stühle um einen herum, und fertig ist das nächste innere Schlafzimmer.

In den ersten Tagen habe ich dieses Wasserbett sehr genossen. Doch dann wollte ich endlich wieder still liegen. Das leichte Unwohlsein hatte ich anfänglich der Reiseaufregung zugeschrieben. Aber der wahre Grund war dieses Wasserbett. Mir war immer etwas schlecht, wenn ich aufwachte. Und die ersten Schritte waren wie nach einer langen Schiffsreise jeden Morgen etwas schwankend. Ich fing an, gegen das Wabern zu kämpfen. Doch je mehr ich mich hin und her warf, mit der Hand auf eine Welle schlug, desto stärker wurde der Seegang. Ich schwitzte, stellte die Wasserheizung aus und kämpfte mit den bedrohlich über mir zusammenschlagenden Kissen. Nach solchen Stürmen war ich wie seekrank. Aber nach ein paar weiteren Wochen hatte ich mich an das Bett endgültig gewöhnt, und auch meine, ja, wie soll ich das nennen, meine nächtlichen Fantasien hat es sehr angeregt. Ich entwickelte eine Technik, bei der ich die Hand ganz still hielt und mich nur durch Wellen in dieser Hand bewegte. Die beiden Wecker zeigten mir die verschiedenen Zeiten. Die alte und die neue. Meistens war ich wach, wenn meine Eltern schliefen. Das gefiel mir. Der Großteil meines Lebens fand nicht nur außerhalb ihres direkten Einflusses statt, sondern sogar außerhalb ihrer Wachheit. Ein Jahr lang würde ich alles tun können, wozu ich Lust hatte, da sie nicht nur nicht da waren, sondern sogar schliefen. Ich muss allerdings dazu sagen, dass ich auch zu Hause machen durfte, was ich wollte. Dass ich nicht vor ihnen geflohen, keiner durch Lieblosigkeit oder Repressalien verdunkelten Welt entkommen war und sie sehr vermisste. Doch die Vorstellung, für ein Jahr räumlich und zeitlich außerhalb ihrer direkten Liebe zu verbringen, war eine befreiende Vorstellung. Ich stellte sie mir sogar strenger vor, als sie waren, um der gewonnenen Freiheit mehr Würze zu verleihen.

Im Haus war es jetzt ganz still geworden. Durch die dünnen Holzwände hörte ich jemanden schnarchen. Bestimmt eine der Schwestern. Ich zog mich aus und kroch ins Wasserbett. Die Bettdecke war rundherum fest unter der Matratze eingeklemmt. Ich lag eingezwängt wie in einem Schlafsack. Noch nie hatte ich so einschlafen können. Immer musste ich, egal wie kalt es war, ein Bein über der Bettdecke haben. Sollte ich, um ein neues Leben zu beginnen, auch beim Schlafen anders liegen? Ja, dachte ich, du wühlst diese sorgfältig eingeklemmte Bettdecke jetzt nicht heraus, sondern legst dich flach auf den Rücken, akzeptierst die Schlafgepflogenheiten eines anderen Volkes, beginnst auch nachts ein neues Leben und schläfst fortan wie aufgebahrt. Ein schwimmender Toter, eine amerikanische Wasserleiche. Nach zehn Minuten hielt ich es nicht mehr aus und strampelte mit einer kraftvollen Beinschere die Decke aus ihrer beengenden Rundumverankerung. Ah, endlich lag mein Bein wieder an der Luft. Was wohl gerade meine Freundin machte?

Irgendwann schlief ich ein, doch da wurde ich auch schon wieder geweckt. Geweckt von einem angenehmen Gefühl. Ich wurde gestreichelt von einer flüssigen Hand. Etwas rann mir warm über die Wangen, den Mund und den Hals. Ich lag noch einen Moment in der völlig ungewohnten Schwärze der Laramier Nacht, tastete mit den Fingern über mein Gesicht. Es war nass. Mit der Zunge fuhr ich über meine Unterlippe und schmeckte Blut. Ich brauchte einige Zeit, bis ich die in der Finsternis hängende Kordel meiner Nachttischlampe fand. Beim Versuch, sie zu ziehen, glitschte sie mir durch die Hand. Ich hielt sie fester und machte die Lampe an. Meine Hand war voller Blut. Ich wusste nicht, wo es herkam. Ich hatte keine Schmerzen. Das Pferd auf meinem Kopfkissen stand bis zum Bauch in dunklem Blut, und auch die Rocky-Mountains-Bettwäsche war vollgesogen. Vorsichtig schlug ich die Decke zurück und setzte mich auf. Wie aus einer freundlichen Quelle sprudelte mir im Takt meines erschrockenen Herzens das Blut aus der Nase. Aus beiden Nasenlöchern. Pulsierend und stetig. Ich ging in mein Badezimmer – zum ersten Mal ein eigenes Badezimmer, endlich keine blöde Witze reißenden Brüder vor der Tür, die riefen: »Lieber Gott, mach, dass er nicht Hand an sich legt!« oder »Oh, oh, jetzt wienert er seinen Kaventsmann« – und nahm mir ein Handtuch. Auch auf dem Handtuch waren bewaldete Berge, ein See und ein Schwarm Graugänse, die Hälse gestreckt vor einer sehr gelben Frotteesonne. Ich sah mein Gesicht im Spiegel. Teils schwarzrot verkrustet, teils blutüberströmt. Ich stopfte mir Klopapier in die Nasenlöcher. Die Rolle steckte in einem weit geöffneten wiehernden Porzellanpferdemaul. Ich ging zurück ins Schlafzimmer. Das Bett sah aus wie nach einem Kapitalverbrechen – als wäre der so voller Hoffnung angereiste deutsche Austauschschüler gleich in der ersten Nacht von einem aus der unendlichen Weite der Prärie durchs Fenster geschlüpften psychopathischen Axtmörder in seinem Wasserbett abgeschlachtet worden. Es war vier Uhr nachts. Bei uns zu Hause war es jetzt elf Uhr morgens. Ich zog den blutnassen Bergbezug von der Daunendecke und das triefende Pferd vom Kopfkissen. Ich warf alles in die Badewanne und ließ kaltes Wasser ein. Das Klopapier in meinen Nasenlöchern war vollgesogen und tropfte. Ich zog es über dem Waschbecken heraus, und aus meiner Nase schoss beidseitig hellrotes Blut, vermischt mit dunklen geronnenen Blutpfropfen. Ich stopfte mir frisches Klopapier in die Nase, holte mir mein Wörterbuch und sah ›Nasenbluten‹ nach.

Ich ging zur Schlafzimmertür meiner Gasteltern und klopfte an. Nach mehrmaligem Klopfen rief meine Gastmutter »Yes?«. Ich hatte das eben erst nachgeschlagene Wort schon wieder vergessen und setzte zu einer Antwort an. Diese Antwort blieb das ganze Jahr ein von Stan und Hazel immer wieder begeistert zitierter Satz, der stets zu großem Gelächter führte. Das ganze Jahr hindurch traf ich Leute, die ich noch nie gesehen hatte und die mich begrüßten mit: »Hi, bist du nicht der Austauschschüler, der in seiner ersten Nacht das ganze Zimmer vollgeblutet hat und dann wie im Horrorfilm zur Tür seiner Gasteltern geschlichen ist, dreimal, mit viel Zeit zwischen den einzelnen Schlägen, wie der Tod angeklopft und gesagt hat: …« Ich klopfte wieder, und Hazel rief: »What do you want?« Ich öffnete die Tür und sah sie schemenhaft in ihren Betten liegen. Ja, und dann sagte ich mit nasalem Ton meinen Satz: »I have a problem, äh, called blood!« Das Licht ging an, und beide warfen sich, die Augen weit aufgerissen, in ihrer ebenfalls mit Naturmotiven bedruckten Bettwäsche – ein Wasserfall und mehrere Büffel in einer Ebene – panisch zurück. Ich erinnere mich noch daran, dass diese Büffelherde durch Stan und Hazels Schreck wie nach dem Schuss eines Jägers in Richtung ihrer Köpfe loszupreschen schien, da sie sich ruckartig die Decken hochgezogen hatten. Mehrmals sagte ich: »My nose. I am so sorry, but my nose. Blood! All over!« Hazel stand auf und ging mit mir zusammen zurück in mein Zimmer. Auf ihrem Nachthemd rankten Rosen. Überall Blut. Sie flüsterte: »Jesus Christ.« Ich fühlte mich plötzlich sehr schwach und schwindelig. Stan kam und nahm mich mit in die Küche, während Hazel sich intensiv um den Tatort kümmerte. Der Kühlschrank war der größte, den ich je gesehen hatte. Stan nahm ein Handtuch und hielt es unter eine Öffnung, drückte einen Knopf, und heraus fielen frisch zerkleinerte Eiswürfel. Mein Englisch war so schlecht, dass ich immer nur in lange vorher wohlüberlegten kleinen Portionen sprechen konnte. Jetzt sagte ich: »Oh, cold ice!« Stan lachte und machte mir Zeichen, ich solle mich vornüberbeugen, und legte mir den eisgefüllten Handtuchbeutel in den Nacken. Das tat gut. Kurz legte er mir die Hand auf die Schulter. Er fragte mich, ob ich Hunger hätte. Ja, Hunger hatte ich. Riesenhunger. Ich nickte, sodass das Eis im Beutel knirschte. Hazel kam und sagte mir, ich solle meinen Kopf besser in den Nacken legen. Stan, der mir Eier mit Speck briet, widersprach. Sie stritten sich, nicht heftig, eher vertraut, um die optimale blutstillende Position. Schließlich drehte sich Hazel zu mir um und teilte mir das Ergebnis mit: »Keep your head backwards. It's better. Let me clean your face. You look a little scary.« Während mir Hazel mit dem Handtuch über die Stirn wischte, vorsichtig um die Augen herum tupfte, roch es immer kräftiger nach dem Speck. Stan fragte mich: »Sunny side up or sunny side down?« Ich hatte keine Ahnung, was er meinte, und bezog es auf mich, meine missliche Lage. Sonne oben oder unten? Ich legte mir die Worte zurecht und sagte: »Oh, sorry for all the blood – sunny side up!« Stan und Hazel kicherten. Erst Monate später, als ich in einem Restaurant irgendwo in Nebraska dieselbe Frage gestellt bekam, begriff ich, dass es um das Eigelb ging, dass bei sunny side up nicht, bei sunny side down sehr wohl gewendet wird. Hazel hielt mir eine mit einem Cowboy bedruckte Serviette vor die Nase und zog mit den Fingern durch das Papier hindurch die Klopapierpfropfen heraus. Das war seltsam. Ich hatte das Gefühl, dass mir etwas, ein blutiger Wurm, tief aus der Stirn, ja aus meinem Gehirn herausglitt. Es blutete nicht mehr, und ich ging in mein Zimmer, um mir das verkrustete T-Shirt auszuziehen.

Das Wasserbett war frisch bezogen – mit dem Grand Canyon. Das Badezimmer war sauber. Frische Handtücher mit Blumenwiesen hingen über dem Handtuchhalter. Am anderen Ende des Bades war eine Tür. Die war mir noch gar nicht aufgefallen. Ich öffnete sie vorsichtig. Das musste Dons Zimmer sein. Also doch kein eigenes Bad. Das Badezimmerlicht erhellte das Zimmer meines Gastbruders nur spärlich, aber es sah vollkommen anders aus als meines. Mein Zimmer war ordentlich, übersichtlich, mit Brians Trophäen dekoriert. Dons Zimmer war vollgestopft mit Zeug. Ich hatte nur einen Stuhl, meinen Schreibtischstuhl. Don hatte Sessel, kein Bett, auf dem Boden lag eine Matratze, und an einer der Holzwände saßen auf Astenden mehrere ausgestopfte Vögel und sahen mich mit ihren Glasaugen an. Dieses Zimmer sah ganz und gar nicht so aus wie eines der amerikanischen Kinder- oder Jugendzimmer, die uns angekündigt worden waren. Man hatte uns angehenden Austauschschülern gesagt, dass es in den USA als Unsitte galt, sich in seinem Zimmer zu verkriechen. Türen würden nicht geschlossen, der Familienmittelpunkt wäre das Wohnzimmer – der living-room. Doch Dons Zimmer war eindeutig ein Rückzugsort, ein Fremdkörper im sonst so überordentlichen Haus, eine Höhle. An den Wänden überall Poster, schräg aufgehängt. Rockbands, Sänger mit Mikrofonständern in exaltierten Posen. Eine Frau im Bikini breitbeinig auf einem Riesenmotorrad sitzend. Ich schloss die Tür. Ich sah auf den Wecker mit der heimischen Zeit. Meine Eltern. Meine zurückgelassene und mit Versprechungen überhäufte Freundin, meine Brüder. Was sie wohl alle gerade machten? Ich ging in die Küche. Stan und Hazel hatten sich dick abgesteppte Bademäntel oder eher Hausmäntel angezogen. Sie sahen unförmig aus, fast so, als hätten sie sich in Teppiche eingerollt. Auf dem Tisch standen meine Eier mit Speck und ein Glas Orangensaft. Ich setzte mich und aß. Sie saßen mir gegenüber, sahen mir beim Essen zu und dachten sicher: »Was das wohl für einer ist?« Jedes Mal, bevor ich etwas sagte, überlegte ich lange. Diese Art, Sätze zu sagen, kam mir immer vor wie ein Kartenspiel. Langes nachdenkliches Beobachten meines Blattes, dann die Entscheidung und das rasche Ausspielen der Karte. Genauso fielen meine Minisätze vor mir auf den Tisch: »The eggs are good«, »Thank you for your help«. Oder, schon etwas mehr riskierend, fast schon ein Ass: »I am so hungry because at home they eat now.« Hazel beruhigte mich, ich solle mir wegen des Nasenblutens keine Gedanken mehr machen. Ich wäre nicht der erste Besuch, dem das widerfahren wäre. Man müsse sich erst an die Höhe gewöhnen. Gut, dass ich sie geweckt hatte. Es war schön, mit ihnen in der Küche zu sitzen. Ich hatte doch schon oft Eier mit Speck gegessen, aber noch nie hatten sie mir so gut geschmeckt. Als ich wieder in meinem Wasserbett lag, war ich todmüde. Hazel hatte die Bettdecke rundherum unter die Matratze geschlagen. Also gut! Dann eben auf dem Rücken! Auf dem Rücken, starr wie ein Zinnsoldat! Ich hörte meine Gasteltern in der Küche reden und auch lachen. Worüber lachen die, dachte ich mit schon geschlossenen Lidern, lachen die über mich? Kurzes Wegdämmern. Morgen werde ich zu den Pferden runtergehen. Ach ja, und Briefmarken besorgen. Längeres Wegdämmern, kurzes Zurückdämmern: Ich muss unbedingt gleich morgen Briefe schreiben. An meine Großeltern, meine Eltern, meine Freundin … Wie konnte ich nur vergessen, mich nicht von ihr … Ich gähnte. Dieses Zimmer da nebenan. Was das wohl für einer ist? Die Frau auf dem Motorrad … diese Vögel an den Wänden – was waren das für welche? Das waren doch keine Fasane … wie heißen die noch mal … Auerhähne? … Sind die so groß? … Gibt es die hier denn … Ich schlief ein.

Erst Monate später, als mein Englisch sogar schon in meine Träume gekrochen war und ich am Telefon angeberische Wortfindungsschwierigkeiten hatte – »Ja, ich war not there. Wir waren on vacation. Ähh, wie sagt man noch? Ahh warte, sorry, ich war on vacation – äh on Urlaub, auf Urlaub. Sorry!« –, fragte ich meine Gasteltern, worüber sie damals in der Küche gelacht hatten. Natürlich ging es um den Satz. Wie ich blutüberströmt in der Tür ihres Schlafzimmers gestanden und gesagt hatte: »I have a problem called blood!«

3. Kapitel

Die ersten zwei Wochen in Laramie verbrachte ich damit, meine Müdigkeit am Tag und meine Hungerattacken in der Nacht zu bekämpfen. Meine innere Uhr schlug hartnäckiger im heimatlichen Takt, als ich es für möglich gehalten hatte. Nachts lag ich wach, kam mir vor wie ein zur Strafe am Nachmittag ins Bett geschicktes Kind, und am Tag überwältigte mich eine alle Helligkeit ignorierende Müdigkeit. Stan und Hazel gingen morgens sehr früh aus dem Haus und kamen erst am Abend von der Arbeit zurück. Ich war viel allein. Lag zusammen mit dem grauen Pudel auf dem Wasserbett oder ging hinunter zum Pferdegatter. Mit so wenig Begleitung, ja, Betreuung hatte ich nicht gerechnet. Meine Reise um die halbe Welt, mein »Alles-hinter-mir-Lassen« endete in diesen ersten vierzehn Tagen allmorgendlich kurz nach dem Frühstück in einem Fernsehsessel mit automatisch nach hinten kippender Rückenlehne und herausfahrender Fußstütze. Zum Frühstück aß ich etwas, das ich nicht kannte. Tiefgefrorene weißliche Platten. Ich drückte sie im Toaster hinunter, und sie verwandelten sich innerhalb von nur zwei Minuten in knusprige, mit Kirsch- oder Apfelkompott gefüllte Waffeln. Dazu fruchtigen Orangensaft. Das Fernsehprogramm faszinierte mich. Die Anzahl der Programme, die Lockerheit der Moderatoren und Nachrichtensprecher. Serien, die ich als Kind gesehen hatte, natürlich synchronisiert, hörte ich nun im Original auf Englisch. Dadurch änderte sich nicht nur die Sprache. Nein, die Schauspieler kamen mir wie völlig andere Menschen vor. Noch nie hatte ich auch nur einen Gedanken daran verschwendet, dass man ihnen in Deutschland ihre Stimme geklaut hatte. Erst hier in Laramie konnte ich sie jetzt richtig kennenlernen. Es wurde viel weicher gesprochen, mundfauler. Die einzelnen Stimmen, Stimmlagen, standen sich nicht so scharfkantig gegenüber, flossen eher ineinander, und die einfachen Wahrheiten klangen bedeutender. »This is our land and always will be.« Die Wyominger Fernsehkanäle spielten am liebsten Western. Egal zu welcher Uhrzeit ich den Fernseher anschaltete, jemand ritt durch die Prärie, trank und prügelte sich in einem Saloon oder wurde von einem Schuss oder Pfeil getroffen. Letzte Worte: »Please, please, tell Beth I love her!« Würde mir das auch gelingen? Würde auch mich diese Sprache, diese Art zu sprechen, verwandeln? Verwandeln in einen breitbeinig gehenden Kerl, der die Einsamkeit liebt und sich Kaffee auf dem Lagerfeuer kocht? In jemanden, der mit tief in die Stirn gezogenem Cowboyhut einen staubigen Platz überquert? Unendlich entspannt, da er weiß, dass er schneller zieht als jeder andere? Stand mir so eine Verwandlung bevor? Ich hatte nichts dagegen. Oder würde man mir hier meine Sprache klauen, war ich hier, um synchronisiert zu werden?

Besonders gern sah ich die lustigen Werbungen: Eine Frau brät im sechsten Stock eines Hauses Fischstäbchen. Ich verstand nicht ganz, was sie sagte: »Glaubst du auch, dass deine Kinder Fisch nicht mögen? Das ist schade! Denn Fisch ist so gesund! Aber Fisch ist nicht gleich Fisch. Seit ich ›Crispy Fishsticks‹ brate, lieben meine Kinder Fisch!« – so in der Art. Dann geht sie zum Fenster, öffnet es und hält ein Fischstäbchen hinaus. Weit unter dem Fenster sieht man einen Jungen in einem Swimmingpool. Plötzlich schnellt der Junge wie ein Delfin aus dem Wasser, bis hinauf in den sechsten Stock, und schnappt seiner Mutter das Fischstäbchen aus der Hand. Oder: Ein Waldarbeiter wirft seine Motorsäge an und sucht sich im Wald einen Baum aus. Der Stamm ist unglaublich dick. Er hat einen Keil herausgeschnitten. Der Baum sieht Furcht einflößend instabil aus, fällt aber nicht. Der Waldarbeiter macht die Säge aus, öffnet sich ein Bier, trinkt es genussvoll aus. Dann zieht er sich den Helm ab, die Jacke aus und legt sich in den Schatten des angesägten Baumes und schläft ein. Die Sonne geht unter. Er wacht auf, zieht sich wieder an, tippt mit dem Zeigefinger gegen den Baum und geht. Der Baum schwankt und stürzt krachend und splitternd zu Boden. Genau auf die Stelle, an der der Mann sein Schläfchen gemacht hat. Eine tiefe Männerstimme raunt: »Trust yourself but also trust us – Wyoming insurance company!«

Gleich am Morgen nach meiner Blutnacht hatte mir Stan den Garten gezeigt. Es war der einzig grüne Flecken in der ganzen Siedlung. Eine grüne Oase inmitten der staubigen Prärie. Von morgens bis abends krochen ferngesteuerte Wassersprenger durch den Garten. Jeder dieser Wassersprenger, zehn waren es bestimmt, hatte irgendwo im Garten versteckt seinen eigenen Unterstand. Diese kleinen Plastikgaragen waren gut verborgen unter üppigen Büschen oder hinter Baumstämmen. Das war ein absonderliches Bild. Die über den Rasen kreuz und quer, hin und her kriechenden Regenroboterchen. Auf jedem Sprenger drehte sich ein mit Düsen versehener Metallstab um sich selbst und ließ das Wasser in einem spiralartigen Wirbel auf das raspelkurze Gras herniederregnen. Ein plätscherndes Wasserballett. Unter dem Gewicht der Wasserschläuche, die die Rasensprenger hinter sich herzogen, gaben diese ein wimmerndes Ächzen von sich.

Wenn es zu Kollisionen kam, sich die Sprenger verhedderten, umfielen, hilflos mit blockierten Düsen wie sterbende Käfer auf dem Rücken lagen, musste ich die Schläuche entknäulen und sie zurück auf ihre Umlaufbahnen setzen. Wie befreit mit neuem Schwung zuckelten sie davon. Alle vier Tage wurde der Rasen gemäht. Dieser Rasen war keine saftige Wiese, sondern ein getrimmter, unnatürlich wirkender, federnder Teppich. Er war Stans ganzer Stolz. Wenn der Pudel auf den Rasen kackte, war der Haufen die höchste Erhebung im gesamten Garten, und die Hundescheiße sah aus wie auf einem giftgrünen Tablett serviert. Der Rasenmäher, mit dem dieses erstklassige Ergebnis erzielt wurde, hatte keine Räder. Es war ein Luftkissenmäher, der mit minimalem Kraftaufwand über die Grünfläche glitt. Damit zu mähen machte mir Spaß.

Direkt über dem Schreibtisch hatte ich die Bilder meiner Familie und meiner Freundin mit bunten Heftzwecken an die Holzwand gepinnt. Ich hatte meiner Freundin versprochen, viel zu schreiben, sie detailliert über meine Reise, meine Ankunft und meine ersten Tage zu informieren. Und ich war mir sicher gewesen, dies auch zu wollen und zu tun. Doch jetzt saß ich ratlos vor dem leichten blauen Luftpostpapier, das wie Butterbrotpapier knisterte, und hatte nicht die geringste Lust, auch nur ein Wort an sie zu schreiben. Sowohl in meinem Bad als auch im Schlafzimmer hingen große Ventilatoren an der Decke. Nie habe ich herausgefunden, wofür eigentlich. Während des ganzen Aufenthaltes sollte es kein einziges Mal so warm werden, dass ich mich nach einem Ventilator gesehnt hätte. Als ich einmal den Badezimmerventilator auf höchste Stufe stellte, wehte der Wind so stark, dass ich auf die Klobrille pinkelte. Stundenlang ließ ich mich von meinem Deckenventilator hypnotisieren. Unter mir das schwankende Wasserbett, über mir die träge kreisenden Ventilatorblätter und in mir noch immer die zurückgelassene Zeit. Ich geriet in Trancezustände, fühlte mich wie ein Astronaut, der bei einer Reparatur sein Raumschiff losgelassen hatte, eine Gedankenlosigkeit, und nun für immer im Orbit trieb. Ich hatte mir in Deutschland viele Dinge vorgestellt und ausgemalt. Zum Beispiel, dass meine Gasteltern vielleicht eine schöne Tochter haben würden. Bevor der Brief aus Laramie mit dem alle Fantasien eliminierenden Familienfoto kam, hatte ich mich in abenteuerliche Romanzen mit dieser Gastschwester verstiegen. Hatte sie nebenan im Zimmer warten und in der Finsternis auf Zehenspitzen zu mir, dem geheimnisvollen Exchange-Student, herüber in mein Bett schleichen lassen. Im Mondschein ließ sie ihr Nachthemd über die Schultern gleiten und schlüpfte unter meine Decke.

Aber hier ist ja alles genau wie bei mir, dachte ich in der Ventilatorbrise: arbeitende Eltern, freundlich, aber nie da. Und wenn sie kamen, setzte sich Stan in den Lehnstuhl und las Zeitung. Hazel ging in die Küche und kochte. Dann guckten beide Fernsehen, bis sie müde wurden. Jeden Abend sahen wir die Johnny-Carson-Show, bei der der Moderator, eben dieser Johnny Carson, andauernd seinen Stift in die Luft warf und wieder aufzufangen versuchte. Alle Brüder waren aus dem Haus. Und der, der neben mir im Zimmer wohnte, dieser Donald, kam erst in einer Woche wieder. Komisch sah der aus. Von mir aus konnte der auch wegbleiben. Und einen Hund hatten sie auch. Alles genau wie bei mir zu Hause. Unseren Hund vermisste ich sehr. Vielleicht sogar am meisten. Zum amerikanischen Gasthund hatte ich anfangs ein liebevolles Verhältnis, auch wenn ich mich vom ersten Moment an vor seiner rosa Zunge, den Zähnchen und insbesondere vor den kleinen, stets nassen Löckchen um seine Schnauze herum ekelte und auch vor den Schleimperlen in seinen Augenwinkeln. Während der ersten Nächte schlief er in meinem Bett, und Hazel sagte: »He likes you. But just wait till Don gets home!«

Exakt acht Tage nach meiner Ankunft saßen wir zu dritt vorm Fernseher und aßen Eis. Stan hatte mir seine Lieblingseisrezeptur zubereitet: ein großes Glas, zwei Kugeln Vanilleeis mit einer Dose Cherry Coke übergossen. Die Mischung brodelte wie in einem alchemistischen Experiment, und ein Blasen werfender Schaum quoll empor, den man vom Rand schlürfen musste, um ein Überlaufen zu verhindern. Der Raum, der sogenannte living-room, wurde erfüllt vom Kriegsgeschrei der Indianer. Die angegriffenen Siedler hatten sich in einer Wagenburg verschanzt. Überall lagen tote Männer mit Pfeilen im Rücken. Die ›Hu Hu Hu Hu‹ machenden Rothäute kannten kein Erbarmen. Ein Indianer mit pechschwarzen Haaren, die aussahen wie eine billige Faschings-Perücke, zückte sein Messer, beugte sich über einen Toten, nahm dessen Haarschopf und setzte das Messer an. Ein erregtes Bellen mischte sich in die Todesschreie. Hazel: »What's that?« Stan: »What do you mean?« Hazel stellte den Ton leiser. Da hörten wir es deutlich. Aufgeregtes Bellen. Hazel sprang auf, rannte zur Haustür und rief den Hund: »Serge! Hey! Come here!« Sie rief zu uns hinüber: »Oh my Goodness. He is under the house!«, und rannte los. Ich konnte nicht ganz glauben, was meine Übersetzung ergab. Der Hund ist unterm Haus? Konnte das stimmen? Stan und ich gingen hinaus. Wir hörten Hazel schreien: »NO! NO! Let it go! Oh no!« Wütendes Kläffen und Knurren. Hazel hatte sich hingekniet und brüllte die Bretterwand an: »Get out of there!« Ich sah aufgewühlte Erde, einen freigescharrten Gang, der unter der Bretterwand hindurch unters Haus führte. Hazel sagte zu Stan: »I hope it's a mouse or something like that!« Da jaulte der Pudel. Sein Kopf kam zum Vorschein, er kroch aus dem Loch und raste davon. Im selben Moment, als ich den Pudel aus dem Loch robben sah, roch ich etwas. Einen unbekannten, süßlich-schneidenden Geruch. Von einer Sekunde auf die andere wurde mir übel. Hazel schrie: »He's running into the house! Stan, catch him!« Doch Stan stand nur da, sah aus, als wäre er volltrunken, wandte sich ab und übergab sich gegen die Hauswand. Als Nächstes war ich dran. Drei Schritte schaffte ich Richtung Hecke, dann kotzte ich auf den Erste-Klasse-Rasen. Ich begriff überhaupt nicht, was los war. Was war das für ein Gestank? War das ein Angriff? Waren wir in Gefahr? Hazel schützte ihren Mund mit dem Zipfel ihrer Strickjacke, hielt sich mit der anderen Hand die Nase zu. Sie rannte los, quäkte nasal: »OH NO! NO! Serge! Stay out of the house!« In dem Loch unterm Haus schnaubte etwas, gab ein eigenartiges, heiseres Fauchen von sich. Hinter der Hausecke hörte ich Hazel würgen. Als Stan und ich um die Ecke kamen, sah ich gerade noch, wie sie sich in vollem Lauf, ohne ihr Tempo zu drosseln, auf die Einfahrt übergab und ins Haus verschwand. Stan sagte zu mir: »It's a skunk. Jesus!«

Wir folgten ihr. Mir war immer noch schlecht. Der penetrante Geruch war überall. Ein Geruch, den man gar nicht zu riechen, sondern ganz direkt im Magen zu spüren schien. Hazel hatte sich Küchenhandschuhe übergestülpt und jagte den Hund durchs Wohnzimmer. Noch nie hatte ich einen Hund gesehen, der sich so aufführte. Er sprang in die Luft und biss sich dabei selbst in den Rücken. Wälzte sich, scheuerte und schob seinen Kopf über den Teppichboden. Kämpfte wie von Sinnen mit einem unsichtbaren Gegner. Ich war in der Haustür stehen geblieben, um die kühle Laramier Gebirgsluft einzuatmen, als ich sah, wie sich der Pudel auf den Teppich übergab. Stan und Hazel schrien auf:

»Don't do that. Get out!« Der Hund schleckte seine eigene Kotze auf. Mir wurde wieder schlecht. Diesmal schaffte ich es bis zur Gartengrenze, bis zu den Bäumen. Am nächsten Morgen sollte sich allerdings zeigen, dass ich mich auf einen der Rasensprenger übergeben und die Düsen verstopft hatte. Mit einer Nadel durfte ich sie freistochern. Obwohl mir immer noch übel war, es sich so anfühlte, als hätte mir jemand brutal in den Bauch geboxt, gefiel mir, was ich sah. Es war ein Spektakel. Jetzt setzte sich der Hund auf seinen Hintern und zog sich hockend nur mit den Vorderpfoten am Tisch vorbei. Es sah so aus, als würde ein sitzendes Stofftier von unsichtbarer Hand über den Teppich geschoben. Hazel rief: »You stinky bastard! Come here!« Der Hund bearbeitete seinen Kopf mit den Pfoten und schlug Purzelbäume: »You're such an idiot. Stand still!« Nie hätte ich gedacht, dass sie so fluchen könnte. Stan und ich näherten uns Serge, trieben ihn in die Ecke, und schließlich erwischte ihn Hazel. Rannte mit dem stinkenden, zappelnden Viech Richtung Badezimmer. Doch die Tür war zu. Sie schwang ihren Fuß auf die Klinke und verschwand. Das war dann doch überraschend für mich, was in dieser so adretten, mit Bluse und Rock bekleideten – das umgehängte Kruzifix nicht zu vergessen –, gesitteten Frau für Möglichkeiten schlummerten.

Stan öffnete gelassen Fenster für Fenster und zog an den Kettchen der Ventilatoren. Über die Hundekotze legte er angewidert seine Zeitung. Er zog seine erdigen Hausschuhe aus, feste Schuhe an, ging aus dem Haus in die Garage und kam mit einer alten Decke zurück. Aus der Speisekammer holte er zwei große Töpfe Margarine. Zu mir sagte er: »You better change your clothes!« Ich roch an meinem Ärmel. Obwohl ich den Hund nicht berührt hatte, nahm ich in meiner Kleidung den süßlichen Geruch war. Als ich mich umgezogen hatte und wieder ins Wohnzimmer kam, sah ich Stan und Hazel über den Hund gebeugt auf dem Boden knien. Im ersten Moment dachte ich, sie würden ihn kahl scheren. Einfach den Gestank wegrasieren. Aber da lag ich falsch. Der Hund wurde von oben bis unten dick mit Margarine eingeschmiert. Er hielt verängstigt still und leckte mit seiner hektischen Zunge Stans Finger ab. Was tun die da bloß? Wird er zur Strafe gebraten? Als die beiden Margarinetöpfe leer waren, stülpte Hazel eine Plastiktüte über ihn. Jetzt bringen sie ihn um, dachte ich, jetzt ersticken sie ihn mit der Plastiktüte! Was tun diese Menschen mit diesem armen Hund? Serge wehrte sich, knurrte. Hazel sagte zu ihm: »Stupid dog, you'll never get it, will you?« Aber warum sich die Mühe machen, ihn vor dem Ersticken mit Margarine einzureiben? Wofür sollte das nur alles gut sein? Der Hund steckte in der Tüte. Nur sein Kopf guckte noch raus. Stan umwickelte den Plastikbeutel am Hals mehrmals mit Klebeband. Hazel sagte etwas zu mir, das ich nur teilweise verstand. Aber es reichte, um endlich zu begreifen. Immer wieder fiel das Wort »absorb!«. Dafür also war die Margarine! Sie sollte den unerträglichen Geruch absorbieren.

Der Hund konnte nicht mehr richtig laufen. Rutschte in der Plastiktüte, in seinem luftdicht verpackten Gefängnis, auf der Margarine aus. Versuchte es aber trotzdem und raschelte stolpernd durchs Haus. Stan ging hinaus. Ich hörte, wie er den Wasserschlauch aufdrehte, die Einfahrt und die Außenwand abspritzte. Über eine halbe Stunde machte er sich polternd unterm Haus zu schaffen. Unter den Bodenbrettern schlug und hämmerte etwas gegen das Holz. Als er wieder hineinkam, war er verschwitzt, und seine stets akkuraten Haare waren zerzaust. Hazel fragte: »Did you get it?« »No. I have to smoke it out.« Er trank einen Schluck, schloss alle Fenster und ging wieder hinaus. Ich folgte ihm. Stan kam mit einer Schachtel aus der Garage. Er kniete sich vor den Eingang des Tunnels und holte eine bräunliche, ungefähr fünf Zentimeter große Tablette aus dem Karton. Er legte das Ding vor das Loch und zündete es mit einem Feuerzeug am Rand an. Gelber Qualm stieg auf. Mit einem Stock schob er die rauchende Tablette in den Gang hinein, so tief es ging. »Hope the house won't burn down! Stay away from it!« Wir entfernten uns. Gingen weit in den Garten hinein. So weit, dass ich es etwas übertrieben fand. Stan und ich standen in der Wiese und starrten auf den Höhleneingang. Nichts passierte. »Maybe it's already gone!« Lange standen wir so da und warteten. Sahen auf das Haus wie auf eine Dynamitstange, deren Lunte abgebrannt war, ohne dass es zur Explosion gekommen war. Nichts. Nach diesem Vorfall verbannte ich den Pudel aus meinem Zimmer. Der Stinktiergeruch, dieser sich in jede Faser hineinfressende Gestank, verfolgte mich. Plötzlich war er da, und mir wurde flau im Magen.

Nach zwei Wochen kamen die Söhne von ihren verschiedenen Reisen nach Hause. Als Erstes kam Brian. Der Sohn, in dessen Zimmer ich wohnte. Ich arbeitete mit Stan im Garten. Hoch in den Birken wucherten mistelartige Schmarotzer. Von unten sahen sie aus wie Nester. Mit einer Teleskopsäge schnitt ich sie aus den Wipfeln. In einem verdreckten Jeep, die Scheinwerfer waren lehmverkrustet, fuhr Brian auf den Driveway. Er stieg aus, knallte die Jeeptür zu, strahlte und trabte zu seinem Vater. Er gab ihm zur Begrüßung die Hand, und Stan legte ihm den anderen Arm um die Schulter: »Good to have you here!« Hazel kam aus dem Haus und fiel ihm um den Hals. Auch mir gab er die Hand: »Nice to meet you! So how do you like my room?« Er war freundlich, bemühte sich, deutlich zu sprechen, als er merkte, dass mein Englisch nicht gut war, und erkundigte sich nach meiner Anreise und der ersten Zeit in Laramie. Er sah sehr gut aus. Hellblonde, von der Sonne gebleichte Haare. Brians Gesicht war klar und offen. Man sah ihm an, dass er viel an der frischen Luft gewesen war. Anscheinend hatte er abenteuerliche Wochen in der Wildnis hinter sich. Mehrmals wurde der Name eines Nationalparks genannt: Grand Teton. Stan fragte: »Did you catch some salmon?« Brian hatte Shorts an. Auf seinen braun gebrannten Beinen waren vereinzelt getrocknete Schlammspritzer in derselben Farbe wie auf dem Auto. »Take a shower!«, sagte Hazel. Brian fragte mich: »Is it okay for you if I use your bathroom?« Ich nickte.

Eine Stunde später kam der älteste Sohn: Bill. Sein Auto war eine heruntergekommene Karre voller Rost und Beulen. Das Seitenfenster auf der Beifahrerseite war mit Folie abgeklebt. Bill war ein wenig dicklich. Sein Bauch wölbte sich unterm T-Shirt, das er über der Jeans trug. Seinem Vater trat er, wie es mir vorkam, reserviert gegenüber. Gab ihm nur flüchtig die Hand und machte einen leicht angedeuteten zackigen Diener. Stan strahlte plötzlich genau jene republikanisch-biedere Härte aus, die ich auf dem Foto gesehen und vor der ich mich gefürchtet hatte. Umso herzlicher begrüßte Bill seine Mutter. Hob sie bei der Umarmung kurz vom Boden hoch. Hazel lachte, boxte ihm liebevoll auf die Brust und zog sich den Rock zurecht. Er redete viel und schnell. Ich verstand fast nichts. Er hatte einen Karton Doughnuts mitgebracht. Zwanzig Stück, »The big box!«. Alle unterschiedlich: dunkle Schokoladenglasur, pinkfarbene Streusel oder gefüllt mit Caramel Creme oder Cranberry Jam. Sie schmeckten mir ausgezeichnet, und während Brian und Bill, der in Chicago gewesen war, von ihren Reisen erzählten, versuchte ich unauffällig, so viele Doughnuts in mich reinzustopfen wie möglich. Immer wenn gelacht wurde, griff ich zu. Beide Brüder waren erschöpft von den langen Autofahrten und legten sich auf Liegen in den Garten. Bill zog seine Baseballmütze, die er, wie ich fand, lächerlich weit oben auf dem Kopf balancierte, über die Augen. Brian las verschiedene Zeitungsartikel, die sein Vater für ihn ausgeschnitten hatte. Wieder wie bei uns, dachte ich. Mein ältester Bruder war zwar nicht dick, aber sein Verhältnis zu meiner Mutter war immer inniger gewesen als zu meinem Vater. Und mein mittlerer Bruder wollte ja auch Arzt werden. Für meinen Vater, der selbst Arzt war, war das eine unglaubliche Freude. Am Mittagstisch fachsimpelten sie ständig über medizinische Themen, und wenn mein Vater einen interessanten Artikel fand, schnitt er ihn sorgfältig aus der Zeitung aus und gab ihn meinem Bruder.

Am späten Abend, viel später, als mit ihm gerechnet worden war, kam Don. Es klang, als ob ein Rennwagen in die Einfahrt einbog. Der Pudel rannte los, sprang von innen gegen die Tür. Hazel sagte: »The dog loves this sound!«, und Stan: »I hate it!« Ich blieb mit den beiden älteren Brüdern im Wohnzimmer sitzen und hörte Dons Stimme, merkwürdig hoch: »Hi, Mom.« Er kam ins Zimmer. Den Pudel hatte er im Arm. Er trug eine Sonnenbrille, einen in verschiedenen Brauntönen gemusterten hautengen Rollkragenpullover, einen schwarzen Lackgürtel, Hosen, oben eng, unten mit extremem Schlag, und spitz zulaufende Wildlederstiefeletten. Der Hund leckte sein Kinn. Don hatte als Einziger der drei Söhne noch exakt denselben Topfschnitt wie auf dem Familienfoto. Als Bill seinen Bruder sah, pfiff er leise. Don winkte einmal in die Runde, sagte »Hello everybody!« und ging – er hatte einen winzigen Hintern in der knallengen Hose – in sein Zimmer und warf die Tür hinter sich zu. Stan stand merklich verstimmt auf, gab einen unterdrückten Unmutsgrunzer von sich und folgte ihm, drückte die Klinke und schloss die Tür hinter sich. Ich hörte, wie Stan Worte zischelte und Don im Falsett widersprach. Die beiden anderen Söhne sahen sich wissend an und redeten lauter als zuvor über das, was sie erlebt hatten. Stan und Don kamen aus dem Zimmer. Don schlenderte auf mich zu, er war dünn, skinny, mit Serge auf dem Arm, stellte sich vor meinen Sessel und streckte mir seine Hand entgegen: »I'm ordered to say hello. So hello then!« Dabei sah er mich gar nicht an, sondern über meinen Kopf hinweg an die Wand. Ich gab ihm die Hand und erschrak. Sie war kalt, eiskalt und schlaff. Wie ein toter Tintenfisch. Er sah zu seinem Vater herüber. Sein Blick sagte »Na, gut so? Zufrieden?«, und dann ging er zurück in sein Zimmer. Kurz darauf drang laute Musik durch die Tür. Stan sagte bedrohlich leise »Gee!« und wollte schon wieder aufstehen, doch Hazel nickte ihm zu, und er blieb sitzen. Sie fragte in die Runde, wohin man denn am Abend zusammen essen gehen wolle. Man einigte sich auf ein chinesisches Lokal.

Als wir zum Essen aufbrachen, fuhren wir mit vier Autos. Keine Ahnung warum. Aber die Söhne nahmen jeder ihren eigenen Wagen. Hazel stand vor Dons Tür und rief: »We're leaving right now. Please don't be late!« Das Auto, mit dem mich meine Gasteltern aus Denver abgeholt hatten, das fahrende Doppelsofa, hatte sich als das Auto der beiden Schwestern entpuppt. Nun saß ich wieder eingezwängt, beinverwinkelt auf der Rückbank in einem, wie Stan stolz anmerkte, »German car!«. Das Restaurant war eine kitschige mehrstöckige Pagodenimitation. Über eine bogenförmige Steinbrücke, unter der erschütternd große Koikarpfen mit ihren wulstigen Lippen tote Insekten von der Wasseroberfläche wegschluckten, schritt man an roten Laternen mit asiatischen Schriftzeichen und Fächerahornen vorbei in den von Papierwänden aufgeteilten Raum. Es dudelte helle fernöstliche Musik, nur wenige Gäste waren da. Gegessen wurde auf dem Boden. Doch man musste nicht im Schneidersitz sitzen oder gar knien. Unter den Tischen waren Vertiefungen, in die man bequem die Füße stellen konnte. Oben konnte man so tun, als wäre man ein Chinese, und unten ein waschechter Amerikaner bleiben. Don kam zwanzig Minuten zu spät und hatte ein abenteuerliches, mit Feuer spuckenden Drachen bedrucktes Synthetikhemd an. »Don, would you please take off your sunglasses in the restaurant, please!«, bat ihn Hazel. Er nahm die Brille herunter. Es stimmte, was mein Bruder gesagt hatte, er hatte bösartige Augen, einen angriffslustigen, überheblichen Blick. Sein ganzer Habitus – wie er sich an den Tisch setzte, wie er die Speisekarte nahm – hatte etwas Aufrührerisches.

Das Besondere an dem Restaurant war, dass alle Speisen brennend serviert und erst am Tisch gelöscht wurden. Die chinesischen Kellner hatten ängstlich verkniffene Gesichter. Obwohl sie die Speisen weit von sich weghielten, die Köpfe nach hinten bogen, schlugen ihnen die Flammen entgegen. Sie rannten, so schnell sie konnten, und knallten einem die brennende Pekingente auf den Teller. Sogar mein Litschi-Eis brannte lichterloh. Alle beteiligten sich am Gespräch, erzählten und fragten, und auch ich traute mich, den ein oder anderen Satz beizusteuern. Don aß als Einziger nicht mit Stäbchen, hatte sich Messer und Gabel kommen lassen, stocherte angewidert in seinem Essen herum, sortierte Sojasprossen aus und schwieg. Seine Brüder waren ausgelassener, lieferten sich ein Gefecht mit den Essstäbchen über den Tisch hinweg, und Brian rief: »Got you!« Er hatte unter den Achseln dunkelgrüne Schweißflecken im hellgrünen Hemd und schielte hungrig auf den Teller seines jüngeren Bruders. Hazel fragte mich, ob meine Brüder sich auch wie kleine Kinder benehmen würden, und ich antwortete: »Sometimes.« Nach dem Essen bekam jeder einen Glückskeks und las den kleinen Zettel laut vor. Ich nahm all meinen Mut und meine wackeligen Englischkenntnisse zusammen und las nicht das vor, was auf dem Zettel stand, sondern sagte, als ich an der Reihe war: »You better don't eat this cookie!« Alle außer Don, der unter den Fransen seiner Topffrisur die Augen verdrehte, lachten. Hazel konnte gar nicht mehr aufhören. Wir mochten uns wirklich. Nach dem Essen fuhren Bill in seinem Schrottauto und Brian in seinem Jeep davon. Sie hatten beide eigene Wohnungen in der Stadt. Don sagte: »I'll take a little ride«, und stieg in sein mit Spoilern aufgemotztes, aber trotzdem irgendwie billig aussehendes Auto. Es war metallicblau, am Rückspiegel, das erkannte ich durch die getönte Scheibe, pendelte ein Totenkopf.

Ich fuhr mit Stan und Hazel nach Hause. Als wir ausstiegen, war es merklich kälter als in der Stadt unten. Ich sagte ihnen, dass ich noch einen kurzen Spaziergang machen wolle. Ich klopfte auf meinen Bauch, blähte die Wangen auf und machte ein Ich-hab-zu-viel-gegessen-Gesicht. Stan sagte: »Don't get lost!« Ich spazierte zum Ende der Sandstraße, überquerte den Wendekreis und lief in die Prärie hinein. In der Ferne sah ich den Highway, auf dem Lastwagen groß wie Häuser fuhren, und dahinter Bergschatten. Was ist das hier nur für eine seltsame Luft, dachte ich. Mitten im Sommer riecht es nach Schnee! Ich ärgerte mich, dass ich mich nicht besser auf Englisch ausdrücken konnte und so wie eben andauernd Pantomimen vorspielen musste, um mich verständlich zu machen. Wie lange würde es dauern, bis ich ohne zu überlegen einfach »Ich hab, glaub ich, ein bisschen viel gegessen. Ich geh noch ein Stückchen. Bis gleich!« würde sagen können? Ich sah mich um. Weiter, als ich gedacht hatte, war ich von der Siedlung entfernt. Unser Holzhaus war kaum zu sehen, weil es hinter den nachtschwarzen Bäumen verborgen lag. Doch da, ein beleuchtetes Fenster. Ich kam zu einem sanften Anstieg, der auf eine Kuppe führte. Oben angekommen setzte ich mich auf einen

Stein. Es wehte ein leichter Wind, und das Präriegras wogte in der Dunkelheit. Ich dachte an zu Hause und bekam sofort Heimweh. So war das immer. Wenn ich nicht an zu Hause dachte, nicht telefonierte, nicht schrieb, war alles gut. Sobald ich aber das Foto meiner Freundin sah, wurde ich unglücklich. Das hatte ich nicht erwartet. Ich hatte mit Heimweh gerechnet. Aber doch nicht jedes Mal, sobald ich an zu Hause dachte. Um hier in dieser Westernwildnis überhaupt eine Chance zu bekommen, würde es wohl darauf hinauslaufen, so wenig Kontakt nach Deutschland zu haben wie möglich. Ich hatte mir dieses Jahr immer ganz kleingeredet, zu einer winzigen Zeiteinheit zusammengeschnürt. »Guck mal«, hatte ich zu meiner Mutter gesagt, »was war denn heute vor einem Jahr? Heute vor einem Jahr ist Aika auf der Flensburgerstraße von einem dänischen Autofahrer angefahren worden. Und kommt dir das lange her vor? Also, mir kommt das so vor, als wäre es gestern gewesen. Genau so wird es sein, wenn ich wieder da bin, wenn ich nach einem Jahr wieder nach Hause komme. Es wird uns allen so vorkommen, als wäre ich gerade eben erst abgeflogen.«

Jetzt saß ich mitten in der vom Wind bewegten Prärie, und einzelne Sterne flackerten unruhig zwischen den tief hängenden Nachtwolken. Da offenbarte sich das vor mir liegende Jahr in seinem tatsächlichen Zeitmaß. Mein Jahr in Amerika dehnte sich unter diesem weiten Himmel, diesen fliegenden Wolken, in diesem winterlich kühlen Wind schlagartig ins Unendliche aus. Plötzlich fühlte ich, dass ich wirklich und wahrhaftig verdammt lange von zu Hause fort sein würde. Meine Augen hatten sich gut an die Dunkelheit gewöhnt, und keine fünfzig Meter von mir entfernt bewegte sich etwas. Tiere? Silhouetten schoben sich vorsichtig aus einem Hügeleinschnitt auf die freie Fläche. Rehe? Nein, sie waren größer. Eine Herde Schatten zog grasend an mir vorbei. Ich begriff, dass es mich viel Kraft und Kummer kosten würde, dieser ›Alleshintersichlasser‹ zu werden, zu dem ich mich auserkoren hatte. Ich fror, stand auf. Die Schatten erschraken und sprangen davon. Eine Viertelstunde später trat ich durch die Tür ins Warme. Stan saß in seinem automatischen Sessel, hatte sich in die Horizontale gefahren und sah sich im Fernsehen den Wetterbericht an. Hazel lag auf der Couch und las ein dickes Buch, auf dessen Cover ein Einhorn mit weißer Mähne durch einen Wald galoppierte. Das goldene Horn glänzte auf dem Buchcover. »Do you want some ice-cream?«, fragte sie mich. »No thanks!« Ich setzte mich in einen der Sessel. Vor ein paar Tagen hatte mich Hazel im Garten gefragt, ob ich wüsste, wo Stan wäre. Ohne zu überlegen, hatte ich geantwortet: »I think: electric chair!« Sie versuchte, nicht zu lachen, aber ich sah, wie sie die Lippen zusammenpresste und ihre Augen feucht wurden. War ich wirklich so ein unbegabter Sprachidiot? Aus Deutschland hatte ich ihnen als Geschenk zwei Frotteehandtücher mitgebracht. Auf dem einen war der Dom meiner Heimatstadt, auf dem anderen das Schloss zu sehen. Es waren nett bedruckte, stinknormale Handtücher. Stan hatte sie im Wohnzimmer an die Wand genagelt. Ich sagte: »Good night everybody!« Stan hob den Kopf: »Good night! And don't forget: From now on you have to share your bathroom with Don.«

Dieser Don machte mir Sorgen. Das Bad war zwischen unseren Zimmern. Die beiden Zugänge! Wollte ich in Zukunft ungestört sein, musste ich die Tür zu Dons Zimmer abschließen. Als ich an diesem Abend ins Bad kam, hatte er meine Zahnbürste, Zahnpasta und Nagelschere von der Ablage über dem Waschbecken genommen und auf die Fensterbank geworfen. Seine Waschutensilien hatte er fein säuberlich über die gesamte Breite der Ablage verteilt. Ich schob seine Sachen auf die eine und legte meine zurück auf die andere Seite. Obwohl er nicht da war, schloss ich seine Tür ab und ging aufs Klo. Im Spiegel gegenüber sah ich nur meine Haare. Es sah aus, als würde dort ein krauses blondes Unkraut wuchern.

Ich hatte einmal fast eine Reise wegen Heimweh abgebrochen. Ich war neun oder zehn und alleine mit einer Gruppe meines Schwimmvereins in den Bayerischen Wald in die Skiferien gefahren. Mit einem Bus ging die Reise in meiner Heimatstadt los. Der Versammlungsort für solche Reisen war stets der Dani Grill. Schon seit Jahren war das Leuchtstoffröhren-G von Grill kaputt, und er hieß Dani rill. So nannten wir den Imbiss auch in meiner Familie. »Bitte, bitte Mama, bring halbe Hähnchen vom Dani rill mit!« Als ich müde wurde, legte ich mich, da ich in den Bussitzen keinerlei Schlafposition hatte finden können, auf den schmalen Mittelgang. Meine Jacke diente als Kopfkissen. Wenn ich die Augen aufmachte, sah ich die Beine und Schuhe oder, von denen, die es sich bequemer gemacht hatten, Füße in Socken. Der Bodenbelag kratzte wie eine Fußmatte, aber ich war hundemüde und schlief ein. Als ich geweckt wurde und mich verschlafen im Bus aufrichtete, sah ich eine traumhaft schöne, unwirklich wirkende Schneelandschaft. Tannenbäume in dicke Daunendecken gepackt und links und rechts vom Bus in der Wintersonne funkelnde Schneewehen. Ich wurde beneidet und gelobt: »So einen Schlaf würde ich auch gerne haben. Legt sich in den Hüttener Bergen hin und wacht erst zehn Minuten vorm Ziel im Bayerischen Wald wieder auf.« »Du hast so ein Glück gehabt! Heute Nacht haben wir vier Stunden im Stau gestanden! Nix ging mehr.« Dieser erste Moment sollte vorläufig der schönste der ganzen Reise bleiben.

Ich teilte mein Zimmer mit einem Jungen, der behauptete, immerzu Kopfweh zu haben. Er strich sich die Haare zur Seite und zeigte mir eine wulstige Narbe, die quer über seinen Hinterkopf lief, von einem Ohr zum anderen. »Vor zwei Jahren haben sie mir da einen Tumor rausoperiert. Seitdem habe ich immer Kopfweh! Aber besser Kopfweh als tot!« Er war extrem lichtempfindlich, und die Vorhänge mussten immer geschlossen bleiben. Beim Skifahren trug er über seiner Sonnenbrille noch eine Art Schweißerbrille mit schwarzen Gläsern. Unser Zimmer lag über einem ehemaligen Schweinestall. Frisch umgebaut, aber es roch nach Schwein. Ich lag im Bett unter einer klammen, im Inneren klumpigen Bettdecke, und aus der Wand, aus den Fugen der Rigipsplatten roch es nach Schwein. Mein Skilehrer war ungeduldig mit mir. Für die Anfängergruppe war ich zu gut und für die Fortgeschrittenengruppe, in die ich eingeteilt worden war, eigentlich noch zu schlecht. Nach einer Woche fuhr ich immer noch im Schneepflug den anderen hinterher die Hänge hinunter. Schwung für Schwung quälte ich mich ängstlich die zu steilen Pisten hinab, unten wartete der Rest der Gruppe, und der Lehrer zeigte mit dem Skistock auf mich und erklärte etwas. An den Abenden gab es Aufführungen. Jedes Zimmer musste etwas vorbereiten. Mein Zimmernachbar sagte mir, er könne sehr gut Witze erzählen und ich dürfte gerne mitmachen. Das Ergebnis dieser Zusammenarbeit war, dass ich in jeder Hand einen großen Topfdeckel hielt und diese zusammenschlug, um seinen nächsten Witz anzukündigen. Er lief zu Hochform auf, von Kopfweh keine Spur, feuerte eine Pointe nach der anderen ab, und ich ließ die Topfdeckelbecken scheppern.

Nach der Aufführung bekam ich fürchterliches Heimweh und wollte nur noch nach Hause. Da mein Vater Kinder- und Jugendpsychiater war und oft am Mittagstisch über Patienten sprach, kannte ich einige Diagnosen, ohne genau zu wissen, worum es sich dabei eigentlich handelte. Um so schnell wie möglich dem abgedunkelten Zimmer mit dem kopfoperierten Komiker und dem Schikaneskikurs zu entrinnen, brauchte ich einen unumstößlichen Grund. Früh am Morgen, noch bevor der direkt hinterm Schweinestall beginnende Lift seinen Betrieb aufnahm, ging ich zu unserem Reiseleiter und sagte: »Es tut mir sehr leid, aber ich muss sofort nach Hause. Ich bin manisch-depressiv!« »Du bist was?« »Manisch-depressiv. In den ersten Tagen ging es mir einigermaßen gut. Da hatte ich meine manische Phase. Aber jetzt kommt, das spüre ich genau, ein depressiver Schub, und da will ich lieber zu Hause sein. Denn das ist nicht ohne.« »Wie alt bist du?« »Neun.« »Und du bist manisch-depressiv?« »Genau.« »Komm«, sagte er, »wir rufen mal deine Eltern an!« Er wählte die Nummer, und da es noch früh am Morgen und mein Vater noch nicht in der Klinik war, hob er ab. »Ich hab hier Ihren Sohn, und er sagt, er wäre krank.« Dann, nach einer Pause: »Ja, er sagt, dass er sofort nach Hause geschickt werden muss.« Wieder Pause. Ohne etwas zu verstehen, erkannte ich den Klang der Stimme meines Vaters, wie sie sonor aus der Telefonmuschel in das Ohr des Reiseleiters sprach. Mein Vater schien etwas zu fragen, und der Reiseleiter antwortete: »Manisch-depressiv.« Pause. »Ja, er steht hier neben mir.« Pause. »Dein Vater will dich sprechen.« Er reichte mir den Hörer. Als ich die Stimme meines Vaters hörte und er »Was ist denn, mein Lieber?« fragte, musste ich sofort weinen. »Hey, was ist denn passiert?« »Ich will nach Hause! Ich will zu dir! Sofort! Alle hier sind so gemein zu mir!« Der Reiseleiter schlenderte in die nach kaltem Rauch riechende Wirtsstube und ließ mich in der Telefonnische allein. »Ach mein Lieber, jetzt hör erst mal auf zu weinen.« Ich schluchzte ins Telefon: »Ich will hier nicht sein. Ich hasse Skifahren. Es ist hier alles viel zu steil! Ich hasse das alles hier! Alle fahren mir weg, und ich bin immer der Letzte!« »So, jetzt hör erst mal auf zu weinen. Ist es denn nicht auch ab und zu schön?« »Nein. Nie! Nie! Nie! Ich will nach Hause.« Er überlegte: »Weißt du was? Du musst da nicht sein. Wenn du nicht willst, dann musst du da nicht sein!« »Ja, bitte, bitte hol mich ab!« »Wir machen Folgendes: Du schaffst noch diesen Tag, und ich überleg mal, was wir unternehmen, wenn es nicht besser wird!« Ich heulend: »Das wird nicht besser. Ich will hier weg!« »Genau. Sei nicht mehr traurig. Genau. Gut. Also, ich mach jetzt einen Plan, und du beobachtest alles ganz genau und machst nichts, was du nicht willst! Ja, das musst du mir versprechen: Mach nichts, was du nicht willst! Versprochen?« »Ja, Papa, versprochen.« »Und heute Abend telefonieren wir wieder, und ich sage dir, was ich mir ausgedacht habe. Jetzt gib mir noch mal den Mann von eben.« »Bis heute Abend, Papa. Ich hab dich lieb.« »Ich dich auch.« Ich rief zum Reiseleiter hinüber, der an einem Tisch saß und Kunststücke mit Bierdeckeln übte: »Mein Vater möchte Sie noch mal sprechen!« Ich übergab den Hörer, und er sagte mehrmals »Ja, klar!« und »Mach ich!« und lächelte und sagte: »Ja, machen Sie sich keine Sorgen. Das kriegen wir schon hin. Bis heute Abend!« Er hängte ein und fragte mich: »Möchtest du heute vielleicht einfach mal bei den Erwachsenen mitfahren?« »Ich bin aber nicht so gut!« »Ach, das schaffen wir schon!«

Auch wenn ich mich dagegen wehrte und versuchte, meinem Heimweh treu zu bleiben, es wurde ein schöner Vormittag. Wir fuhren sanfte Pisten hinunter, und der Erwachsenenskilehrer nahm sich Zeit für mich. Er brachte mir bei, im richtigen Moment mein Gewicht zu verlagern und den Skistock einzusetzen. Plötzlich funktionierte es, und ich kam besser um die Kurven. Ich half beim Wachsen der Ski. Durfte mit einem alten Bügeleisen das Wachs auf den Skiern verteilen. Das roch gut. Zum Dank lud mich der Lehrer zu einem Getränk ein. Ich nahm eine kleine Flasche Pfirsichnektar. Trank den dickflüssigen Saft in der Sonne, an eine warme Hauswand gelehnt. Mein Heimweh wurde kleiner und kleiner, tropfte wie der Eiszapfen an der Regenrinne über mir und schmolz dahin. Am Nachmittag war das sogenannte Freifahren. Ich traf einen der Jungen aus der Fortgeschrittenengruppe. Er schwärmte von einer Tiefschneeabfahrt. Wir fuhren mit dem Lift hinauf. Steil ging es zwischen Bäumen hinab. Ich haderte mit mir, doch dann sagte ich »Das ist mir zu steil« und nahm eine planierte Abfahrt. Am Abend durfte ich zusammen mit dem Reiseleiter einen Sketch vorspielen: Ich hatte meine Zahnbürste an ein Band gebunden und zog sie hinter mir her. Der Reiseleiter spielte den Irrenarzt und fragte mich: »Ja, was machen Sie denn da, Herr Patient? Warum ziehen Sie denn die Zahnbürste hinter sich her?« Ich antwortete: »Schieben geht nicht!« Das war alles. Aber es wurde geklatscht, und der Junge mit der Narbe kam zu mir und sagte: »Guter Sketch!«

Gegen zehn rief ich meinen Vater an. »Hallo, ich bin's!« »Na! Und wie war der Tag heute?« »Ging so.« »Du klingst aber viel besser.« »War auch besser!« »Erzähl mal, was hast du heute gemacht!« Ich hätte meine Niedergeschlagenheit gerne weiter durchgehalten. Es war mir inzwischen etwas peinlich, mich selbst als manisch-depressiv bezeichnet zu haben. Nach so einem herrlichen Tag! Mit jedem Wort wurde ich froher. Schließlich sprudelte alles aus mir heraus. Kurz bevor ich auflegen wollte, fiel mir noch etwas ein: »Was hast du dir eigentlich überlegt, Papa, um mich heimzuholen?« Mein Vater stockte und sagte: »Na ich … äh … hätte dich geholt!« »Echt?« »Klar.« Seltsamerweise lösten sich in dieser Nacht die klammen Daunenklumpen in meiner Bettdecke auf, und auch der Schweinestallgeruch war verschwunden.

An diese Reise dachte ich in meinem Laramier Bett. Ich machte meine Nachttischlampe wieder an und betrachtete all die Fotos, die ich aufgehängt hatte. Alle meine Lieben, in vertraute Gesten gebannt. So wachten sie über mich. Direkt neben meinem Kopf lag auf der Wasserbettmatratze ein von meiner Freundin selbst gestricktes Schaf. Mit den Worten »Damit du mich nicht vergisst und was zum Schmusen hast!«, hatte sie es mir geschenkt. An diesem Abend, nach nur zwei Wochen in der Fremde, baute ich meinen Heimwehaltar ab. Ich nahm alle Fotos von der Holzwand. Es war mühsam, die mit großer Liebe für alle Ewigkeit in die Bretter gedrückten Heftzwecken herauszubekommen. Meine Eltern, die Brüder und Großeltern, meine Freundin, ja sogar der Hund kamen in einen Umschlag und hinter die Pullover in den Schrank. Ich knipste das Licht wieder aus und fühlte mich besser. Ich hatte noch nie in einem so stockfinsteren Zimmer gelegen. Wie ein Organ in einem Körper. Ich legte meine Hand unter den Kopf und streifte das Strickschaf. Ich nahm es in die Hand. »Damit du mich nicht vergisst und was zum Schmusen hast.« Schon als meine Freundin diesen Satz zu mir gesagt hatte, fand ich das Wort »Schmusen« abstoßend. Ich hatte mir nichts anmerken lassen, das Schaf geherzt und geküsst und immer wieder »Oh, ist das schön!« und »Echt, das hast du selbst gestrickt? Für mich?« gerufen. Ich hatte mich, so kam es mir in diesem amerikanischen Endzeitdunkel vor, wie ein kompletter Trottel benommen. Und das sollte erst zwei Wochen her sein? Wieder knipste ich das Licht an, stand auf und stopfte das grobmaschige Schmuseschaf zu den Fotos hinter die Winterpullover. Endlich fühlte ich mich leichter, vom heimatlichen Liebesballast befreit, und schlief ein.

Geweckt wurde ich von Don, der mitten in der Nacht in Unterhose durch mein Zimmer ins Bad ging und flüsterte:

»Don't you ever lock my door again when you're not in that bathroom!« Er knallte meine Badezimmertür zu und schloss sie hinter sich ab. Es stimmte. Ich hatte vergessen, seine Tür wieder aufzusperren, nachdem ich auf dem Klo gewesen war. Na, so schlimm ist das auch nicht, dachte ich erschöpft. Was ist das bloß für ein Hirni! Was hatte der da eigentlich gerade für eine Unterhose an? Ich war mir nicht sicher, ob ich das richtig gesehen hatte. Zwischen den Minipobacken verschwand ein dünnes Band?

Während der nächsten Wochen wurde dieses Badezimmer zwischen mir und Don zum Dauerstreitthema. Ein Kriegsschauplatz mit zwei Eingängen. Wer durfte wo und wie seine Handtücher aufhängen? Wessen Haare sammelten sich im Abfluss? Was waren das für widerliche Spritzer auf dem Spiegel? Und mich ärgerte, wie lange er im Bad blieb. Da ich mich nicht traute, in das Badezimmer zu gehen, das man nur durch Stan und Hazels Schlafzimmer erreichen konnte, kam es sogar vor, dass ich zum Pinkeln ein Stück in die Prärie rannte.

Da ich damals in dem Fragebogen, um meine Chancen auf den Austausch zu erhöhen, »strenggläubig« angekreuzt hatte, musste ich nun dreimal die Woche mit meinem Gastvater in die Kirche. Nicht nur zum Gottesdienst. Vor dem Gottesdienst musste ich die Kirche fegen, Gesangbücher verteilen und den Altar polieren. Dreimal die Woche. Das war schrecklich. Ich hatte von meiner Mutter für die Kirchgänge, von denen ich ja gewusst hatte, dass sie auf mich zukommen würden, einen schwarzen Anzug bekommen. Leider konnte ich keine Krawatten binden und musste jedes Mal Stan um Hilfe bitten. Wenn ich mich in diesem Anzug neben ihm auf dem Weg zur Kirche im Auto sitzen sah, kam ich mir vor wie ein besessener Missionar mit seinem strengen Mormonen-Vater auf der Jagd nach verlorenen Seelen.

Brian und Bill kamen jeden Abend zum Essen. Nun, da die Familie bei diesen Mahlzeiten wieder komplett war, wurde vor jeder Mahlzeit gebetet. Aber kein kurzes aufmunterndes Tischgebet. Es wurde still gebetet, jeder für sich. Lange. Unendlich lange. Das Essen stand da. Sie bewegten ihre Lippen. Leises Gemurmel. Don hatte die Augen nicht ganz geschlossen. Ich wusste nie, ob er noch etwas sehen konnte, verzückt betete oder mich beobachtete. Das war vor jedem Essen eine Tortur, diese fünf Minuten Totenstille. Geheimnisvoll und unentschlüsselbar blieb für mich das gleichzeitige Augenaufschlagen der so betenden Familie. Synchron hoben sie die Köpfe, wünschten sich einen guten Appetit und nahmen sich vom nur noch lauwarmen Essen.

Don hatte wieder zu arbeiten begonnen. Er ging am frühen Abend mit einer Tasche zum Auto und kam erst spätnachts wieder zurück. Schlich sich in einer grotesken Pizzauniform ins Haus, auf dem Kopf eine pizzaähnliche Baskenmütze, auf die Peperoni und Pilze aufgenäht waren, schloss sich in seinem Zimmer ein und spielte Schallplatten von Olivia Newton-John. Ich hörte ihn, wie er in seinem Zimmer auf und ab ging. Und hin und wieder, nachdem er seine Schranktüren erst auf- und dann wieder zugemacht hatte, höchstwahrscheinlich, um die Pizzamontur hineinzuhängen, ein verdruckstes Knurren. Während der ersten Nächte hatte ich tatsächlich geglaubt, er würde in seinem Zimmer den Pudel ärgern, der mich, seit Don das Haus betreten hatte, wie prophezeit keines Blickes mehr würdigte. Aber als ich mich durch den Flur ins Wohnzimmer schlich, lag Serge friedlich schlafend in seinem kitschigen, mit Knochenmotiven bedruckten Hundekörbchen. So weit, dass ihn Don in seinem Bett schlafen ließ, ging die Liebe dann also doch nicht. Ich tastete mich zurück in mein Zimmer. Das Knurren mischte sich mit ruckartig ausgestoßenen Atemgeräuschen, wie ich sie von mir kannte, wenn ich schnell gelaufen war und vornübergebeugt versuchte, wieder zu Atem zu kommen. Ich meinte auch, seine Fistelstimme zu hören. Gemurmel, unterbrochen von – ich war mir nicht ganz sicher – geflüsterten Flüchen. Wenn das Hecheln verstummte, wurde es für knapp fünf Minuten totenstill nebenan. Dann ging Don ins Bad und schloss meine Tür ab. Zwischen dem Pinkelgeräusch und dem Betätigen der Klospülung lag stets eine unbegreiflich lange Pause. Das machte mich wahnsinnig in meinem Bett. Mein Gott, jetzt zieh bloß!, hätte ich am liebsten gebrüllt. Ich zog die Spülung schon immer, während ich pinkelte, und jahrelang hatte mich ein seltsamer Ehrgeiz getrieben, so schnell zu pinkeln, wie es dauerte, dass das Wasser durchs Klo rauschte. In ein stilles Klo hineinzupinkeln, in diesen deprimierenden Minisee, hatte ich stets als eine traurige Angelegenheit empfunden. Don drehte den Wasserhahn auf. Lange hörte ich ihn plätschern, dabei pfeifen. Wenn er fertig war, schloss er meine Tür wieder auf, und der schmale Lichtstreif unter der Tür im Bad verschwand. Er ging zurück in sein Zimmer, hob die Nadel vom Plattenspieler, zog an der Kordel seiner Lampe, und ich konnte endlich, endlich schlafen.

Ich brauchte Wochen, um mich an diese nächtlichen, penetrant zähen Rituale zu gewöhnen. Alle waren freundlich zu mir, doch Don gab sich keinerlei Mühe, seine Abneigung gegen mich zu verhehlen. Er verzog das Gesicht, wenn er mein Englisch hörte, und korrigierte mich penibel. Wenn seine Eltern nicht dabei waren, nannte er mich »The German Robot«. Dabei wurde mein Englisch von Tag zu Tag besser, und als nach fünf Wochen endlich die Highschool begann, traute ich mich schon, in ganzen Sätzen zu sprechen. Mein Ohr hatte sich auf das nuschelige Amerikanisch eingeschwungen, und ich verstand immer mehr. Ich hatte mich endgültig damit abgefunden, nicht in Kalifornien oder in einer großen

Stadt zu sein. In den letzten Nächten hatte ich nachts Wölfe heulen gehört. Das mochte ich an Laramie. Dieses Wolfsgeheul. Es erinnerte mich an das Heulen der Patienten in der Psychiatrie, in deren unmittelbarer Nähe ich aufgewachsen war. Mir gefiel die Leere und Weite besser und besser. Fünfhunderttausend Menschen leben in Wyoming auf einer Fläche, die so groß ist wie Deutschland. Nur in Alaska leben noch weniger. Meine Highschool hatte einen eigenen Flugplatz, da einige Schüler jeden Morgen mit dem Flugzeug angeflogen kamen. Die Ausreden fürs Zuspätkommen waren nicht so läppisch wie bei mir zu Hause. »Mein Wecker hat nicht geklingelt«, oder »Ich habe den Bus verpasst«. Hier hieß es »Excuse me please, but I got caught in a blizzard with my plane«, oder »I'm sorry, but we had to drop some hay for our cows 'cause they're stuck in the snow!«.

Eine Woche vor Schulbeginn erfuhr ich, dass es bis zum Beginn der Basketballsaison noch ganze drei Monate dauern würde. Damit hatte ich nicht gerechnet. Das war ein Schock für mich. Ich wollte gleich am ersten Tag mit dem Training beginnen, mich der größten Herausforderung dieses Jahres stellen, dem Kampf, es in die erste Mannschaft zu schaffen, und nun sollte ich mich noch drei weitere Monate gedulden. Es war hart, diesen Traum zu verschieben und sich einem anderen Sport zuzuwenden. Zum Schwimmen hatte ich keine Lust mehr. Meine halbe Jugend hatte ich damit verschwendet, stoisch im Chlorwasser meine Bahnen zu ziehen. Und auch wenn ich es zum Kreismeister über hundert Meter Brust gebracht hatte, Schwimmen langweilte mich. Ich wollte Basketball spielen – und jetzt das. Dabei hatte ich in Deutschland in jeder freien Minute geübt. Hatte im Wettlauf mit dem hereinbrechenden Abend auf den Basketballkorb geworfen, den mir mein Vater an die Rückwand eines der Psychiatriegebäude gleich neben unserem Haus hatte montieren lassen.

In der Highschool hatte ich ausschließlich Fächer gewählt, die mir gefielen. Da meine schulischen Leistungen in Deutschland nur durch teuer bezahlte Nachhilfestunden, die ich fast jeden Nachmittag mit pensionierten Lehrern in ihren brachliegenden Exarbeitszimmern verbrachte, nicht ins Bodenlose stürzten, war es illusorisch, nach meiner Heimkehr in meinen alten Jahrgang zurückzukehren. Mir war das von Anfang an klar gewesen. Eigentlich war ich nur durch mein Amerikajahr dem drohenden Sitzenbleiben entronnen. Ich würde ein Jahr verlieren und in Deutschland in eine neue Klasse kommen. Dadurch hatte ich jetzt in Laramie alle Freiheiten. Keinen einzigen Pflichtkurs musste ich besuchen, um ihn mir für Deutschland anrechnen zu lassen. Ich durfte machen, was ich wollte. Ich stellte mir für das erste Halbjahr einen unglaublichen Stundenplan zusammen. Doch leider am Nachmittag, nach den Schulstunden: kein Basketball! Erst im November würden die Vorausscheidungen für die erste Mannschaft beginnen.

Mein Stundenplan sah so aus:

Erste Stunde: Bergsteigen. Rockclimbing bei Jason Hepper, einem naturverbundenen, drahtigen Waldschrat, der am Wegesrand Pflanzen abriss und einfach aufaß. Wo er wohnte, wusste keiner so genau. In seinen Haaren sah ich hin und wieder Rindenstückchen oder Pflanzensamen. Um sechs Uhr morgens wurde ich von einem Bus abgeholt und in die Rocky Mountains gefahren. Diesen Bus konnte ich durch mein Fenster auf dem Highway kommen sehen, weit entfernt, winzig. Einen dieser typisch gelben amerikanischen Schulbusse. Ich stand auf, ging, Don schlief immer lange, unter die Dusche, packte meine Sachen, frühstückte meine Knusperwaffeln, und wenn ich das Haus verließ, dauerte es nicht mehr lange und der Bus kam, hielt direkt vor unserem Haus und nahm mich mit. Eine Stunde lang fuhren wir auf immer enger werdenden Straßen in die Rocky Mountains hinauf. Während wir darauf warteten, dass die Felsen in der Sonne trockneten, gab es Frühstück. Dreieckige Sandwiches mit Truthahnfleisch. Ich weiß, dass das auf diese Weise zerteilte Sandwich heute jeder kennt. Aber damals schien mir diese Art, ein Toastbrot durchzuschneiden, wie eine Offenbarung. Ich kannte nur Toastbrot getoastet, einfach mit Butter und Schinken oder mit Marmelade. Aber das Toastbrot nicht zu toasten, sondern weich und weiß zu lassen, und nicht nur zwei Brotscheiben aufeinanderzulegen, sondern drei, und das Ganze dann nicht einfach in der Mitte durchzuschneiden, sondern eben von einer Ecke zur anderen, zu zwei dicken Dreiecken, das war eine Verheißung, dass alles durch ganz wenig ganz anders sein konnte. Mir kam mein ganzes bisheriges Leben viereckig vor, und nun endlich, endlich sollte sich etwas ändern. Durch einen einfachen, aber jegliche Form verändernden Schnitt.

Jason Hepper kletterte flink wie ein Streifenhörnchen, ungesichert!, den Felsen hinauf. Oben, für uns nicht sichtbar, befestigte er mehrere Seile und warf sie hinab. Jedes Mal, bevor er das tat, rief er laut »Rope!«, und ein Seil fiel vom Himmel. Es gab viele verschiedene Klettersteige unterschiedlichen Schwierigkeitsgrads. Dieses Klettergebiet hieß Vedauwoo. Wir bekamen jeder eine Broschüre, die Hepper selbst verfasst hatte, in der sämtliche Klettersteige, die sogenannten »routes«, verzeichnet waren. Der Name Vedauwoo war indianischer Herkunft. »That means«, sagte Hepper, »earth born spirit.« Die Namen der Klettersteige begeisterten mich. Sie hießen Existential Dilemma, Fat Man's Demise, Silver Surfer, Best of the Blues, Beef Eater oder Spider Gold. Im Benutzen dieser Namen fand meine Aufbruchstimmung erste

Trittsicherheit. Hepper: »Hey, which route do you wanna try?« Ich: »I think I try Cat's Cradle.« Hepper: »Good choice, my friend! Tape your hands, Cat's Cradle has got some sharp feldspar crystals.« Die einfachen Aufstiege mit der Wertung 5.0–5.5 hießen »Sunny Day« oder »Easy Lie Back«. Die schwersten, fast unbezwingbaren, Wertung 5.12, der Fels war glatt und senkrecht, hießen »Nitrogen Narcosis« oder »I'd Rather Be In Philadelphia«. Wenn ich einen der leichteren Aufstiege bewältigt hatte, kam die Belohnung: das Abseilen. Wie der Soldat einer Eliteeinheit an einer Hochhausfassade drückte ich mich mit den Beinen vom Felsen weg, ließ das Seil durch die Metallacht an meinem Gurt gleiten und hüpfte an der Steilwand hinunter. Einige der Schüler waren exzellente Kletterer. Hingen nur am Zeigefinger an einem Übersprung und griffen sich mit der anderen Hand in das Talkumsäckchen am Rücken.

Zweite Stunde: Deutsch. German bei Donna Candalaria. Das erste Mal in meinem Leben Klassenbester. Das Deutsch der Deutschlehrerin war erbärmlich. Wir lernten Gedichte bei ihr. Sie liebte deutsche Gedichte. »Was reitet so spat durch Nacht und Wind«. Oder sie rief: »Und jetzt alle! Walle, walle manche Strecke, dass zum Zwecke Wasser fließe«, und die Klasse, die Hälfte davon Kaugummi kauend, leierte: »Waali, waali manchaa Strakka, daas zum Zwakka Waaser fliiese.« In den Tests schnitt ich immer mit »sehr gut« ab. Ich war immer schlecht in der Schule gewesen. Das fragwürdige Zustandekommen meiner Bestnoten hier war mir schnuppe. Ich liebte es, Sätze wie diese zu schreiben: »Peter kauft sich ein Buch. Gabi kauft sich auch ein Buch. Peter und Gabi haben zwei Bücher. Im Garten steht ein Baum. Sie lesen unter dem Baum in ihren Büchern. Am Abend gehen sie ins Haus.« Solange ich denken konnte, hatten mir Diktate Angst gemacht. In Laramie saß ich im sogenannten Foreign

Language Department völlig sorgenfrei am angenehm hohen Schultisch, schrieb ohne Eile, was Donna Candalaria diktierte, und hatte sogar noch Zeit, zwischen den Sätzen die Morgenparade der Laramie Highschool Plainsman Band auf dem Footballfeld zu beobachten. Donna Candalaria war sehr nett zu mir. Aber im Grunde war ihr meine Anwesenheit unangenehm. Sie fühlte sich beobachtet, ja überwacht. Meine muttersprachliche Unanfechtbarkeit verunsicherte sie. Andauernd verhaspelte sie sich und sah dann entschuldigend zu mir hinüber. Sie war nie in Deutschland gewesen, und ihr Wortschatz war von den deutschen Klassikern, ihrer Lyrikleidenschaft, geprägt. Sie sagte Sätze wie: »Wir werden heute dem Sommer huldigen und uns hinausbegeben!«

Dritte Stunde: Woodworking bei Larry Fulton. Die Schule hatte eine komplett eingerichtete Tischlerwerkstatt. Die Kreissäge kreischte und zerschnitt die Bretter wie Brot. Es wurde gehobelt, geschraubt, gebohrt und gehämmert. Alle hatten blaue Arbeitslatzhosen an und Ohrenschützer auf. Der Lehrer wurde mit Vornamen angesprochen. Er lief während der Stunde an den Arbeitstischen vorbei und gab Tipps. »Looks good!« »Thanks, Larry!« Wir bauten rustikale Möbel und Vogelhäuser von besorgniserregender Größe. Ich sah einen Jungen, der für seinen von einem Nachbarfarmer erschossenen Hund ein zwei Meter großes Kreuz aus Zedernholz tischlerte. Als das Kreuz fertig war, standen wir alle drum herum, und Larry sagte: »Good job!« Der Junge sagte: »His name was Brandy!« Er schlug mit Hammer und Meißel die Buchstaben aus dem duftenden Holz. Plötzlich schleuderte er seinen Hammer gegen die Wand und rannte aus der Werkstatt. Wir anderen gingen zum Kreuz. Da stand B R A D Y. Er hatte sich vor Trauer verschrieben.

Vierte Stunde: Theater. Drama Club bei Stacy Lewis. Wir bauten das Bühnenbild, bastelten die Requisiten und schneiderten unsere Kostüme selbst. Stacy Lewis war von uns allen begeistert. Egal was man tat, sie rief: »Oh my Lord, that was amazing. God, you are so intense!« Das Theaterstück, das wir probten, hieß »The Secret Life of Walter Mitty«.

Es war die Geschichte eines alten Mannes, der mit seiner Frau im Auto unterwegs ist und in Tagträume flieht, in seiner Vorstellung verschiedene Episoden erlebt. Immer bevor er aus der Wirklichkeit gleitet, hört er ein Geräusch. »Tapocketa – pocketa – pocketa«. Oder war das nur in unserer Aufführung so? Er stellt sich zum Beispiel vor, er sei ein Flugkapitän, und seine Frau meckert: »Fahr nicht so schnell.« Beim Einparken sieht er sich als berühmten Arzt, Chirurg Dr. Mitty, während einer komplizierten Operation, und seine Frau schimpft: »Halt, halt! Siehst du denn nicht den Buick!« Ein Parkwächter hilft ihm beim Einparken. Der Parkwächter war meine Rolle. Es gab verwirrende Szenen, einen Mordprozess, eine Prügelei. Mitty als todesmutiger Bomberpilot, der im deutschen Luftkrieg kämpft, und Mitty vor einem Exekutionskommando: Heldenhaft verzichtet er auf die Augenbinde. Wir diskutierten, hatten Krisen und Kräche, probten weiter. Stacy Lewis war Ende dreißig und immer so gut gelaunt, dass ich gar nicht erkennen konnte, wie sie wirklich aussah. Selbst wenn sie ergriffen war und weinte, lachte sie dabei. Sie kam dann auf die Bühne, tippte sich mit dem Zeigefinger in die Augenwinkel, zeigte ihn herum und strahlte: »Hey, come on! What did you do to me? Tell me, what's that? WHAT'S THAT? TEARS. For heaven's sake. THESE ARE T E A R S . Jesus, you are so intense, you made me cry!« Alle klatschten. Wir beklatschten sie, weil sie weinte, und uns, weil wir sie zum Weinen gebracht hatten.

Fünfte Stunde: Eigentlich hatte ich mir einen Landwirtschaftskurs ausgesucht: »Agricultural Production 3. Farm and Ranch Management«. Schwerpunkt: beef, sheep and swine.

Doch mein ältester Gastbruder Bill riet mir dringend davon ab. Er warnte mich vor den Teilnehmern dieses Kurses. Sie kämen alle von den Farmen des Umlands, hätten raue Sitten und würden Fremde hassen. Um zwei Gruppen hätte er während seiner Zeit auf der Laramie Highschool immer einen weiten Bogen gemacht: um die Ringer, »the wrestlers«, und um die Teilnehmer des Agricultural Departments. Dass ich mich dann für eine ganz reguläre Englischklasse entschied, hatte auch damit zu tun, dass Stan, als ich ihm von meinen Kursen erzählte, gesagt hatte: »Sounds like half a year of vacation. Gee! Your parents will think Americans are lazy!«

Die Englischklasse unterrichtete John Kirkwood. Ein kleiner Mann mit einem buschigen Schnauzbart, über dem Bauch stramm gespanntem Hemd und empfindlichen Ohren. Oft sagte er, obwohl es in der Klasse vollkommen still war, mit flehender Stimme: »Please. P l e a s e , calm down!« Wir lasen amerikanische Kurzgeschichten, mussten Referate halten und Aufsätze schreiben. Es war die einzige Stunde, für die ich Hausaufgaben aufbekam und viel tun musste. Als ich in einer Schulpause sah, wie ein Lastwagen mit Schafen vor der Highschool parkte, die blökenden und bockenden Tiere auf einer steilen Metallrampe von der Ladefläche gezerrt wurden und im Schultrakt des Agricultural Departments verschwanden, war ich mir sicher, dass Schlachten auch zum Schulstoff gehörte. Ich war heilfroh, den Kurs nicht genommen zu haben. Stunden später aber sah ich, wie die Schafe unter freiem Himmel auf dem Sportplatz von Schülern geschoren wurden. Die Tiere wurden dafür auf den Hintern gesetzt, und die Wolle fiel in breiten Bahnen auf die Wiese. Da war ich dann doch neidisch. Über das Baseballfeld hinweg flogen Wollfusseln und hingen noch wochenlang im Gitter hinter dem Baseballabschlag. Als ich einmal Unterrichtsmaterial, das ich dringend für einen Englischtest brauchte und vergessen hatte, aus der Klasse holen wollte, hörte ich von innen dröhnende klassische Musik. Ich klopfte mehrmals an. Als niemand antwortete, trat ich ein. John Kirkwood stand im Frack, mit verklebtem Haar hinter dem Pult und dirigierte mit geschlossenen Augen. Unbemerkt schlich ich zu meinem Platz und holte die Hefte. John Kirkwood wiegte sich in den Hüften, und seine Hände massierten und peitschten die Luft.

Meine sechste und letzte Stunde hieß »Searching for Identity«. Der Lehrer sagte uns gleich in der ersten Stunde, dass er gar kein Lehrer sei und sich auch nicht als Lehrer empfände. Wir sollten ihn »Coach« nennen: Coach Kaltenbach, gesprochen: Kaltenbakk. Er war höchstens eins sechzig groß, und seine Muskeln waren so bombastisch, dass er seine dickflüssigen, spermafarbenen Eiweißgetränke, die vor ihm auf dem Lehrerpult – oder richtiger Coachpult – standen, nur noch mit einem langen Strohhalm zu sich nehmen konnte. Weder mit Gläsern noch mit einem Löffel erreichte er seinen Mund. In seinen Unterrichtsstunden lernte ich, Ytongplatten, auf die ich die Vornamen meiner Eltern geschrieben hatte, mit einem Fausthieb zu zerschmettern. Oder wir verbrannten im Pausenhof selbst gestaltete Masken aus Pappmaschee, die unseren inneren Dämon darstellten.

In seiner letzten, wohlgemerkt unfreiwillig letzten, mir unvergesslichen Stunde an der Laramie Highschool lernten wir das stoische Ertragen von Beleidigungen. Dafür musste man sich auf einen Stuhl setzen und sich aus kürzester Distanz von allen anderen der Reihe nach Gemeinheiten ins Gesicht brüllen lassen. Coach Kaltenbach selbst setzte sich auch auf den Stuhl, und einer nach dem anderen musste ihn zusammenbrüllen. Er saß einfach da, aufrecht, Kaugummi kauend, sah einen direkt an und lächelte verzeihend. Man durfte, ja musste alles sagen, was einem einfiel. Ich wurde hauptsächlich als »gay Nazi« beschimpft, oder man behauptete, dass meine Mutter Hitlers Schwanz gelutscht hätte: »Your mother loves to suck Hitlers dick!« Ein übergewichtiger mexikanischer Schüler konnte wirklich böse sein. Er brüllte gar nicht. In ganz normalem Ton sagte er zu mir: »Asshole, you will never be one of us.«

Und dann stand genau dieser dicke Mexikaner vor Coach Kaltenbach. Er sagte nichts weiter als einen Namen: »Michelle.« Dieses »Michelle« verwandelte Coach Kaltenbach. Zuerst dachte er wohl, sich verhört zu haben, dann aber bekam er milchige Augen wie ein gekochter Fisch. Er stürzte sich auf den Mexikaner und schrie mit überraschend schriller Stimme: »Never say this name again.« Coach Kaltenbach krallte sich in den fetten Mexikaner und schüttelte ihn. Doch der wehrte sich nicht. Die Schläge wabbelten in Wellen durch das mexikanische Fett hindurch, aber sonst bewegte er sich nicht. Coach Kaltenbach atmete immer mehr Luft ein, aber keine aus, und sein riesiger Brustkorb blähte sich auf. Voll aufgepumpt setzte er sich wieder auf den Stuhl und sagte: »Next one.« Keiner bewegte sich. »Next one!« Niemand wollte mehr etwas Bösartiges sagen, aber genau dadurch wurde es nun wirklich unangenehm. Die wilden Obszönitäten waren viel harmloser als das, was jetzt kam: »I think you are a very tiny guy«, oder: »I don't like coming to your lessons«. Ich wusste überhaupt nicht, was ich sagen sollte. Stand vor ihm und sah, dass in seinem linken Auge eine Ader geplatzt war. Mir fiel nichts ein. Er starrte mich an. Unter der Haut seiner Oberarme füllten sich Aderknötchen mit lila Blut. ›Fleisch‹ wusste ich. ›Berg‹ wusste ich. Meatmountain. Ich nannte ihn »Meatmountain«. Hinter mir wurde gekichert. Coach Kaltenbach brach der Schweiß aus. »What did you say to me? Say it again!« Leise wiederholte ich es: »Meatmountain.« Stille. Dann schüttelte er den Kopf. Eine geradezu biblische

Enttäuschung spiegelte sich in seinen glasigen Augen. »Next one.« Ein Mädchen versuchte ihn mit »You are a wonderful person« zu trösten. Auch der Mexikaner hatte sich wieder angestellt. Mit zerfetztem T-Shirt. Sein Bauch sah widerlich aus, hing über den Gürtel und war voller vernarbter streifiger Risse. Der Coach vibrierte leicht, so wie Tassen auf Untertassen in Erdbebenfilmen. Als der Junge vor ihm stand, sahen sich beide lange an. Der eine saß, der andere stand. Auge in Auge. Und dann brach der Coach seine wichtigste Regel zur Erlangung von Selbstbewusstsein: eye contact! »Always keep eye contact.« Das stand sogar über unserer Klassentür. Augenkontakt war die Grundvoraussetzung. Der Königsweg. Immer dem Gegenüber, dem Objekt der Begierde, dem Feind klar und gerade in die Augen sehen. »Ihr müsst in die Menschen hineinsehen, so wie ihr in euren Fernseher hineinseht!« Von diesem Gleichnis war Coach Kaltenbach besessen. Das war ihm selber eingefallen, das merkte man, da glühte er, da kroch eine missionarische Röte seine Stirn hinauf in sein schütter werdendes Haar hinein. »Es kann doch nicht wahr sein, dass ihr stupide, völlig ohne Angst, stundenlang in euren Fernsehapparat hineinstarrt, es aber nicht aushaltet, einem Menschen, jemandem aus Fleisch und Blut, nur mal für einen Moment ohne Scheu in die Augen zu sehen! Stellt euch einfach vor, in eurem Gegenüber läuft euer Lieblingsprogramm!« Das war sein Dietrich zum Glück: allen Zeitgenossen voll in die Bildröhre starren. Schon bei meinem ersten Treffen mit ihm hatte er mich ununterbrochen angesehen. »Und nicht zwinkern! Niemals!« Er zitierte Muhammad Ali, der seine Gegner angeblich in dem Moment niederschlug, da sie zwinkerten. »Ihr seid das Auto, und eure Augen sind eure Scheinwerfer! Wollt ihr fünfzig fahren?« »Nein«, rief die Klasse. »Wollt ihr hundert fahren?« »Nein!« »Wollt ihr zweihundert fahren?« »Jaaaa!« »Also Augen auf und Vollgas.«

Doch jetzt sah der Mexikaner ihn gelassen an, und Coach Kaltenbach senkte langsam den Blick. Wirbel für Wirbel krümmte sich sein Rücken. So erwartete er sein Todesurteil. Der Mexikaner war unerbittlich. Ließ sich Zeit. Entschied sich für Coach Kaltenbachs rechtes Ohr, beugte sich ein wenig vor. Laut, ohne den geringsten Kratzer im Satz, sagte er: »Michelle fucks every horny guy in this school. For free!« Das höre ich heute noch, dieses for free! »Michelle is a whore. Everybody fucks her. For free! Hijo de puta! Anda a la concha de tu madre! Do you hear me: EVERYBODY, except: YOU.« Ich hatte Coach Kaltenbach nicht sonderlich gemocht. Das änderte sich in diesem Moment. Er saß da, verzog das Gesicht, und Tränen tropften auf seine in Stein gemeißelten Oberschenkel. In der Klasse wurde es ganz still. Aber der Mexikaner war immer noch nicht fertig: »Look at me. Look at me!« Coach Kaltenbach flüsterte: »The lesson is over.« »Look at me!« »The lesson is over.« Coach Kaltenbach weinte: »You can leave.« Er hatte lange nicht geweint, das hörte und sah ich. Sein Gesicht konnte ich nicht sehen, aber seine Schultern wurden ganz schmal, und er gab ein eingerostetes Fiepen von sich. »Please go! … go.«

Zwei Tage später zog er sich beim Versuch, acht Ytongplatten mit der Stirn zu zerschmettern, eine Platzwunde mit schwerer Gehirnerschütterung zu. Eine ambitionierte junge Psychologielehrerin, Connie Hill, vertrat ihn. Sie stand vor der Klasse, leicht irritiert, sah von einem zum anderen, zupfte sich an der Bluse. Zweiundzwanzig Schüler starrten sie mit geröteten Augen an, ohne zu blinzeln: eye contact. Ihre große Attraktion war ein Lügendetektor. Wieder war es der Mexikaner, der sie zum Weinen brachte. Gleich bei der ersten Vorführung, bei der sie sich selbst angeschlossen hatte, um den Detektor zu erklären, rief er aus der hintersten Reihe: »Do you like to suck dick?« Sie rief laut »No«, und der

Lügendetektor gab sein schrilles Lügensignal von sich. Sie rannte aus der Klasse. Der Mexikaner flog von der Schule.

Bei Coach Kaltenbach war es nicht ganz klar, ob er entlassen worden war oder wegen seiner Kopfverletzung fehlte. Connie Hill allerdings kam zurück. Ich mochte sie. Alle Jungs mochten Connie Hill. Sie war schlank und groß, hatte kurze Haare und trug zu ihren Blusen, die stets exakt einen Knopf zu weit aufgeknöpft waren, um nicht darüber nachdenken zu müssen, knieknappe Faltenröcke. Ihre schönen Beine versteckte sie nicht hinter dem Pult! Nein, Connie Hill saß auf dem Pult. Mit übereinandergeschlagenen Beinen. An den Füßen hingen ihr Sandalen mit feinen Riemchen. Wenn sie eine Frage stellte und auf die Antwort wartete, klappte sie sich die Sandalen unter die nackten Fußsohlen. Diese ungeduldigen Klatscher hörte ich gerne.

Nach der Schule hatte ich mich für Tennis entschieden. Ich hatte in Deutschland Tennis gespielt, und da es in Wyoming aufgrund der schlechten Witterung eine Randsportart war, rechnete ich mir Chancen aus, es in die Mannschaft zu schaffen. Es gab vier von Wurzeln aufgebrochene Betonplätze mit durchhängenden, vom langen Winter ausgeblichenen Netzen. Warum es keine Tennishallen gab, weiß ich nicht. Unser Trainer hieß Darren Warren. Er hatte unübersehbar ein Alkoholproblem. Er kam mit dem Fahrrad zum Training, was in Laramie an Lächerlichkeit kaum zu überbieten war, und verschwand häufig in der Umkleidekabine. Ich schaffte es ohne Probleme in die Mannschaft. Wir waren alle mehr oder weniger Anfänger. Auf jedem holperigen Platz stand eine Ballmaschine, die uns über den Beton hetzte und mit Bällen beschoss. Ich glaube, wir mussten ausschließlich mit den Ballmaschinen trainieren, weil Darren Warren nicht selbst spielen wollte oder konnte. Er stellte sich hinter mich, korrigierte meine Griffhaltung oder meinen Vorhandschwung. Er legte seine zitternde Hand auf meinen Arm und ich roch seinen Mundwasseratem. Sogar mit mir fehlten immer noch zwei Spieler für ein komplettes Team. Darren Warren teilte uns mit, dass wir an den wyomingweiten Wettkämpfen nicht teilnehmen würden. Wir blieben in Laramie und spielten ununterbrochen gegeneinander. Das wars.

Coach Kaltenbach traf ich zufällig in einem Supermarkt wieder. Es war der derselbe Supermarkt, in dem auch mein Gastbruder Bill arbeitete. Meine Gastmutter hatte mir gesagt, er sei dort Manager, er saß aber an der Kasse. Coach Kaltenbach freute sich überschwänglich, mich zu sehen. Er hatte ein Pflaster auf der Stirn. Die Blutergüsse waren in sein ganzes Gesicht gesickert. Sein Kopf schillerte wie das Meer nach einem Tankerunglück. Er umarmte mich, ohne mich zu berühren, da er seine Muskelarme nicht richtig um mich legen konnte, und lud mich zu einem Ausflug ein. Wir standen zusammen an der Kasse meines Gastbruders, der zwar lachte, aber doch peinlich berührt wirkte, weil ich ihn so sah, und ich stellte einen One-gallon-Plastikkanister Milch auf das einen Meter breite Fließband. Coach Kaltenbach wollte seinen Bruder in Rawlins besuchen. »He works in jail, as a guard. Wanna join me on my trip?« Ich sagte: »Yes, sure!« Und schon drei Tage später hupte er vor unserem Haus, und ich stieg zu Coach Kaltenbach ins völlig vermüllte Auto. Ich wollte mich anschnallen. »Trust me!«, sagte er, beugte sich weit über mich und drehte meinen Rücksitz nach hinten. Wir redeten wenig. Lagen tief in den gepolsterten Autositzen und fuhren gemächlich durch die menschenverlassene Landschaft über den Highway. Bei einer Pinkelpause pinkelten wir, nebeneinanderstehend, an einen Felsen. Aus den Augenwinkeln sah ich, wie er in leichter Rückenlage, auf den Zehenspitzen balancierend versuchte, den Felsen auf der gleichen Höhe zu treffen wie ich. Er hatte wirklich Probleme mit seiner Körpergröße.

Nach drei Stunden Klimakühle und Countrymusic bog Coach Kaltenbach von der Hauptstraße ab. Auf einem von Schüssen durchsiebten Schild stand »Wyoming State Prison«. Die Sandstraße war geriffelt, bretthart. Wir fuhren langsam, doch die Schwingungen potenzierten sich so sehr, dass Coach Kaltenbach kaum noch das Lenkrad festhalten konnte und ich mit meinem Kopf gegen das Autodach knallte. Er hielt an, fuhr wieder los. Doch schon nach hundert Metern, sobald er auch nur etwas schneller fuhr, hüpften wir wieder in unseren Sitzen herum. Leere Proteinpulverdosen flogen durchs Auto. Ich sah zu ihm hinüber. Es war wie in einem Witzfilm. Ich hatte nicht gewusst, dass ein Auto so scheppern konnte. Die Erschütterungen ließen meine Augenlider auf- und zuklappen. Die Landschaft zerriss in lauter Fetzen. Coach Kaltenbachs Muskeln krabbelten auf ihm herum. Sein Gesicht schlabberte wie bei einem Hundertmeterläufer in Zeitlupe. Wir blieben wieder stehen. Coach Kaltenbach stieg aus. Ich auch. Wir standen da. Hinter uns verwehte westernmäßig der Staub, und vor uns führte diese Buckelpiste ins Unendliche. »How far is it?« »Far, very far. We still have a long way to go!« »Is there no other road to get there?« »No.« »What äh should äh we do?«, fragte ich. Seine Schultern zuckten ratlos im zu engen T-Shirt. Wir stiegen wieder ein. Coach Kaltenbach sagte: »There is only one thing to do!«, und gab Vollgas. Er krallte sich am Steuer fest und gab immer mehr Gas. Ich bekam Angst. Was wusste ich schon über ihn? Vielleicht hatte ihn die Sache mit dem Mexikaner und dieser geheimnisvollen Michelle so zur Verzweiflung gebracht, dass er sich jetzt ins ewige Nichts hinüberrütteln wollte. Ich brüllte: »Hellelelelelelelelp meeee!« Der Coach sah stoisch durch die staubige Windschutzscheibe –

ohne zu blinzeln. Und dann plötzlich: Ruhe! Plötzlich, bei Tempo neunzig, beruhigte sich das Auto, hob ab, schien zu fliegen. Wir lachten uns an und rasten nun fast vibrationsfrei eine gute halbe Stunde bis zum Gefängnis.

Ich habe Gefängnisse schon immer gemocht. Noch heute gehe ich gerne in Hamburg an Augustabenden in den Botanischen Garten, der direkt an einer Gefängnismauer liegt. Da ich auch botanische Gärten sehr mag, ist der Botanische Garten in Hamburg mein liebster. Es gibt, soweit ich weiß, weltweit keinen anderen botanischen Garten, der unmittelbar an ein Gefängnis grenzt. In der Dämmerung versammeln sich dort die größtenteils aus südlichen Ländern stammenden Angehörigen und Freunde der Eingesperrten. Durch die Gitter schieben sich winkende Hände, und in kehligen Sprachen wird hin- und hergerufen. Frauen halten ihre Kinder in die durch die seltenen Blüten des Gartens duftende Abendflaute, und die Inhaftierten lachen oder rufen ihren klagenden Singsang hinab in die exotischen Bäume.

Das Staatsgefängnis von Wyoming lag trist glitzernd hinter gestaffelten meterhohen Stacheldrahtzaunbarrieren, in denen vereinzelt poröse Stofffetzen hingen. Es hatte vier Wachtürme mit abgeschrägten Fenstern, um gut nach unten leuchten und schießen zu können. Vor dem Haupttor war ein großer Parkplatz. Wir meldeten uns an, und Coach Kaltenbachs Bruder kam. Er hatte sich gerade die Hände gewaschen und hielt mir zur Begrüßung das Handgelenk hin. Er sah seinem Bruder zum Verwechseln ähnlich. Im ersten Moment dachte ich sogar, er wäre sein Zwillingsbruder. Aber er schien doch um ein paar Jahre älter zu sein. Sein Haar war schütterer, und seine Augen waren von feinen, strahlenförmigen Falten umgeben. Doch auch er war klein, viereckig, mit Muskeln bepackt. Seine Gefängniswärteruniform spannte an den Oberarmen, und als ich hinter den beiden Brüdern herging, dachte ich, mein Gott, was sind das bloß für zwei kurzbeinige Schränke. »Come on«, sagte der Bruder vom Coach zu mir und wandte sich dann zu ihm: »I want to show him our cars.« Der Bruder erklärte mir, was es mit den Autos auf sich hatte. »Es gibt in Wyoming ein Gesetz, dass der Staat alles enteignen darf, was ein Verurteilter besitzt. Alles bis auf eine Sache, und das ist sein Auto. Ohne Auto ist man in Wyoming aufgeschmissen. Deshalb haben diese humanen, schwanzlutschenden Richter irgendwann in den wilden Zwanzigern beschlossen, dass in Wyoming Mobilität zur Menschenwürde gehört.« Wyoming war auch, das wusste ich schon, das hatte ich auch oft genug gesehen, der letzte amerikanische Staat, in dem man offen Schusswaffen tragen durfte. In vielen Pick-up-Trucks hingen Gewehre im Rückfenster. »Hier stehen Autos rum, die vor dreißig Jahren abgestellt worden sind und vom Staat gewartet werden müssen. Wenn jemand in die Freiheit spaziert, steht sein Schlitten, egal wie lange er bei uns war, vollgetankt und gesaugt am Gefängnistor. Schlüssel im Schloss.« Konnte das wahr sein? Wir kamen zum Parkplatz. Bestimmt dreihundert Autos. Zwischen heutigen Modellen blinkten riesige Amikutschen, die ich nur aus Filmen kannte, in der Sonne. »Wir haben hier eine eigene Werkstatt. Zwei Mechaniker sind dafür verantwortlich, dass jeder Wagen auf diesem Parkplatz jederzeit einwandfrei übergeben werden kann. Hier, das zum Beispiel ist ein '54er Chevy. Der ist in dem Zustand ein Vermögen wert. Gehört einem Kinderschänder aus Kansas. Der steht hier seit achtundzwanzig Jahren. Sein Besitzer hat ihn vor achtundzwanzig Jahren hier abgestellt, ist ins Gefängnis reinspaziert, und seitdem haben sich beide nicht mehr vom Fleck wegbewegt.« Er sprach undeutlich, und seine Hände waren immer noch nicht trocken.

Coach Kaltenbach fragte ihn: »Is paradise occupied right now?« »Yes, I think so. Let's have a quick look at it.« Wieder sah ich zuerst Unmengen Stacheldraht. Das Paradies war ein großer Wohnwagen ohne Räder, aufgebockt auf Holzbalken mit etwas Rasen drum herum und einem müden Wassersprenger, der es hin und wieder blechern auf das Wohnwagendach regnen ließ. Es hatte seinen eigenen Wachturm, und Coach Kaltenbachs Bruder grüßte mit seinen feuchten Händen in Richtung Wachturmscheibe. Ich sah niemanden, nur gespiegelten Stacheldraht. Über dem Eingang hing ein rustikales Holzschild, so wie über vielen Rancheinfahrten in Wyoming. Darauf stand, grob geschnitzt: »Welcome to Paradise«. Der Wohnwagen hatte rote Gardinen. »Here, at this lovely place our prisoners can meet their girls. If they behave well, they're allowed to do so every two months.« Da ging die Tür des Wohnwagens auf, und ein ausgemergelter nackter Mann trat ins Freie. Er lief ein Stückchen über den nass gesprengten Rasen und pinkelte. Einzelne Urintropfen blieben funkelnd am Stacheldraht hängen. Coach Kaltenbach und sein Bruder lachten. Sie lachten genau gleich. Vollführten aus dem Stegreif eine kleine Lachnummer: nach vorne beugen und zurück, Luft holen, und wieder vor und zurück. Waren sie vielleicht doch Zwillinge? Ich sah ihnen ein Weilchen beim Lachen zu. Währenddessen pinkelte der nackte Häftling noch immer. Breitbeinig, freihändig, die Arme hinter dem Kopf verschränkt. In einem Bademantel, mit herabhängenden Bademantelgürtelenden, sah ich im beschatteten Wohnwagentürchen die Umrisse einer Frau. Mit quäkender Stimme rief sie zum Wachturm hinauf: »Next one!«

Dieses »Next one« hat mich während meines ganzen USA-Aufenthalts verfolgt. Überall quetschten Frauen einem dieses ewig gleiche »Next one« in die Ohren. Im Kino, beim Arzt, bei McDonald's. Überall saßen Frauen mit schlechten Frisuren und quäkten »Next one, next one, next one«. Die Brüder unterbrachen ihr Lachballett und sahen mich an. Sie wurden sich immer ähnlicher. Coach Kaltenbachs Bruder zwinkerte mir zu und sagte: »This is Paradise.« In Begleitung von zwei Aufsehern tippelte ein Mann zum Wohnwagen. Er sah mit seinem langen schwarzen Haar und der runden Brille wie ein intellektueller Indianer aus. Die Frau warf die Gefängniskleidung vor die Füße des Nackten. Er zog sich an und wurde abgeführt. Jetzt sah ich die Frau genauer. Unter dem Bademantel trug sie etwas Rosanes mit vielen Löchern. Der Indianer zwängte sich durch die enge Wohnwagentür. Der Coach und sein Bruder lehnten sich über die Eingangsschranke, Zwillingscowboys am Kuhgatter, und grinsten den Wohnwagen an. Warum geschieht leider eigentlich immer genau das, was man erwartet? Der Wohnwagen wackelte. Mal langsam, dann schneller, dann passierte eine Zeit lang gar nichts, und die Brüder riefen im Chor: »New position.« Ein Schrei. So klingen schwere Schränke, die man über Steinfußböden schiebt. Und im nächsten Moment rüttelte der Wohnwagen wieder los. Der Coach rief laut »Jesus!« und »Oh my God!« und spuckte seinen Kaugummi genau auf die Stelle, wo auch schon der Kaugummi seines Bruders lag. Die Laute waren Furcht einflößend. Dann war es vorbei. Aus der Tür trat der Indianer. Sein langes Haar klebte ihm im Gesicht. Er riss die Arme hoch, sah zu uns herüber. Rief »Yeahh!« und streckte sich. Die Frau rief laut: »Next one!«, und der Bruder sagte zu mir: »Come on, now I show you the prison.« Ich sah gerade noch, wie ein alter Mann gegen seinen Willen zum Paradies gezerrt wurde, sich wehrte und zusammen mit beiden Aufsehern im Wohnwagen verschwand.

Wir passierten drei Sicherheitsschleusen. Jedes Mal wurde ich als »The guy from Germany« vorgestellt. Einer der Schließer fragte mich: »Oh Germany! You are really from Germany?« Ich nickte. »How did you get out?« Ich hatte keine Ahnung, wovon er sprach. Er klopfte mir auf die Schulter:

»Welcome to America. Enjoy freedom and peace!« Coach Kaltenbachs Bruder musste zeigen, wie viele Kugeln er in seinem Colt hatte. Mit einem angeberischen Salto mortale ließ er ihn zurück in das Halfter springen. Leder und Eisen. Es braucht nicht viel, dachte ich, um an einem Beruf hängen zu können. Immer wurde hinter uns erst abgeschlossen, bevor vor uns aufgeschlossen wurde, und diejenigen, die ab- und aufschlossen, waren nie mit uns im selben Raum. Man wurde also immer erst eingesperrt und dann wieder ein bisschen freigelassen. Wir kamen in einen großen Aufenthaltsraum, in dem Männer saßen, rauchten, Karten spielten oder vorm Fernseher hockten. Coach Kaltenbachs Bruder zeigte mir das ganze Gefängnis. Die Werkstätten, in denen die Nummernschilder von Wyoming gestanzt wurden, ein Rodeoreiter auf gelbem Blech. Die Großküche. Der Schrank mit den durchnummerierten Küchenmessern. Der Zellentrakt mit drei Etagen. Die Gittertüren der Zellen waren alle geöffnet. Ich hätte mir die Gefangenen gerne genauer angesehen, aber ich hatte Sorge, zu sehr zu starren. Mich dagegen fixierten sie genau, das spürte ich. Ihre Gefängniskleidung mochte ich. Fester hellblauer Drillich. In jeder Zelle waren drei identisch gemachte Betten, unten, mittig, oben. Ein Tisch, ein Klo, ein Fernseher und mindestens ein Poster mit einer nackten Frau darauf. Doch die Brustwarzen und die Scham waren herausgeschnitten. Coach Kaltenbachs Bruder erklärte mir ungefragt, was es damit auf sich hatte. Wieder war ich mir nicht sicher, ob ich ihn richtig verstand. Er sprach so, als hätte er eine ganze Packung Kaugummis im Mund, als wären seine Zähne, seine Zunge selbst aus Kaugummi. »Die Gefangenen dürfen sich zwar diese Bilder aufhängen, aber man darf nichts Obszönes sehen. Der Zellenälteste heißt ›the keeper of nipples and pussies‹. Nach dem Einschluss kann man sie sich bei ihm für 'ne Kleinigkeit ausleihen und mit 'nem

Kaugummi ins Poster pappen.« Er lachte, hielt zum ersten Mal seine endlich getrockneten Hände still. Coach Kaltenbach wollte gerade wieder in die Lachnummer mit einsteigen, als sein Bruder sagte »I'll be back soon« und kurz in einen Waschraum verschwand. Wir gingen weiter. Auf einem sandigen Platz spielten Häftlinge mit sehr gedämpftem Einsatz Basketball. Einer von ihnen warf mir den Ball zu, und ich traf tatsächlich aus großer Distanz. »Not bad«, rief er herüber, »wanna stay with us?«

»And now!« – die Miene von Coach Kaltenbachs Bruder verfinsterte sich ironisch, und er sprach effektvoll düster – »our main attraction. Highly restricted area. But for you I'll make a special exception. Because it's you, the guy from Germany, a specialist. So here it is: the death row.« Wieder mussten wir durch diverse Sicherheitsschleusen. »Right now we have sixteen prisoners here on death row!« Er erklärte mir, dass sie hier auf die Vollstreckung ihres Todesurteils warten würden. Aber es sei verflucht lange her, dass einer von diesen »sons of bitches«, wie er sie nannte, wirklich dran glauben musste. Seit zwölf Jahren wäre in Wyoming niemand mehr hingerichtet worden. Hier säßen die wirklich schweren Jungs. Jeder von denen hätte es verdient, dass man ihm eine Spritze verabreichte. Er kündigte an, mir auch noch die Todeskammer, in der die Hinrichtungen vollstreckt wurden, zu zeigen. Stolz rief er: »So look around. Do you see the white line on the ground? Never leave it. Watch your step. Stay on the line. So you make sure they can't attack you. Stay out of reach.« Links und rechts waren die Zellen. Schwere Eisentüren mit einer kleinen vergitterten Öffnung. Je zehn Zellen links und rechts vom Gang und in der Mitte eine weiße Linie. Was hatte er gesagt? »Out of reach?« Ich balancierte auf der Linie durch den Todestrakt, Coach Kaltenbach hinter mir. Ich war mir sicher, würde ich auch nur einen Millimeter neben die Linie treten, würde sich wie eine Muräne die Hand eines Massenmörders auf mich stürzen. Coach Kaltenbachs Bruder kümmerte sich nicht um die weiße Linie und schlenderte entspannt von Zelle zu Zelle. Durch die schmalen Gitter konnte ich nicht viel erkennen. Da ein Bein auf einer Pritsche, da einen Arm auf einem im Boden verankerten Metallhocker. Doch nach und nach hatten uns die Gefangenen bemerkt, traten an die Gitter und sahen mir beim Balancieren zu. Blass sahen die Männer aus, seltsam ähnlich. Kurz geschorene Schädel mit tief liegenden Augen. Coach Kaltenbachs Bruder winkte mich mit seiner wieder feuchten Hand zu einer Zelle. Ohne von der Linie zu gehen, beugte ich mich vor. Dort saß mit dem Rücken zu uns ein Mann auf dem Boden. Nur mit einer Unterhose bekleidet. Der Nacken, der ganze Rücken schwarz behaart. An irgendetwas erinnerte mich dieser Anblick, aber mir fiel nicht ein, woran. Der Bruder vom Coach sagte leise: »Killed his whole family.«

»Hallo!« – auf der Höhe der vierten Tür sprach mich jemand an. Mit heiserer Stimme – und auf Deutsch. Ich schwankte, verlor das Gleichgewicht und fiel von der Linie. »Du bist aus Deutschland, oder?« »Ja.« »Was machst du hier?« Ich stand direkt vor dem Gitter, höchstens dreißig Zentimeter zwischen unseren Gesichtern. »Äh.« »Was machst du hier?« »Äh, Urlaub.« »Urlaub? Na, da hast du dir ja wirklich ein schönes Fleckchen ausgesucht.« Der Coach und sein Bruder standen neben mir, hakten mich leicht unter und zogen mich zurück. »Gibst du mir deine Adresse? Ich würde dir gerne schreiben!« Ich war verwirrt. Coach Kaltenbachs Bruder legte den Arm um mich. »We have to go now.« Der Gefangene rief mir hinterher: »Schreib mir bitte! Bitte, versprich mir, dass du mir schreibst. Auf Deutsch. Ja? Schreib mir auf Deutsch!« Er presste sein Gesicht zwischen die Gitterstäbe: »Bitte schreib mir, bitte. Mein Name ist Randy Hart. Ja? Tust du das? Ich schreib dir dann zurück, ja? Auch auf Deutsch!« Kurz bevor wir in der Sicherheitsschleuse verschwanden, blieb ich stehen und drehte mich um. Das milchige Licht des Todestraktes, die spürbare Dicke der Mauern. Mir war nicht gut. »Schreibst du mir, ja? Bitte!« Und da – da nickte ich ihm zu. Er streckte seine Arme aus der kleinen Öffnung, klatschte in die Hände. »Du hast es versprochen«, rief er, »du hast es mir versprochen! Randy Hart. Vergiss es nicht. Schön, dass du hier warst.« Er brüllte: »DU HAST ES MIR VERSPROCHEN! ICH HEISSE RANDY HART!« Die Sicherheitstür fiel ihm ins Wort, und wir verließen den Todestrakt.

Ich hatte mir fest vorgenommen, eine bestimmte Frage nicht zu stellen, aber ich war zu neugierig. »What did he do?« Coach Kaltenbachs Bruder wusste es nicht. »But you can be sure that he got what he deserves. What did he want from you? What did he say?« »That I should write him a letter.« »Wow. So what are you going to do?« Ich bat erneut darum, mir zu sagen, was er verbrochen hatte. »Okay«, sagte Coach Kaltenbachs Bruder, »I'll wash my hands and then we'll look for Tom. Maybe he can help you!« Wir fanden Tom in seinem Büro. Er war Anfang sechzig, und auf seinem Schreibtisch lag ein Gewehr, dessen Lauf auf uns zeigte. Der Coach fragte mich, ob ich Randy denn wirklich schreiben wolle. Ich solle vorsichtig sein, denn wenn man damit einmal anfange, würde man so einen Gefangenen möglicherweise nie wieder los. Tom wusste sofort, wen wir meinten. »Na klar. Randy Hart! Windiges Bürschchen. Sitzt hier seit über sechzehn Jahren. Doppelmord in Deutschland. Ich glaube: Tankstelle. Wartet, ich schau mal nach.« Er öffnete einen Aktenschrank und begann zu lesen. Machte »Hmm«, blätterte um, pfiff leise und klappte die Akte wieder zu. »Genau wie ich gesagt habe: Doppelmord. In Babenhausen. Seine Mutter war Deutsche, sein Vater Soldat. Amerikaner. Randy Hart wuchs in Deutschland auf. Ging dort zur Schule. Mit fünfzehn ist er mit seinem Vater nach Wyoming gekommen. Mutter früh gestorben. Er ging wie sein Vater zur Armee. Wurde in Deutschland stationiert und hat dann eine Tankstelle überfallen. Den Tankwart erschossen und eine Frau. War lange auf der Flucht. Fast zwei Jahre. Sie haben ihn in Griechenland geschnappt. Es war nicht ganz klar, ob er in Deutschland oder hier bei uns vor Gericht musste. Wurde überstellt und hier wegen heimtückischen Doppelmordes zum Tode verurteilt. Die Deutschen haben schon ein paar Mal versucht, ihn ausliefern zu lassen, aber jetzt scheint die Sache eingeschlafen zu sein. Seit über sechzehn Jahren ist er bei uns. Einmal wären wir ihn fast losgeworden. Da war das Schwein schon auf der Pritsche festgeschnallt. Aber dann hat unser feiger Gouverneur Druck aus Deutschland bekommen. Daran erinnere ich mich noch genau. Das muss vor vier, fünf Jahren gewesen sein.« Ich ließ mir die Adresse des Gefängnisses geben. Auf einem Zettel, den ich sorgfältig faltete und sicher verwahrte. Der Coach und sein Bruder waren enttäuscht, dass ich mir die sogenannte »Death chamber« nicht mehr ansehen wollte. »Hey German, you will love it!« Aber ich hatte genug. Sie boten mir sogar an, mich auf der Pritsche festzuschnallen und zu fotografieren! Als Souvenir bekam ich von Coach Kaltenbachs Bruder ein Gefängnishemd geschenkt, genau in dem hellblauen Drillichstoff, der mir so gut gefiel. Auf dem Rücken stand »WYOMING STATE PRISON«.

Auf der Heimfahrt nahmen wir Coach Kaltenbachs Bruder mit und besuchten ihre Eltern in Rawlins. Der Vater sprang dem Coach zur Begrüßung auf den Rücken und sie drehten eine Runde auf der Einfahrt. Er sah eher aus wie ein noch älterer Bruder, ebenfalls klein gewachsen und mit etwas in die

Jahre gekommenen Muskelbergen bepackt. Die Eltern hatten schon auf uns gewartet, und es gab etwas zu essen. Coach Kaltenbachs Mutter war noch kleiner als ihre Söhne. Auch sie hatte ein breites Kreuz, dicke Bizepse in der Bluse. Besorgt sah sie ihren Sohn von schräg unten an. Seine Stirn, die blutunterlaufenen Augen. Er bekam ein neues Pflaster und eine duftende Salbe. Der Geruch dieser Salbe, Kampfer, Menthol, umhüllte Coach Kaltenbach später auf der Rückfahrt.

»Hurry up« rief sie, »hurry up, dinner is starting!« Direkt neben dem Tisch stand ein Fernseher. Eine Sendung begann, in der eine Familie um einen Tisch herum saß, der genauso aussah wie der Tisch, an dem ich jetzt saß. Die gleiche Tischdecke, die gleichen gemusterten Teller und Gläser. Ja, es sah sogar so aus, als würde die Tischdecke in den Fernseher übergehen. Die Fernsehmutter brachte das Essen. In dem Moment kam auch Coach Kaltenbachs Mutter mit dem Essen. Wir beteten, und auch die Fernsehfamilie betete. Und dann gab es für uns alle das gleiche Essen. Weiche, mit Truthahn und Pilzen gefüllte Tortillas. Der Familie im Fernsehen schmeckte es ausgezeichnet, und sie überhäufte die Mutter mit Lob. Selbst das kleine blond gelockte Mädchen rief strahlend: »I want some more! Mommy, you are the best mother in the whole wide world.« Sie waren trotz der Riesenportionen, die sie in sich hineinschaufelten, alle schlank. Wir aßen eher schweigsam die leicht versalzenen Tortillas und starrten in den Fernseher. Als die Fernsehfamilie aufgegessen hatte, drehte sich plötzlich die Mutter auf ihrem Stuhl herum und sprach uns direkt aus dem Gerät heraus an. »Well, did you like it?« Coach Kaltenbachs Vater murmelte »Not really!«, wurde aber augenblicklich durch ein »Pssst!« seiner Frau niedergezischelt. Im Fernsehen wurde das Rezept für den nächsten Tag angekündigt. Zum Abschied winkte die tortillabeglückte Familie uns zu. Die Sendung hieß »Eat with us!«. Sie sahen sie jeden Abend. Coach Kaltenbachs Vater war schon in Rente, aber auch er war Gefängnisaufseher gewesen. Er erinnerte sich gut an Randy Hart. Er wäre so ein freundlicher Mensch – »educated!«. Hätte aber in all den Jahren nie Besuch bekommen. Monatelang war er friedlich gewesen, aber dann, aus dem Nichts, konnte er gewalttätig werden und um sich schlagen. Danach sei er dann jedes Mal fassungslos über sich selbst gewesen.

Am späten Nachmittag, große Raubvögel kreisten über dem Haus, musste ich mich im Garten auf einen Stuhl setzen. Der Garten war nichts weiter als eine sandige Fläche, auf der die gleichen Gräser wuchsen wie jenseits des Zaunes, wo bereits die Prärie begann. Vater, Mutter und beide Söhne verschwanden im Haus. Ich saß da, wartete und fragte mich, warum ausgerechnet über dem Haus der Kaltenbachs Adler wie Geier kreisten. Ich hörte zuerst die Musik. Dann kam langsam eine chromglänzende, altmodisch geschwungene Stoßstange um die Ecke, eine lackrot glänzende Kühlerhaube. Darauf stand Coach Kaltenbachs Mutter, eingeölt, in einem knappen Trikot. Sie hatte die Arme erhoben, abgewinkelt, und ihre großen Bizepse glänzten in der Sonne. Das Auto schob sich weiter um die Hausecke. Auf dem Dach standen der Vater und Coach Kaltenbachs Bruder, beide in winzigen Höschen. Sie wechselten wie in Zeitlupe ihre Posen, spannten ihre öligen Muskeln und grinsten dabei. Coach Kaltenbach stoppte den Schlitten einige Meter vor meinem Platz, stieg aus und kletterte zum Rest der Familie aufs Auto. In einer perfekt einstudierten Choreografie präsentierten sie mir Muskelgruppe für Muskelgruppe. Coach Kaltenbachs Mutter hatte wasserstoffblonde Haare, und unter ihrer sicherlich künstlich gebräunten, alterswelken Haut kontrahierten sich eindrucksvoll perfekte Bauchmuskeln. Im Takt der Musik, es war ein beschwingter amerikanischer

Schlager, formierten sie sich zum großen Finale. Die Eltern knieten, die Brüder standen. Wie antike Statuen verharrten sie bewegungslos, gespannt bis in die feinste Faser ihrer Körper. Das Lied war vorüber, ich klatschte, sie sprangen wie eine Zirkusfamilie vom Auto herunter, nahmen sich an den Händen, verbeugten sich, und über ihnen kreisten die Adler. Kurz bevor wir losfuhren, kam die Mutter mit einer Schüssel voller Steaks. Ich dachte: Jetzt noch Grillen? Wird das nicht ein bisschen spät? Sie nahm einen der Fleischlappen und warf ihn aufs Dach. Dann den nächsten. Lautlos stürzten die Adler hinab, große Raubvögel mit weißen Puscheln über den Krallen und gelben Schnäbeln. Sie schnappten sich geschickt die Steaks vom Wellblech und segelten davon. Coach Kaltenbachs Vater sagte: »That's my wife. Other people feed birds, she's feeding eagles.« Zum Abschied kniff er mir prüfend in den Oberarm und fragte: »Made in Germany?«

Als ich und Coach Kaltenbach zurück nach Laramie fuhren, wurde es bereits dunkel. Wolkenschatten über der Prärie. Viel Himmel. Wir redeten kaum. Ich sah zu ihm herüber. Er zuckte rhythmisch mit seinen Bizepsen zur Countrymusic. Da kam ein Song von Elvis Presley, »In the Ghetto«. Und schlagartig fiel mir ein, an wen mich der haarige Rücken des Gefangenen, der seine ganze Familie getötet hatte, erinnerte:

Meine Mutter, meine beiden älteren Brüder und ich machten einen Ausflug nach Hamburg in den Zoo: Hagenbecks Tierpark. Ich war zehn Jahre alt. Mein Vater blieb wie immer zu Hause. Während er uns verabschiedete, konnte er die Freude darüber, den Tag alleine, ohne seine drei Söhne und seine Frau zu verbringen, kaum verbergen. Immer wieder sagte er »Fahrt vorsichtig!« oder »Grüßt mir die Affen!«, öffnete, obwohl noch keiner seine Schuhe anhatte und jeder noch etwas für die lange Fahrt suchte, die Haustür und scheuchte uns sorgenvoll aus dem Haus. Mein ältester Bruder durfte schon vorne sitzen. Er bestimmte über die Musik im Radio. Mein mittlerer Bruder saß neben mir, las durch seine dicke Hornbrille hindurch in einem Buch. Wir erreichten den Zoo gegen Mittag. Jeder von uns hatte seinen eigenen Rucksack dabei. Wir kauften unsere Eintrittskarten und wollten gerade hineingehen, als mein ältester Bruder sagte: »Oh, ich habe, glaub ich, vergessen, das Radio auszuschalten. Ich hab es nur leise gedreht, aber nicht ausgemacht.« Meine Mutter wollte zurückgehen. Ich sagte ihr, dass ich das gern übernehmen würde. Ich mochte diese Art von Aufgaben. Ich mochte dieses Gefühl, wenn ich für Momente auf mich allein gestellt war. Alleine zum Bäcker gehen. Für eine Stunde alleine zu Hause sein, ein Honigbrot schmieren und es im Ehebett meiner Eltern essen. Meine Mutter sagte: »Lieber nicht: Der Parkplatz ist so riesig. Du weißt doch gar nicht, wo wir geparkt haben!« »Doch, weiß ich!«, sagte ich. Mein mittlerer Bruder sagte: »Lass ihn doch, wenn er unbedingt will. Wir warten gleich hier bei den Flamingos.« Meine Mutter gab mir den Autoschlüssel. Ich lief durch den Ausgang über den großen Parkplatz und fand das Auto. Schloss auf und setzte mich hinter das Lenkrad. Ich drehte am Radioknopf. Ja, es war noch an. Es lief Musik, und für eine Zeit lang spielte ich Autofahren, kurbelte am Lenkrad herum. Da wurde die Musik unterbrochen: »Soeben erreicht uns die Nachricht, dass Elvis Presley tot aufgefunden wurde. Wir melden uns wieder, wenn wir Genaueres wissen.« Ich stellte das Radio aus, stieg aus, schloss sorgfältig ab und rannte zum Eingang. Ich erklärte dem Mann bei den Drehkreuzen, dass ich nur etwas vergessen hatte, und zeigte auf meine Brüder und meine Mutter, die ich bei den Flamingos stehen sah. Er ließ mich hinein. Ich rannte zu ihnen und rief: »Elvis Presley ist tot!« »Sehr witzig!« »Doch wirklich, ich habe es gerade im Radio gehört!«

»Wieso hast du denn Radio gehört? Na, wo wollen wir denn zuerst hin?« »Echt! Elvis Presley ist tot!« Mein mittlerer Bruder gab mir leichte Kopfnüsse, so, als würde er an einer Tür anklopfen, und sagte: »Hallo, jemand zu Hause?« Meine Mutter fragte: »Wollt ihr zuerst zu den Löwen oder den Bären?« Mein mittlerer Bruder wollte zu den Spinnen und Insekten, mein ältester Bruder zu den Fischen. »Elvis ist tot!«, rief ich immer wieder, doch keiner glaubte mir. Ich versuchte, mit meinen Brüdern zu wetten, aber sie hatten keine Lust. Vor jedem Tierkäfig beharrte ich auf dem Tod von Elvis Presley. Wir kamen ins Affenhaus. Hinter den großen Scheiben dösten die Gorillas. Der Käfig sah aus wie ein gekachelter Swimmingpool ohne Wasser. Einer der Gorillas saß mit dem Rücken zu den Besuchern und hatte einen Sack über dem Kopf. Mein mittlerer Bruder las etwas von einer am Käfig angebrachten Tafel vor: »Das ist Tunga. Er ist erst zwei Jahre alt und hier in Hagenbeck geboren. Hier steht's: ›In Gefangenschaft geboren‹.« Mein ältester Bruder sagte: »Mein Gott, so ein armes Schwein!« Woraufhin ihn mein mittlerer Bruder in seiner besserwisserischen Art korrigierte: »Das kann man nicht sagen, Bruderherz. Ein Gorilla kann kein armes Schwein sein! Das ist sprachlich ungeschickt. Totaler Nonsens!« Ich sah diesen sitzenden Gorilla im Sack, von dem nur die haarigen Fußrücken herausragten, dachte an den toten Elvis Presley, dessen Tod mir keiner glauben wollte, und hörte meine Brüder sprechen. Da ereignete sich etwas Eigenartiges: Die in sich abgekapselten Eindrücke fransten aus, verschmolzen miteinander und wurden eins. Ich stand im Affenhaus in Hamburg und wusste, ich würde diesen Moment, dieses Gespräch niemals vergessen. Mir war, als hätte ich Lupen auf den Augen, Mikrofone in den Ohren, einen verfeinerten Geruchssinn. Ich nahm die Gegenstände um mich herum in einer Plastizität wahr, die mir neu war. Ich sah die Gesichter, die eigentlich vertrauten Gesichter meiner sprechenden Brüder, meine den Gorilla mitleidig beäugende Mutter, ich sah sie alle! Doch wie zum ersten Mal. Das sind die Menschen, die dir am nächsten sind! Und doch hast du sie dir noch nie richtig angesehen, dachte ich. Ich hörte den Gorilla unterm Sack atmen und roch ihn durch das Glas hindurch, roch seine unergründliche Fremdheit, ja, ich roch seine Traurigkeit. Ich hörte mich selbst sprechen: »Glaubst du, Mama, der Gorilla ist glücklich?« »Ich weiß nicht. Vielleicht. Er kennt es ja nicht anders.« Mein ältester Bruder sah mich lakonisch an: »Also, in Gefangenschaft geboren und mit 'nem Sack überm Kopf. Klingt für mich nach einem echt glücklichen Leben.«

Immer, wenn ich von da an Elvis Presley hörte, dachte ich an den Gorilla Tunga, und sah ich Gorillas, dachte ich an Elvis Presley. Diese Erinnerung hatte erst viele Jahre später ihr haarsträubendes Finale. Ungefähr dreißig Jahre danach war ich wieder in Hagenbecks Tierpark. Nicht mehr als Kind mit meinen Brüdern und meiner Mutter, sondern als Vater mit meiner Tochter. Wir gingen in das Affenhaus, und mich traf der Schlag: Da saß ein Affe, abgewandt, mit einem Sack über dem Kopf, und auf der Tafel stand: »Tunga wurde in Gefangenschaft geboren und ist unser ältester Primat.« Meine kleine Tochter klopfte an die Scheibe, rief »Runter mit dem Sack! Dreh dich um! Ich will dich sehen!«, und ich dachte an Elvis Presley.

Nach diesem Gefängnisbesuch wusste ich nicht, was ich tun sollte. Randy Hart! Ihm schreiben oder nicht? Ich hatte es versprochen. Ich hatte genickt. Ich wartete eine Woche. Eine zweite. Nach drei Wochen schrieb ich ihm eine belanglose Karte, fragte ihn, wie es ihm denn so ginge, und wünschte ihm alles Gute. Ich schrieb ihm auf Deutsch, so wie er es von mir verlangt hatte, aber ohne Absender.

Mit meinen Gasteltern verstand ich mich gut, nur mit Don wurde es von Woche zu Woche schlimmer. Ich war einiges von meinen Brüdern gewohnt, aber ihre Gemeinheiten relativierten sich durch friedliche, ja liebevolle Momente der Gemeinsamkeit. Doch Don hatte ganz offensichtlich entschieden, dieses ganze Jahr hindurch, in dem ich direkt neben seinem Zimmer leben und schlafen sollte, sich nicht einen Millimeter auf mich zuzubewegen. Er ignorierte mich und gab mir Tag für Tag klar zu verstehen, dass ich ihm unwillkommen war. Ich kam in die Küche und sah, wie er sich eine frisch aufgebackene Pizza aus dem Ofen nahm. Ich fragte ihn, ob ich ein Stück abbekommen könnte. Er blinzelte mich durch seine Stirnfransen hindurch missbilligend an. »Yes, sure!« Er nahm ein Messer. »Just a little one, please«, sagte ich. Er schnitt mit dem Messer akkurat das Innere der Pizza heraus. Trennte den gewölbten Pizzarand von der üppig belegten und goldbraun überbackenen Pizzascheibe. Diesen Ring, diesen hart gebackenen Pizzarandring, legte er mir auf meinen Teller. Als Gipfel der Gemeinheit hatte er noch, bevor er mit seinem Pizzastück, der rindenlosen Köstlichkeit, in seinem Zimmer verschwand, durch diesen Ring hindurchgeschaut, mich angesehen und fies gelächelt.

Im Keller stand ein Poolbillardtisch. Wie unendlich gerne hätte ich dort gespielt. Meine Güte, ein eigener Poolbillardtisch im Keller! Doch Don war der gnadenlose Verwalter der Billardkugeln. Wenn ich ihn im Keller spielen hörte, die Kugeln lockend aneinanderklackerten, hinunterging und fragte, ob ich mitspielen dürfe, sagte er nur: »I prefer to play alone!«

Ursprünglich hatte jeder der drei Gastbrüder sein eigenes Pferd besessen. Als der älteste, Bill, ausgezogen war, hatte er sein Pferd verkauft und von dem Geld eine Reise gemacht.

Genauso hatte es auch Brian, der mittlere, getan. Das letzte Pferd, das auf dem vergatterten, staubigen Präriegeviert gelangweilt in den Wind blinzelte, war Dons Pferd. Es hieß Mr. Spock, da es angeblich spitze Ohren hatte. Alle drei Namensgeber waren Crewmitglieder des Raumschiffs Enterprise gewesen. Nie, so hatte es mir mein Gastvater freimütig erzählt, hatte sich Don um dieses Pferd gekümmert. Geritten hätte er es nur ein einziges Mal.

Als ich zu Mr. Spock ging, war es Abend. In der Ferne über den Bergen kreuzten sich zwei Kondensstreifen zu einem himmelüberspannenden X. Die Weite dieser Landschaft legte sich als leichter Druck auf meinen Kopf. Ich hatte stets die Landschaft zu Hause, den schleswig-holsteinischen Himmel, als weit und offen empfunden. Doch es war kein Vergleich zu dieser Leere, die die Ausdehnung des eigenen Ichs zusammenschrumpfen ließ. Ich fühlte mich winzig klein in dieser Weite. Bei mir zu Hause gab es immer nur ein Wetter zur Zeit. Hier in Laramie tummelten sich in der Weite des Himmels gleichzeitig alle möglichen Wolkenformationen. Ich stand am Gatter von Mr. Spock und sah über den Rocky Mountains ein Gewitter mit Blitzen und grauen Regenschleiern, während weiter links über einer Ebene am wolkenlosen Himmel die Sonne unterging. Ich drehte mich um. Vor mir zig in ordentlicher Formation dahinziehende Schäfchenwolken, rosa überhaucht. In einem anderen Himmelsfeld gigantische, weiß wabernde Wolkenmassive, die sich wie im Zeitraffer unermüdlich verwandelten. Sich übereinander- und ineinanderschiebende Kumuluswolkenberge. Direkt über mir ein graues Wolkenskelett mit Wolkenwirbeln und -rippen. Unter diesem ganzen Spektakel stand ungestriegelt und gelangweilt Mr. Spock. Ich rief seinen Namen und schnalzte mit der Zunge. Er ließ seinen Kopf hängen. Obwohl er weit weg stand, sah ich, dass er seine Ohren nach hinten gelegt und mich gehört hatte. Am Abend fragte ich Don, ob ich Mr. Spock reiten dürfe. »Try and die!« war seine kryptische, aber eindeutig unfreundliche Antwort.

Fast jeden Tag lief ich nach dem Tennistraining runter zum Gatter. Aus dem grün gesprengten Garten brachte ich ihm frisch gemähtes Gras mit. Es war das einzige Gras weit und breit. Schon mehrmals hatte mein Gastvater beim »The Beautiful Yard Contest« den ersten Preis gewonnen. Täglich kam ich an den Urkunden in unserem dunklen Flur vorbei. Ich winkte Mr. Spock mit dem Grasbüschel zu und rief: »Na komm!«, oder auch auf Englisch: »Look what I've got for you! Lecker, lecker green grass!« Das gefiel dem Pferd gar nicht. Es legte die Ohren an und schnaubte ins strohige Präriegras. Es war hin- und hergerissen zwischen seiner Ablehnung und seiner Neugierde, seinem Heißhunger auf das frische Gras und seinem Misstrauen. Mr. Spock wurde richtig böse. Trabte nervös im Kreis. Kam ein Stückchen näher, wieherte, scharrte mit einem Vorderhuf. Ich überlegte, ob ich ihm das Gras über den Zaun werfen sollte. Das würde dir so passen, dachte ich und streute es vor dem Gatter auf den Boden. Wütend galoppierte Mr. Spock auf mich zu. Er sah mich an. Mit gesenktem Kopf. Ich musste lachen, denn er sah in diesem Moment genauso aus wie mein Gastbruder Don. Die gleichen Stirnfransen, der gleiche blasierte Blick, die gleiche affektierte Art den Kopf zu schütteln. Das ganze Wesen des Pferdes genauso verschlagen wie das meines gehässigen Zimmernachbarn. Und so war es auch ein winziger Triumph über Don, das Gras außerhalb des Zaunes, unerreichbar, aber gut sichtbar liegen zu lassen und zu gehen.

Wo genau mein Ehrgeiz herkam, dieses Pferd, diesen schlecht gelaunten ungepflegten Gaul, freundlich zu stimmen, weiß ich nicht. Täglich ging ich zu ihm und lockte ihn mit frischem Gras und sprach mit ihm. Wie einem drittklassigen Pferdeflüsterer gelang es mir, Mr. Spock durch ausgeklügelte Pferdepädagogik zu ersten Anzeichen von Zuneigung zu verführen. Bei Don war ich chancenlos, doch das saftige Gras und meine Engelsgeduld erwärmten Grad für Grad die vereiste Pferdeseele. Ich setzte mich auf den oberen Stamm des Gatters, der klebrige Harzspuren an meinem Hosenboden hinterließ, hielt das Gras in der Hand und wartete. Meine Gastmutter kam dazu: »Nobody has touched him for years. Be careful, he might bite you!« Wie sich Mr. Spock durch unzählige Schichten seines Misstrauens wand, wie er, wenn ich wieder mal das Gras auf den anwachsenden Haufen vors Gatter warf, schnaubend scharfe Kurven galoppierte, ermutigte mich. Der Moment, als er sich verwandelte, sich komplett verwandelte, kam völlig unvorbereitet. Ich saß auf meinem Stamm. Meine rechte Pobacke schmerzte, da mich am Nachmittag die Ballmaschine erwischt hatte. Es ging ein schwacher kühler Wind. Mr. Spock rieb sich auf der gegenüberliegenden Seite grob und grantig die Blesse an einem Pfahl. Wie es mir zur Gewohnheit geworden war, rief ich ihm etwas zu: »Come on, don't be so … stur. Hier gibt's schönes frisches Gras! Look here! Lecker, lecker green grass!« Da hob das Pferd den Kopf, sah in den Himmel, stellte die Ohren auf, schüttelte sich und kam munter, sehr jugendlich, in leichtem Trab auf mich zugelaufen. Ich hielt ihm das Gras hin, und Mr. Spock fraß es aus meiner Hand. »Na, du Verrückter«, flüsterte ich, »da bist du ja endlich!«

Zwei Tage später, er kam jetzt immer gleich angelaufen, wenn er mich sah, klopfte ich ihm vom Zaun herunter zum ersten Mal den Hals. Ich fand im Stall einen verstaubten Beutel mit Bürsten und einem Kamm. Ich kletterte über den Zaun und stellte mich vor ihn. Mr. Spock stupste mich mit seiner weichen Nase an, blähte die Nüstern. Ich sprach leise mit ihm, ließ ihn an meiner Hand schnuppern. Als ich ihm die Fransen seiner hippiehaften Mähne von den Augen streichen wollte, schnappte er blitzartig zu, biss mir mit seinen angefaulten, ekelhaft gelben Zähnen auf die Finger. Ich riss meinen Arm weg, wodurch das Pferd erschrak, sich auf die Hinterläufe stellte und direkt über meinem Kopf mit den Hufen in die Luft boxte. Ich ließ mich panisch fallen und rollte unter dem Zaun hindurch in Sicherheit. Wie ein Wildpferd im Wahn, vorne und hinten ausschlagend, sprang Mr. Spock in seinem Präriegehege herum. Minutenlang. Ich stand auf, brüllte ihn an: »Mein Gott, bist du ein Arschloch, blödes, hinterhältiges Arschloch!« Und dann noch mal, um ganz sicher zu sein, dass er mich verstand: »Asshole, bloody asshole!« Da gab es noch jemanden, dem ich diesen Satz genauso gern entgegengebrüllt hätte. Ich sah mir meine Hand an. Drei blau verfärbte, zerquetschte Nägel. Es tat so weh! Die Nagelbetten wie unter Schock, nur unentschlossen blutend.

Ich versuchte, die Verwundung vor Stan und Hazel zu verbergen, und auch Don wollte ich diesen Sieg unter keinen Umständen gönnen. Beim nächsten Tennistraining rief mich Darren Warren, der Tennistrainer, zu sich und fragte mich, warum ich keinen einzigen Ball treffen würde. Ich hielt ihm wie für einen Handkuss meine Finger hin. Drei geschwollene lila Würste mit tiefschwarzen Nägeln. Der stets ein wenig taumelnde Darren Warren taumelte noch ein bisschen stärker. Er fragte: »Cardoor?« Ich antwortete: »No, horse.« Doch das mit dem Auto fand ich eine gute Idee und erzählte es am Abend zu Hause. Don glaubte mir nicht, schüttelte den Kopf und sagte nur: »Cars don't bite!«

Darren Warren schickte mich gleich zum Schularzt. Unter jedem meiner drei zerquetschten Nägel pochte ein eigenes kleines Herz. Ich kam ins Vorzimmer der Schularztpraxis. Hier stand der sagenumwobene Eiswassertrog. Sobald sich ein Sportler der Laramie Highschool verletzt hatte, wurde er hierhergeschickt. Basketballer mit verstauchten Fingern, Footballspieler mit Prellungen, Leichtathleten mit Zerrungen in den Oberschenkeln, Turner, die von den Ringen rücklings neben die Turnmatte geknallt waren: Jeder musste in diesen Eiswassertrog hinein. Alle halbe Stunde kam, das hatte mir Rob aus dem Tennisteam erzählt, ein Assistenzarzt mit zwei großen Eimern voller Eiswürfel und schüttete sie in den Trog.

Als ich das Vorzimmer betrat, standen ein Hochspringer, auf einem Bein wie ein Reiher, und ein Footballspieler, beide nackt, um den Trog herum. Der Footballspieler ließ sich ins Wasser gleiten und verzog keine Miene. Das ermutigte den Hochspringer. Vorsichtig tunkte er seine langen Beine in die Eiswürfel – zuckte entsetzt zurück. Das habe ich nie begriffen: Warum man, egal welche Verletzung man hatte, immer ganz in diesen Trog musste. Dass man Verletzungen kühlen sollte, wusste ich, das leuchtete mir ein, aber warum den ganzen Patienten einfrieren, auf null Grad runterkühlen? Ich wurde hereingerufen. Im Arztzimmer stand ein Junge in einem weißen Kittel. »Where is the doctor?«, fragte ich. »I am the doctor! Lay down.« Ich zeigte ihm meine drei Finger. Er betastete sie behutsam mit seinen Kinderfingern. Ich konnte immer noch nicht glauben, dass das der Arzt sein sollte. Vielleicht durften hier Schüler ihren Berufswunsch testen? Er band mir eine Plastikschürze um und erklärte mir rasend schnell, was zu tun sei. Ich verstand kaum etwas. Er nahm eine Nadel und erhitzte sie über einem Feuerzeug. »Don't move!« Mit der Spitze der Nadel bohrte er mir durch den Nagel. Es roch nach verkohlem Huf wie beim Pferdebeschlagen. Als er die Nadel herauszog, spritzte aus dem kleinen Loch wie aus einem geöffneten Ventil das Blut heraus. Ein hoher Strahl, auf seine Plastikschürze, bis zum weißen Metallschrank und über den Boden. Der juvenile Arzt murmelte »Damned!« und presste mir das Blut aus meiner Fingerkuppe. Das erste bummernde Nagelherz war verstummt. Die beiden anderen Nägel wurden durch dieselbe Prozedur vom Überdruck befreit. Er redete auf mich ein. Schnell und beiläufig, während er mit mehreren auf den Boden geworfenen Papiertüchern mit der Schuhspitze mein Blut aufwischte. Ich verstand nur, dass mir mit etwas Glück die Fingernägel nicht ausfallen würden. »And now«, sagte der junge Arzt, »get in the icewater!«

Als ich zum Trog kam, sah ich drei Kerle im Wasser liegen. Bürstenhaarschnitt, Kautabak kauend, voller Vorfreude darauf, dass ich mich gleich zu ihnen ins Eiswasser hineinquälen würde. Doch wenn es etwas gab, was mich nicht beeindruckte, dann war es das: Kälte. Ich zog mich aus und ließ mich ganz selbstverständlich in den Trog gleiten. Die Kurzgeschorenen nickten mir voller Hochachtung zu, und einer sagte: »Respect!«

Von meinen gequetschten Fingernägeln musste ich mich verabschieden. Einer nach dem anderen löste sich vom verheilten Nagelbett. Unter jedem abgeklemmten Nagel kam ein heimlich schon herangewachsener neuer Nagel zum Vorschein. Für Wochen waren die schutzlosen Fingerkuppen überempfindlich. Sahen seltsam nackt aus mit diesen weichen Babynägeln.

Mit Mr. Spock musste ich wieder von vorne anfangen. Er sah mich, legte die Ohren an und drückte sich in der hintersten Ecke des Geheges herum. Doch ich wusste, dass er wiederkommen würde. Ich setzte mich auf meinen alten Platz, auf den oberen Stamm des Gatters, und wartete. Wie gut die Luft war. Diese dünne, klare Luft. Nach einer Woche stand er wieder vor mir und stupste mich mit seiner zarten Schnauze an. Diesmal ließ ich mir mehr Zeit. Als ich ihn das erste Mal striegelte, zuckten unter seiner Haut überall kleine Muskeln. Mr. Spock stand da, etwas breitbeinig, und rührte sich nicht. Jedes Mal, wenn ich die Bürste über sein zotteliges, nach und nach samtiger werdendes Fell bewegte, verfiel er in diese Glücksstarre. Schob wohlig seinen schwarzlila Pimmel raus und ließ sich von mir striegeln.

Ich schnitt ihm die Mähne, sodass er endlich freie Sicht hatte. Das mochte er nicht, da zeigte er mir sein Pferdegebiss, schüttelte sich und schnappte nach mir. Ich nahm seinen Kopf in beide Hände, legte meine Finger um seine gewaltigen Kiefer und meine Stirn an seine Stirn: »Du spinnst wohl. Damit fangen wir nicht wieder an!« In seinen gewölbten Augen sah ich Einsprengsel und unter den gespiegelten Wolken eine warme braune Tiefe. Zwei Wochen lang führte ich ihn ohne aufzusitzen mit dem Westernsattel auf dem Rücken im Gatter herum. Mein Gastvater stand am Zaun und sagte: »Finally friends!«

Eines Morgens wachte ich auf, und es hatte geschneit. Schon seit Wochen war das den kurzen Sommer ignorierende Weiß von den baumlosen Berggipfeln langsam die Hänge hinunter zu den Waldrändern gekrochen und hatte die Prärie erreicht. Nun hatte der Winter in einer einzigen Nacht das ganze Hochplateau erobert. Ich ging hinaus auf die Holzveranda. Alles hauchdünn mit Pulverschnee bedeckt. Mir kam es so vor, als ob erst jetzt, unter dieser feinen Schneedecke, die Landschaft zu ihrem Ursprung fand. Dem Sommer war es nie gelungen, die Kälte zu vertreiben, der Herbst brachte Stürme und Regen. Oft war mir die Landschaft uninteressant vorgekommen: eine fahle Einöde. Erst durch den Schnee fand diese Landschaft zu sich selbst. Die klirrende Kälte passte viel besser zur kargen Gegend als die unentschiedene, schwächliche Wärme. Die ganze Zeit hatte ich den Winter gefürchtet, jetzt freute ich mich auf ihn.

Ich lag in meinem Zimmer und hörte Musik. Dire Straits: »These mist covered mountains – are a home now for me –

but my home is the lowlands – and always will be …« Das Telefon klingelte nebenan im Wohnzimmer. Hazel kam zu mir herein: »It's for you. Your dad.« Am Dienstagabend? Wir telefonierten eigentlich immer nur sonntags. Ich sagte: »Hallo, Papa.« »Hallo, mein lieber, lieber Sohn!« Seine Stimme war ganz leise. Ich wusste sofort, dass etwas Furchtbares geschehen war. »Was ist denn, Papa?« »Es ist etwas ganz, ganz Schlimmes passiert. Ach …« »Ja?« Ich hörte ihn weinen. »Was denn?« Er erzählte mir, dass mein mittlerer Bruder mit dem Auto verunglückt sei – tot.

Ich ging zurück in mein Zimmer, setzte mich auf die schwankende Matratze meines Wasserbetts, sah zu Boden und wunderte mich über die verschlungenen Muster des Teppichs, die mir noch nie aufgefallen waren. Es klopfte. Hazel kam herein und fragte: »What happened?« Ich sah sie an, wollte antworten, aber mir fiel kein einziges englisches Wort mehr ein. Ich versuchte es. Ein furchtbares Gestammel. Ich suchte nach den Wörtern, sagte auf Deutsch: »Mein Bruder … ääh … mein … bro… mein … äh … my …« Hazel sah mich an. Zögerte, wollte wieder gehen. Blieb doch. Ich musste im Wörterbuch nachsehen. Mit zitternden Fingern suchte ich mir den Satz zusammen. Hazel sah meine Not und wollte helfen. Es dauerte schrecklich lange. »My … brother … is … deaf.« Ich verwechselte tot und taub. Sie fragte mich: »Your brother is deaf?« Ich fand ›Autounfall‹. Da begriff sie. Taub durch Autounfall klang unwahrscheinlich. Schließlich fragte sie mich. »Your brother is dead?« Ich nickte. »Got killed in a car accident?« »Ja«, sagte ich erleichtert. »Ja« – auf Deutsch. Sie setzte sich neben mich. Eine sanfte Welle schwappte durch die Matratze, hob mich leicht. Lange saßen wir so da, dann ließ Hazel mich allein. Ich sah mich in meinem Zimmer um. Schon in diesem ersten Moment war ich entsetzt von der Gleichgültigkeit der Gegenstände, die mich umgaben, dieser Nachricht gegenüber. Die Stuhlbeine schienen in den Holzfußboden hineingewachsen zu sein. Unmöglich, den Stuhl zu verschieben. Stan kam zu mir ins Zimmer, schwarz angezogen, setzte sich, legte mir den Arm um die Schulter. »I'm so sorry.« Hazel kam zurück, auch schwarz angezogen, und setzte sich an meine andere Seite. So saß ich da, mit meinen schwarz angezogenen Gasteltern auf einem Wasserbett in Laramie, und der Pudel leckte meine Socken ab, bis ich die Nässe an den Zehen spürte.

Später fuhren wir in die Kirche. Es war keine Messe, aber Stan hatte einen Schlüssel. Ich setzte mich, und Stan ging mit einem riesigen Streichholz von Kerze zu Kerze und zündete sie an. Jedes Mal, wenn er am Altar vorbeikam, verbeugte und bekreuzigte er sich. Dann verschwand er kurz, und Musik ertönte. Singende Mönche. Hohe Stimmen erfüllten das Kirchenschiff. Stan und Hazel setzten sich in die Bank hinter mir. Hazel legte mir ihre Hand auf die Schulter und ließ sie dort. Ich sah mir den Jesus an. Ich hatte ihn mir während jeder Messe angesehen und scheußlich gefunden. So einen bunten Jesus hatte ich noch nie gesehen. Er hatte rosa Bäckchen, blitzblaue Augen und einen roten Kirschmund. Sein leidendes Lächeln war eher ein spöttisches Grinsen. Der Faltenwurf seines Lendenschurzes glänzte wie eine abwischbare Tischdecke. Er sah aus wie aus Plastik. Vielleicht war er es sogar. Ich saß da und dachte an meinen Bruder.

Als ich diese Todesnachricht bekam, waren wir kurz davor, zu einer Reise in den berühmten Yellowstone Park aufzubrechen. Da es bis zu meinem kompliziert gebuchten Rückflug nach Deutschland noch vier Tage dauern würde, fuhren wir trotzdem los. Endlose Autofahrten, endloses Hineinstarren in diese überwältigend schöne Landschaft. Ich mit der Stirn an der Scheibe. Büffelherden und Geysire. Sich weit öffnende Taleinsichten. Wasserfälle und Canyons. Nie ist mir Landschaft trostloser vorgekommen. Und noch heute denke ich eigentlich immer, wenn ich überwältigende Landschaften sehe, an meinen toten Bruder.

Wir fuhren auf einer schmalen Straße – Stan hatte, als wir von der Hauptstraße abgebogen waren, von einem Geheimtipp gesprochen – einen steilen Pass hinauf, waren jenseits der Baumgrenze, die Straße flankiert von meterhohen Schneemauern. Wir stiegen aus. Eine Aussichtsplattform. Frierend drehte ich mich um dreihundertsechzig Grad. Wieder die Wendeltreppe hinunter und ins Auto. Nächster Halt: Ein, wie Stan sagte, »amazing point! Here, look at this line.« Im leicht gewölbten Parkplatz war am Scheitelpunkt ein goldenes Metallband eingelassen. »The raindrop that comes down on this side goes to the East Coast into the Atlantic Ocean. But here, just ten inches further, the raindrop goes to the West Coast into the Pacific Ocean.« Stan formte zwei Schneebälle und warf einen nach Osten, den anderen nach Westen über die Goldgrenze. Hazel stupste mich an und flüsterte: »He likes to play God!«

Wir fuhren weiter, den Pass auf der anderen Seite wieder hinunter. Schlaglöcher und geröllige Kurven, so steil, dass Stan verstummte und Hazel die Landkarte hin und her drehte. Über Stans Kopf war ein dunkler Fleck am Autohimmel, der pomadig glänzte. Wir erreichten wieder erste Bäume, der Schnee verschwand. Da kamen wir um eine Kurve, und Stan bremste so unvermittelt, dass Hazel, die immer noch verbissen die Karte studierte, die Brille von der Nase flog. »What are you doing?« Stan zeigte auf die Straße. Keine dreißig Meter entfernt stand ein Bär. Hazel sah ihn und begann sofort, aufgeregt in ihrer Handtasche zu wühlen, klappte das Handschuhfach auf, wollte unterm Sitz suchen, krümmte sich ruckartig nach vorne und wurde von der einrastenden Sperre des Sicherheitsgurtes zurückgerissen. Sie fluchte: »Where is that goddamn camera!« Hektisch beugte sie sich vor und fingerte unter ihrem Sitz herum. Von der Rückbank aus sah ich den Bären. Er hatte etwas Räudiges, den Kopf gesenkt, und am Bärenhintern klebten getrocknete Fladen. Er hatte die Straße verlassen und trottete zwischen den Bäumen aufs Auto zu. Hazel fand den Fotoapparat in der Seitenablage ihrer Tür. Der Bär war jetzt keine fünf Meter entfernt, auf Stans Seite. Hazel öffnete ihre Tür und wollte aussteigen. Stan packte sie am Arm: »Are you crazy! Stay in the car!« Sie schlug die Tür zu und beugte sich weit über den Fahrersitz, über Stan, drehte, schraubte, rupfte den Kameraverschluss von der Linse. Das Zuschlagen der Autotür hatte den Bären kurz zu uns blicken lassen. Für einen Moment sah ich seine Augen. Milchige, wässrige Augen. Er wandte sich ab und verschwand in einem Gebüsch. Die ekelhaft pendelnden Dreckklumpen an seinem Hintern waren das Letzte, was wir von ihm sahen. Hazel fing an zu weinen: »No picture, no damn picture! Nobody will believe me!«

Drei Nächte schliefen wir in einem Hotel, das aus ungehobelten Holzbohlen gezimmert war. Es sah aus wie eine Mischung aus Blockhütte und Schloss Neuschwanstein, ein Abenteuerspielplatz für Städter. Das Hotel war im Jahr 1902 erbaut worden und hieß nach dem Geysir, den man von der Lobby aus sehen konnte: Old Faithful Inn. Alles Mobiliar war aus unterschiedlich großen Hirsch- und Antilopengeweihen gefertigt. In der Lobby standen Geweihstühle, Geweihsofas und Geweihtische. In der Mitte, unter einer Hängelampe, deren Glühbirnen die Form von Wassertropfen hatten, lag eine Glasplatte auf den weit gespreizten Hornspitzen eines Vierundzwanzigender. Die Rezeption war ein verschlungenes Kunstwerk aus polierten Wurzeln, die sich wie Schlangen um die freundliche Dame hinterm Tresen herumwanden. Die Zimmer waren winzig. Wie mit dem Schnabel herausgehackte Spechthöhlen mit nur einem Fenster. Abends tranken wir vor einem fußballtorgroßen Kamin, in dem ganze Baumstämme ein Höllenfeuer entfachten, aus Halbliter-Humpen Rotwein mit Eiswürfeln. Dieser Kamin war so riesig, dass ich, als ich das Kaminzimmer zum ersten Mal betrat, dachte, das Hotel würde brennen. Ich ging früh zu Bett.

Die Unwirklichkeit der Umgebung entsprach auf eigenartige Weise der Unwirklichkeit der Todesnachricht. Genauso wie ich um blubbernde Schwefeltümpel herumstand, in von chemischen Verbindungen bizarr verkrustete azurblaue Tümpel hineinsah und an Geysiren auf deren Eruption wartete, genauso ratlos stand ich vor dieser Nachricht und wartete wie gelähmt darauf, dass etwas ausbrach, explodierte, der Schmerz in mich hinein- oder aus mir herausschießen würde. Ich wartete auf die Eruption meines Kummers. Doch sie kam nicht. In Orange, Schwefelgelb und Grün köchelten die Quellen in terrassenförmigen Becken. Abgestorbene Bäume umstanden die Geysire. Einige waren in jahrhundertealte bizarre Kalkpanzer eingeschlossen. Stan, Hazel und ich standen direkt an der Kante eines Wasserfalls, in der Regenbogen werfenden Gischt, und ohrenbetäubend stürzte das Wasser hinab. An dieser Stelle, so konnte ich an einer Informationstafel lesen, hatte sich vor vielen, vielen Jahren ein berühmter Trapper folgenden Gedanken notiert: »I realize my own littleness, my helplessness, my dread exposure to destruction, my inability to cope with or even comprehend the mighty architecture of nature.«

Wir fuhren durch eine saftige Graslandschaft, in der Büffel weideten. Da sahen wir am Straßenrand geparkte Autos und Menschen, die aufgeregt in die Ferne deuteten. Stan hielt an, wir stiegen aus. »What's going on?«, fragte Hazel einen Mann, der sein Kind auf den Schultern trug. Der Mann zeigte in die Ferne: »Look over there!« Wir sahen seinem Finger hinterher. Stan schien etwas entdeckt zu haben: »My gosh, what are they doing?« Der Mann antwortete: »Nobody knows!« Da sah ich zwei Menschen zwischen den grasenden Büffeln herumwandern. Leicht gebückt mit Wander- oder Krückstöcken spazierten sie durch die Herde hindurch. Es war strengstens verboten, die Straßen zu verlassen, nur an bestimmten Stellen durfte man aus dem Auto steigen und an gesicherten, umzäunten Plätzen die Büffel beobachten. Doch diesem älteren Pärchen schien das vollkommen egal zu sein. Sie hatten Rucksäcke auf und wanderten wie die ersten Menschen durchs Paradies. Die Büffel mit ihren bulligen Köpfen, das konnte man selbst aus der großen Entfernung erkennen, schauten dem greisen Paar nach und grasten einfach weiter. Es wurde laut gerufen: »Hey, come back! You are in great danger. You are risking your life!« Wir stiegen wieder ins Auto und fuhren weiter.

Am Abend vor unserer Rückreise nach Laramie besuchten wir eine Kettensägenshow. Drei Männer in hochgekrempelten Holzfällerhemden, alle mit leichtem Bauchansatz und klobigen Sicherheitsschuhen mit zerkratzten Metallkappen, betraten den von mehreren provisorischen Tribünen umbauten Platz. In der Mitte lag ein im Durchmesser mannshoher und etliche Meter langer Baumstammriese. Von meinem Sitzplatz in der ersten Reihe aus erkannte ich unzählige Jahresringe im Stammanschnitt. Die Männer klappten die Visiere ihrer Helme mit integrierten Ohrenschützern hinunter und warfen die Motorsägen an. Eine Stoppuhr stand auf drei Metallbeinen und ein Ansager rief durch ein plärrendes Mikrofon: »… three, two, one, zero – GO!« Kreischend fraßen sich die Sägen in den Stamm. Die Männer verschwanden im wirbelnden Sägemehlsturm. Von allen Seiten her bearbeiteten sie das Holz. Eine anfeuernde Musik schepperte aus den riesigen Boxen. Ich sah, wie bei jedem Beat die Bassmembran vor- und zurückpumpte. Holzstückchen flogen herum. Einer von den Männern legte seine Säge weg und schlug Keile ins Holz. Mit einem Brecheisen wurden ganze Blöcke herausgestemmt. Das Knarren und Ächzen mischte sich mit der Musik und dem Geschrei der Sägen. Jetzt erst entdeckte ich, dass die Uhr rückwärtslief und nur noch drei Minuten und zwanzig Sekunden übrig waren. Ich wäre gerne gegangen, weggerannt, so laut und nervtötend war es. Die Musik erhöhte anfeuernd die Taktzahl und trieb den Sekundenzeiger vor sich her. Ich saß sehr nah am Geschehen und fürchtete mich vor den aggressiven, schrillen Sägen. Die drei Männer sägten schneller und schneller. Wischten sich mit den Arbeitshandschuhen den Staub vom Visier. Wieder zählte der Ansager einen Countdown: »… three, two, one, zero – STOP!!« Die drei Männer traten zurück. Die Zuschauer jubelten. Vor uns stand auf dem dick mit Holzmehl und Spänen bedeckten Boden ein Kanu. In dem Kanu kniete ein Mann mit einer Mütze mit Biberschwanz, wie ich sie von Lederstrumpf kannte, und hielt ein Ruder seitlich über den Kopf erhoben, bereit, es ins Wasser zu tauchen. Sogar die Gesichtszüge der Holzskulptur waren klar zu erkennen. Ein Trapper um die vierzig. Die Zuschauer riefen »Hooray!«, hörten gar nicht auf zu klatschen und zu rufen. Die Männer verbeugten sich zu allen vier Seiten. Doch der Höhepunkt ihrer Show kam erst noch. Neun Kettensägen wurden in eine Reihe gelegt und angeworfen. Mit Klebeband wurden die Sicherheitssperren außer Kraft gesetzt. Die Männer begannen mit einer einzigen Kettensäge, die sie sich im Dreieck stehend zuwarfen. Dann steigerten sie die Anzahl. Zum Schluss flogen alle neun Sägen jaulend und Salti schlagend von Hand zu Hand durch die Luft über die Köpfe der Männer hinweg. Ich saß wie versteinert auf meinem Platz in der ersten Reihe und beobachtete schicksalsergeben diesen sägezähnefletschenden Todesschwarm.

Wir fuhren den weiten Weg zurück nach Laramie. Am nächsten Tag flog ich dann nach Deutschland, nach Hause zur Beerdigung. Der Flug war schrecklich. In einem Propellerflugzeug ging es von Laramie nach Denver. Schlechte Sicht und Schneesturm. Beim Landeanflug auf Denver startete die Maschine, nachdem sie schon die Erde berührt hatte, wieder durch. Aber ich hatte keine Angst. Ich war zornig.

4. Kapitel

Nach vierunddreißig Stunden und viermal umsteigen war ich wieder in Frankfurt, lag auf meinen Taschen an genau derselben Stelle in der Abflughalle, auf der ich vor nur drei Monaten gelegen hatte, und wartete auf meinen Anschlussflug nach Hamburg. Dort sollten mich meine Eltern und mein übrig gebliebener Bruder abholen. Bevor sie mich sahen, sah ich sie, durch eine große Scheibe, auf einer Bank sitzen. Um sie herum wurde gerannt, Heimgekehrte wurden begrüßt und geküsst, doch sie bewegten sich nicht, starrten wie traurige Steine auf den Ausgang. Ich hatte mir diese Heimkehr so anders vorgestellt. Als Basketballstar, durchtrainiert, mit fließendem Englisch und glitzerndem Selbstbewusstsein. Als sie mich sahen, umarmten wir uns, standen inmitten der rennenden Menschen und hielten uns aneinander fest.

Im Zimmer meines Bruders war alles so, wie er es zurückgelassen hatte. Die Vorhänge zugezogen. Das Bett zerwühlt. Drei aufgeschlagene Bücher auf dem Flickenteppich neben dem Bett. Im Gegensatz zu mir las mein Bruder, oft sogar gleichzeitig in verschiedenen Büchern. Ein Häuflein geschnittener Fingernägel auf dem Nachttisch. Ein offener Koffer mit ordentlich gefalteten Kleidungsstücken. Drei Tage nach dem Unfall wäre er endgültig nach Gießen gezogen, um sein Medizinstudium zu beginnen.

Der große Schmerz änderte alles. Wir saßen zeitlos beisammen und redeten. Es gab keinen Schlaf mehr, auch wenn man ihn gerne gehabt hätte. Der Schlaf kam nun hinterrücks zu demjenigen, der einfach nicht mehr konnte. Mitten in der Nacht saßen wir zu viert am Küchentisch, und ich erzählte von Amerika, während mein übrig gebliebener Bruder Nudeln kochte. Wir lachten auch viel, zum Beispiel wenn ich von den amerikanischen Mädchen erzählte und ihren Frisuren. Mal schlief jemand im Sessel ein oder ich auf dem Boden neben unserem großen Hund, der ja meinem Bruder gehört hatte. Oder ich schlief wieder wie ganz früher in der sogenannten Ritze zwischen meinen Eltern. Mein Vater, der immer dick gewesen war und sein Dicksein bekämpft hatte, wurde von Tag zu Tag dünner. Meine Mutter versuchte, Zeitung zu lesen, doch es ging nicht, ihre Hände zitterten zu sehr. Oft trafen wir uns im Zimmer meines toten Bruders, nahmen Gegenstände in die Hand und rochen an seinen Kleidungsstücken. In der Küche stapelte sich dreckiges Geschirr, und mein unrasierter Vater wechselte sein stinkendes Hemd erst, als ihm mein Bruder ein frisches brachte. Wenn ich in meinem Zimmer lag, das ich immer noch »Kinderzimmer« nannte, und mich umsah, setzte sich das fort, was schlagartig mit der Todesnachricht in Laramie begonnen hatte: die demonstrative Gleichgültigkeit der Möbel und Gegenstände meiner Trauer gegenüber. Alles innerhalb dieser vier Wände, unter dieser Zimmerdecke, über diesem Fußboden sah aus wie festgeschraubt, unverrückbar. Und auch ich selbst, wie ich da seitlich in meinem Bett lag, kam mir vor wie ein achtlos abgelegter Gegenstand.

Der einzige Besuch, der kommen durfte, war ein Mann vom Beerdigungsinstitut. Wir aßen staubtrockene dänische Kekse, und er erklärte uns mit seiner professionellen Betroffenheitsstimme, teilnahmsvoll und doch sachlich, die nötigen

Formalitäten. Als er weg war, mussten wir alle lachen, weil mein Bruder ihn perfekt nachahmen konnte: »In dieser traurigen Stunde möchte ich Ihnen mit meiner langjährigen Erfahrung zur Seite stehen.« Und dann wieder alle weinen, weil uns klar wurde, dass meinem mittleren Bruder das auch sehr gefallen hätte. Innerhalb von nur zwei Wochen fraß sich die Trauer in jede Ritze des Hauses hinein. Eroberte den Keller, das Wohnzimmer, den Flur, die Küche, den ersten Stock mit den Kinderzimmern und auch den Dachboden. Kein Winkel im Haus, der nicht unter Schock stand.

Eigenartig traurig machten mich die alltäglichsten Verrichtungen. Essen: Meine Mutter hatte am Sonntag ihr Spezialgericht gekocht, Hühnerfrikassee mit Kapern. Keiner von uns bekam einen Bissen herunter. Das Huhn war faserig, leicht bitter, die Soße schleimig, die Kapern glitschig und der Reis matschig verklumpt. Auf dem Klo sitzen: Noch nie hatte es in meiner Familie, nachdem jemand das Klo benutzt hatte, so bestialisch gestunken wie in diesen Tagen der Trauer. Beißender Kotgeruch. Duschen: Wir alle hatten es immer geliebt. Jetzt war es eine lästige Notwendigkeit geworden. Früher hatte mein Vater immer lange kalt geduscht, dabei laut bis hundert gezählt, »Ahhhh« und »Ohhh« gemacht und sich die Hände auf Bauch, Beine und Po geklatscht. Jetzt stand er totenstill unter dem eiskalten Wasserstrahl und fand keine Kraft, den Hahn zuzudrehen. Auch ich hasste es, in diesen Tagen zu duschen. Mich mit gewaschenen Haaren, sauber und erfrischt, mit einem rauen Frotteehandtuch abzurubbeln, war wie eine Missachtung des Bruderverlustes. Meine Eltern bekamen scharfkantige Gesichter, sahen aus, als hätte ihnen der Schmerz mit dem Fingernagel Furchen ins Gesicht gezogen. Sogar der Hund wurde dünner und würgte lustlos an seinem Futter herum. Dabei liebte er eigentlich den ungewaschenen Pansen. An einem Sonntagmorgen beschlossen wir, sauber zu machen. Mein Vater wusch Wäsche und verfärbte mit einer roten Sporthose von mir eine komplette Waschmaschinenladung. Noch Monate später trug ich Unterhosen in zartem Hellrosa. Meine Mutter stellte den laufenden Staubsauger zurück in den Schrank. Ich kam in den Flur, hörte ein brummendes Geräusch und fand tatsächlich den laut saugenden Staubsauger im Abstellschrank. Mein übrig gebliebener Bruder und ich räumten verkrustete Töpfe, Teller, Gläser und Besteck in den Geschirrspüler. Als ich den transparenten Plastikbeutel aus dem Abfalleimer unter der Spüle hervorzog und die schwarz verfaulten Tomaten, die mit Schimmel überzogenen Kaffeefilter, die ausgelutschte Leberwursthülle sah, wurde mir schlecht. Mit weit von mir weggestrecktem Arm und abgewandtem Gesicht brachte ich den tropfenden Sack hinaus zur Mülltonne. Ekel und Trauer, Leere und Verzweiflung, das wurde alles eins.

Es ging mir schlecht, aber lange nicht so schlecht wie meinen Eltern. Oft lag ich da und träumte mich zurück nach Amerika. Ich hatte schon viel erlebt, und diese Erlebnisse waren kraftvoll und vital, wollten gedacht und erinnert werden. Und bald schon würde die Basketballsaison beginnen. Meine Mutter nahm Beruhigungsmittel. Nicht oft, aber hin und wieder. Dann bekam ihre Trauer etwas Schwebendes, fast Unheimliches. Sie saß mit geschlossenen Augen in der Wintersonne und lächelte. Auf einem Tischchen im Wohnzimmer standen ein Bild meines Bruders und eine Blumenvase mit einer welken Rose, und eine Kerze brannte: seine Taufkerze.

Kurz bevor er sein Medizinstudium in Gießen beginnen wollte, hatte ihm mein Vater fünfhundert Mark gegeben, um sich neu einzukleiden. Er sollte sich von diesem Geld eine Hose kaufen, zwei, drei Hemden, einen Pullover und vielleicht noch ein paar Schuhe. Mein Bruder fuhr nach

Flensburg und kam mit einer einzigen, vornehm aussehenden Papiertüte zurück. Meine Eltern wollten sich die Sachen vorführen lassen. Aber ein grüner Strickpullover war alles. Meine Mutter fragte: »Wie, und sonst hast du nichts gefunden? Das kann doch nicht alles sein?« »Doch, doch«, antwortete mein Bruder, »ich hätte schon noch was gefunden. Die haben da schöne Sachen. Aber das Geld hat nicht gereicht. Ich hab sogar noch selber was dazugezahlt.« Der italienische Strickpullover hatte fünfhundertvierzig Mark gekostet. Meine Eltern waren fassungslos. Richtig sauer wurde mein Vater allerdings erst, als mein Bruder sagte: »Ich hab halt einen gewissen Standard.« »Was hast du?« »Na, einen gewissen Standard.« Wenn wir uns jetzt daran erinnerten, lachten wir.

Von meinen Freunden sah ich niemanden. Jeden Tag wurden durch unseren Briefkastenschlitz zwanzig bis dreißig Briefe geworfen. Beileidsbekundungen der erschütterten Außenwelt. Der ganze Flur war bedeckt mit Trauerpost. Ungeöffnet lag sie in Stapeln auf der Fensterbank. Meine Freundin rief an und heulte am Telefon. Heulte so sehr, dass ich kaum verstand, was sie sagte. »Warum … rufst du mich denn nicht an? Wie lange bist du denn schon …? Ich … ich … komm gleich vorbei.« Sie würde versuchen, mich zu trösten. Wollte ich sie sehen? Für einen Moment schien es mir möglich, als ein Trostbedürftiger endlich mit ihr schlafen zu dürfen. Ja, ich stellte mir vor, sie in einer Mischung aus Verzweiflung und Begierde zum ersten Mal ganz zu erobern. Ich bekam Sehnsucht nach ihren herrlich großen Brüsten. Ich würde ihre Bedenken und Ängste einfach mit meinem Schmerz ersticken und ihr Zögern wegweinen! Eine Stunde später klingelte es, und meine Mutter rief mich. Ich hörte die Stimme meiner Freundin im Flur. Es ging nicht. Ich rief von oben hinunter: »Es tut mir leid, aber ich kann nicht.« Meine Freundin rief meinen Namen. Ich brüllte: »Lass mich in Ruhe!«

Mein Vater verhinderte, dass zur Beerdigung meines Bruders die schlagende Verbindung aus Gießen anreiste. Achtzig Verbindungsbrüder wollten, obwohl sie meinen Bruder nur ein-, zweimal gesehen hatten, mit Kappen, Degen und Schärpen am Grab stehen, singen und einen Kranz niederlegen. Vom Requiem, von der anschließenden Beerdigung weiß ich fast nichts mehr. Die Kirche war brechend voll. Meine Großeltern waren aus München gekommen. Ich saß zwischen meinem Bruder und meiner Mutter. Wir hielten uns an den Händen. Die ganze Andacht über hörte ich meine Mutter stoßweise atmen, und ich hatte Sorge, sie würde ohnmächtig werden. Der Weg zum Grab. Einer der Sargträger hatte den Hosenstall offen. Ich und mein übrig gebliebener Bruder schaufelten das Grab zu. Das wollten wir so.

Auf einem Spaziergang über das riesige Psychiatriegelände traf ich Ferdinand, einen Patienten, den ich gut kannte. Schon von Weitem wusste ich, dass er es war, da er einen sehr eigenwilligen Gang hatte. Eine Art Passgang mit eckigem Armschlenkern. Er sah mich und hob die Hände. Wir waren noch ein gutes Stück voneinander entfernt. Er rannte auf mich zu und blieb mit schreckgeweiteten Augen vor mir stehen. Ich sagte: »Hallo, Ferdinand. Was ist denn los?« Er starrte mich an und dann fasste er mir vorsichtig ins Gesicht. Stupste mich an wie eine Erscheinung, strich mir mit seinen Fingerkuppen über die Wangen und die Nase. Mit versagender Stimme hauchte er: »Du lebst?« Ich begriff nicht, was er meinte. »Was? Wie, ich lebe?« Mehrmals wiederholte er seine Frage und streichelte dabei mein Gesicht. »Du lebst? Du lebst?«, und dann fing er an zu tanzen. Warf die Arme gen Himmel, verdrehte die Knie und rief laut: »Du lebst! Du lebst!« Er umarmte mich, drückte mich mit einer Kraft, die ich ihm gar nicht zugetraut hatte, und schrie seinen Satz heraus: »Du lebst!« Er hüpfte um mich herum, grunzte und tanzte. Da begriff ich. Er hatte mich mit meinem Bruder verwechselt. Gekannt hatte er uns ja beide. Und verschwunden waren wir auch beide. Mein Bruder nach Gießen und ich nach Amerika. Und nun sprang er um mich herum und rollte wie ein mit geheimnisvollen Drogen zugedröhnter Medizinmann mit den Augen und feierte meine Auferstehung.

Ich entschloss mich, nach Wyoming zurückzufliegen. Einmal fragte mich mein Vater, tief über eine Sessellehne gebeugt: »Willst du vielleicht nicht doch lieber bei uns bleiben?« Aber ich wollte zurück, unbedingt.

Und schon drei Wochen später brach ich wieder nach Laramie zu meiner Gastfamilie auf. Das Einzige, was ich von meinem Bruder mitnahm, war der Pullover für fünfhundertvierzig Mark. Es war ein hässlicher Pullover aus grüner Wolle, mit dicken braunen Strickwülsten. Aber ich trug ihn von nun an fast immer und überall. Drei Tage vor meiner Abreise war ich mit meinem Vater nach Husum gefahren. In Husum hatte ich ein paar Wanderschuhe für Amerika bekommen. Danach fuhren wir an die Nordsee. Ich zog meine neuen Schuhe an, um sie ein wenig einzulaufen, und hakte mich bei meinem Vater unter, dessen Anziehsachen inzwischen um sein Traumgewicht von neunzig Kilo herumschlabberten. Früher hatte er in seinem Dufflecoat wie eine Wurst ausgesehen und das »proper« genannt. Jetzt sah dieser von meinem Vater so geliebte Mantel aus, als wäre er geliehen. Ausgeliehen von einem kräftigen, großen, wohlgenährten Mann. Wir liefen oben auf dem Deich. »Was war bis jetzt das Tollste in Amerika?«, fragte mich mein Vater. »Ich weiß nicht. Der Besuch im Gefängnis. Das war schon Wahnsinn.« »Und da durftest du einfach so rein?« »Ja klar. Ich war mit einem Lehrer da. Also der war mal mein Lehrer.« »Wieso war?« »Der hat sich mit einem dicken Mexikaner geprügelt. Im Unterricht und ist rausgeflogen.« »Und mit dem hast du das Gefängnis besucht?« »Der ist total nett. Sein Bruder ist Gefängniswärter. Die sind beide Bodybuilder und die Eltern auch.« Überall waren Schafe. Die vor uns auf dem Weg lagen, standen missmutig auf und blökten uns mit weit herausgestreckten Zungen an. »Ich war sogar im Todestrakt. Da war einer, der sprach Deutsch. Randy Hart heißt der.« »Und was hat er verbrochen?« »Doppelmord in Babenhausen.« Mein Vater lächelte. So was gefiel ihm, abgelegene Orte, an denen sich Grausiges ereignet hatte. »Doppelmord in Babenhausen?« »Ja, der war Soldat in Babenhausen, spricht total gut Deutsch, und ist dann in Amerika zum Tod verurteilt worden. Der wollte sogar, dass ich ihm schreibe.« Da gerade Ebbe war, sahen wir das Meer nur weit entfernt als gekräuselte graue Fläche. Im Schlick lief ein Austernfischer hin und her. »Hast du denn schon ein paar Freunde gefunden?« »Nee, noch nicht so richtig. Die Schüler sind ja in jedem Kurs andere, und im Tennisteam waren nur Idioten.« »Deinen Stundenplan finde ich ehrlich gesagt ein bisschen merkwürdig. Gut, dass du wenigstens einen Englischkurs genommen hast.« »Ich muss das Jahr doch eh wiederholen.« »Ja.« Einige Böen waren so stark, dass sich meine Locken – und dafür brauchte es schon einige Windstärken – umbogen und mir wippend vor den Augen tanzten. »Wann fängst du denn wieder an zu arbeiten?«, fragte ich. Mein Vater blieb stehen. »Weiß nicht. Es fällt mir so schwer, an etwas anderes zu denken als an …«, er konnte den Namen meines Bruders nicht aussprechen, »… als an den Unfall.« »Ja, eilt ja auch nicht. Guck mal, dahinten. Ist das nicht der Leuchtturm von Westerhever?« »Ja, vielleicht. Weißt du, mein lieber Josse, du musst immer gut auf dich aufpassen. Versprichst du mir das?« »Ja.« »Wenn du jetzt zurückgehst, mein Lieber, dann pass bitte, bitte gut auf dich auf.« »Mach ich.« Der

Wind war so stark geworden, dass wir uns bei jedem Schritt dagegenstemmen mussten. Dann sagte, ja rief mein Vater: »Ich weiß wirklich nicht, wie deine Mutter und ich das je begreifen sollen, dass er nicht mehr da ist. Einfach nicht mehr da. Er hatte sich so auf sein Studium gefreut. War so stolz. Ich vermisse ihn so sehr.« Ich umarmte meinen Vater, und unsere Haare, seine schütteren und meine Locken, wehten ineinander. »Komm«, sagte er, »wir gehen zum Auto zurück. Mann, ist das ein Sturm. Der haut einen ja fast um!« »Weißt du noch?«, rief ich und öffnete meinen Anorak. Mein Vater lachte und knöpfte seinen Dufflecoat auf. Nebeneinander standen wir auf dem Deich, hielten mit den Händen Anorak und Mantel weit geöffnet und legten uns so schräg wie möglich in den Sturm. Mit voller Wucht fuhr der Wind unter unsere Flügel, und wir spielten fliegen. Er: »Da unten, siehst du die zwei Schafe?« Ich: »Ja, sehe ich. Vorsicht Wolke! Da ist ein Schiff in Seenot!« Er: »Egal!« Ich: »Jaaa! Da kann man nichts mehr machen!« Er: »Fertig machen zur Landung!« Wir klappten die Flügel ein und wanderten zurück.

Hamburg – Frankfurt. Frankfurt – New York. New York – Chicago. Chicago – Denver. Denver – Laramie. Das waren die Stationen meiner Rückreise. Meine Flughafenfaszination war verschwunden. Gleichgültig, mit einer Spur Genugtuung darüber, nicht mehr eingeschüchtert zu sein, besorgte ich mir meine Bordkarten, passierte ich die Sicherheitskontrollen, suchte ich mein Gate, nahm ich mir Zeitungen und las während des Starts. Mehr als einen kurzen Seitenblick hatte ich für das Wunder des Abhebens nicht mehr übrig. Auf dieser Rückreise gab es Momente, da ich so erschöpft war, dass ich jedes Zeit- und Raumgefühl verlor. Ich war müde. Müde vom Weinen und Trösten, müde vom Organisieren, müde vom erneuten Aufbrechen, Abschiednehmen und Zurücklassen. Es fiel mir schwer, den Kopf aufrecht zu halten. Meine Gedanken verselbstständigten sich. Ich war so müde! Ich stellte mir vor, jeden Arm, jedes Bein einzeln schlafen zu legen. Ja, jeden meiner müden Finger in sein eigenes Bett zu legen, unter seine eigene Bettdecke. Jeden Fingernagel auf sein eigenes Kopfkissen. Jeder einzelne Knochen wollte schlafen, ungestört, für sich sein. Das sah ich ganz deutlich vor mir. Wie mir die Finger von der Hand abfielen und in ihre Betten schlüpften. Wie ein Knochen nach dem anderen unter seine Daunendecke kroch. Und mein Kopf? Meinen müden Kopf hätte ich am liebsten aus dem Fenster in die Wolken geschmissen und wie eine Kanonenkugel für immer im Meer versenkt, so schwer und wirr und übervoll war er.

Ich verschlief den kompletten Transatlantikflug und wurde erst durch den Landestoß geweckt. Ich wusste nicht, wo ich war. In Frankfurt? Schon in New York? Gähnend lief ich durch die Gänge und fuhr wie ein ein Meter neunzig hoher Koffer auf langen Fließbändern durch endlose Leuchtreklamealleen zu meinem Abfluggate nach Chicago. Wieder musste ich durch eine Sicherheitskontrolle. Eine freundliche Frau, die offenbar einen Kängurufimmel hatte, tastete mich ab. Känguruohrringe, silberne Halskette, daran ein KängurUanhänger mit Babykänguru im Bauch, unter der geöffneten Dienstuniform sah ich ein grinsendes Känguru mit gelben Zähnen. Sie bat mich, meine Schuhe auszuziehen. Da es in Deutschland geregnet und ich von Hazel am Telefon erfahren hatte, dass es in Laramie wieder geschneit hatte, trug ich meine neuen Wanderschuhe. Die Frau griff in den Schuh, drehte ihn um und besah sich den Absatz. Sie nahm sich den anderen Schuh. Gleiche Prozedur. Da huschte ein fragender Ekel über ihr Gesicht. Sie rief einen Kollegen und zeigte ihm meine Wanderschuhe von unten. Sie sprachen miteinander, und er nickte. Die Frau kam zu mir. »Sorry, Sir, would you please be so kind and follow me.« Ich lief hinter ihr her. Nur auf Strümpfen, das war unangenehm. Wir begegneten einem älteren Herrn in einem wundervollen Tweedanzug. Er sah auf meine Füße und schüttelte den Kopf. Die Frau brachte mich in einen kleinen Raum: »Would you like something to drink?« »Oh yes, some coffee would be great!« Sie verschwand, kam kurz darauf mit einem heißen Kaffee zurück. Vorsichtig überreichte sie mir den Becher. Dann verließ sie den Raum, zog die Tür zu, und ich hörte, wie sich ein Schlüssel im Schloss drehte.

Ich stand auf und drückte die Klinke. Abgesperrt. Ich stand an der Tür und nippte an meinem Kaffee. Er tat mir gut. Mein Gott, dachte ich, wie habe ich diesen dünnen Wasserkaffee, diese Plörre vermisst. Nach einer Viertelstunde klopfte ich an die Tür, da ich wegen meines Anschlussflugs nach Chicago unruhig wurde. Erst klopfte ich vorsichtig, mit den Fingerknöcheln. Niemand kam. Ich schlug mit der flachen Hand gegen die massive Tür. Dann mit der Faust. Nichts. Es dauerte bestimmt eine Dreiviertelstunde, bis sich der Schlüssel im Schloss herumdrehte und zwei Männer in Uniform und ein Mann im Anzug mit Krawatte den Raum betraten. Der Mann im Anzug brachte seinen eigenen Stuhl mit. Einer der Uniformierten stellte sich vor die geschlossene Tür. Es waren keine Polizisten, aber ihre Uniformen waren auch nicht die des Sicherheitspersonals. Erst jetzt sah ich, dass sie Waffen trugen. Der Mann im Anzug hatte sich auf seinen mitgebrachten Stuhl gesetzt, einen Stift gezückt – es war ein sehr edel aussehender Füllfederhalter mit eingravierten Initialen – und mich kurz gemustert. Er verlas meinen Namen. Ich nickte. Mein Geburtsdatum. Ich nickte. Das Ziel meiner Reise. »Laramie, Wyoming?« Ich nickte und sagte leiser, als ich wollte: »Yes.« Er füllte ein paar Spalten mit kryptischen Zahlen aus, hob den Kopf: »Do you speak English?« »Yes.« »Okay, Sir. Please follow me!« Mit einem Taschentuch, das er plötzlich in seiner Hand hielt, wischte er die Feder des Füllers sauber und schraubte die Kappe auf. Der eine Uniformierte öffnete die Tür. Wir verließen den Raum. Der Anzug des Mannes, der vor mir ging, war perfekt geschnitten. Knapp hinter mir folgten, einer rechts, einer links, die beiden Aufpasser. Ich sprach zum fein säuberlich ausrasierten Nacken des Mannes: »Sorry, but I have not so much time. I have to go to the gate for my flight to Chicago.« Ohne sich umzudrehen, hob er kurz die Hand und bedeutete mir, ihm einfach weiter zu folgen. Wir kamen an Reisenden vorbei, die mich anstarrten. Ein Kind, das es sich auf einem Kofferwagen gemütlich gemacht hatte, zeigte mit dem Finger auf meine Socken: »He lost his shoes, Mom! He lost his shoes.« Durch eine bewachte Schwingtür betraten wir einen Gang. Männer mit aufgekrempelten Hemdsärmeln standen um einen Aschenbecher herum und rauchten. Einer von ihnen grüßte den Mann im Anzug, schob kurz sein Kinn vor. Wieder wurde ich in einen fensterlosen Raum gebracht. »We need your clothes. Please take off your clothes.« Einer der Uniformierten zog sich Einweghandschuhe an. »Why?« »Please, Sir, take off all your clothes!« Ich begann mich auszuziehen. Jedes meiner Kleidungsstücke wurde in einen Plastiksack gestopft und mit einer Banderole verklebt. Ich suchte nach den richtigen Ausdrücken und versuchte es mit: »Please, tell me why. I have to go to Chicago. I am an exchange student from Germany on my way to Laramie.« Der eine Uniformierte grinste den anderen an und nuschelte verächtlich: »Hey, Laramie, great!« Ich stand in Unterhose da und zögerte. »All your clothes please!« Auch meine Unterhose verschwand in einem Sack. Sie war zartrosa, und wieder grinsten die Uniformierten. Zu dritt verließen sie den Raum, der Schlüssel drehte sich, und ich stand da, nackt. Ich schämte mich, legte mir schützend die Hände zwischen die Beine und sah mich um. Wurde ich beobachtet? Ich hatte es doch zigmal in Filmen gesehen. Spiegel – one way windows – oder eine winzige schwenkbare Kamera in einer Zimmerdeckenecke. Was hab ich denn gemacht?, dachte ich und überlegte krampfhaft das englische Wort für Irrtum.

Nach ungefähr zehn Minuten kam einer der Männer, die ich am Aschenbecher hatte stehen sehen, und brachte eine weiße Unterhose und ein T-Shirt mit. Sowohl in der Unterhose als auch im T-Shirt stand: Property of the Kennedy Airport. Es konnte nur eine Verwechslung sein. Er gab mir die Kleidungsstücke, ging zur Wand, legte die flache Hand darauf und drückte. Eine Tür sprang auf. »Follow me!« Ich betrat einen Waschraum mit mehreren Duschen. »Take a shower and use this. Also wash your hair!« Er gab mir ein kleines Fläschchen. Ich stellte mich unter die Dusche und zog den verschmutzten Plastikvorhang zu. Sofort wurde er wieder zurückgezogen: »Sorry, Sir, but I have to watch you!« Ich drehte den Wasserhahn auf. Anstelle eines gleichmäßigen Regens fing die Dusche an zu prusten und zu röcheln und stoßweise kochendes Wasser auszustoßen. Ich drehte den Kaltwasserhahn auf. Nichts. Ich seifte mich mit der geheimnisvollen Waschemulsion ein, und die Dusche spuckte wie ein Feuer speiender Drache kochendes Wasser auf mich. »Please, also wash your hair!« »It's too hot!« »Do it!« Mein Bewacher hatte sich eine Zigarette angesteckt, aschte ins Pissoir, spielte am Lederriemchen seines Pistolenholsters und malte mit dem Finger Notenschlüssel auf den beschlagenen Spiegel. Meine Haut brannte. Es war völlig unmöglich, sich in diesem Dampfstrahl den Schaum aus den Haaren zu waschen. »It doesn't work!«, rief ich. »Do it in the sink.«

Ich hatte keine Ahnung, was er meinte. »Sink?« Er zeigte aufs Waschbecken. Ich stieg aus der Dusche und hielt, ja, quetschte meinen Kopf unter den niedrigen Wasserhahn, der auch nicht richtig funktionierte. Ein feiner eiskalter Strahl ließ meine Kopfhaut zusammenschnurren. Ich bekam den Seifenschaum in die Augen, und es brannte fürchterlich. Dann war ich endlich fertig. Ich bekam ein Handtuch und trocknete mich ab. Mit tiefgefrorenem Kopf, knallroten Augen und Haut in der Farbe eines gekochten Hummers zog ich mir die Unterhose und das T-Shirt an und wurde zurückgebracht. Nach dem Schließen schien die Waschraumtür wieder in der Wand zu verschwinden. Ich wurde allein gelassen und erneut eingesperrt. Ich setzte mich in eine Ecke auf den Boden und überlegte. Was ist der Grund für diesen Wahnsinn? Die wildesten Lösungen kamen mir in den Sinn. Vielleicht war Randy Hart aus dem Gefängnis ausgebrochen oder hatte jemanden ermordet und mich, da ich ihm nicht meine Adresse gegeben hatte, bei der Polizei als Drahtzieher oder Auftraggeber genannt. Oder vielleicht hatte mir jemand Drogen in meine Tasche geschmuggelt. Hatte es mit meiner gekränkten Freundin zu tun? Mit der rosafarbenen Unterhose? Mit dem Tod meines Bruders? Wieder kam jemand herein und forderte mich auf, ihm zu folgen. Dieses andauernde »Follow me!« zerrte an meinen Nerven. Diesmal wurde ich in einen großen Raum gebracht, in dem mehrere Tische und Stühle standen und drei Männer saßen. Zwei davon so wie ich nur in Unterhose und T-Shirt, ein dritter in Jeans, mit freiem Oberkörper und Hängebrüsten. Der Anblick dieser drei Männer ließ mich tief einatmen. »Please!«, wandte ich mich an den Beamten, der gerade die Tür schließen wollte, »I really have to go. What's going on? Please, don't leave me alone with these … This must be …«, das hatte ich mir auf dem Weg überlegt, »a misunderstanding!«

Er sagte nur »Sorry, Sir!«, drückte mich in den Raum hinein und knallte die Tür zu.

Zwei der drei Männer sahen mich an. Ein Glatzköpfiger mit einem zugeschwollenen Auge. So ein Veilchen hatte ich noch nie gesehen. Der andere war ein Inder, der sich monoton gegen die Rückenlehne seines Stuhles warf. Der dritte Mann hatte die Augen geschlossen, sah aus wie ein dunkelhäutiger Chinese. Seine Augäpfel wanderten unter den Lidern hin und her. Ich war mir nicht ganz sicher, ob er schlief oder hellwach war. Ich setzte mich auf einen der verbogenen Stühle. Das Mobiliar in diesem Raum sah so aus, als ob es zu jeder vollen Stunde einmal komplett gegen die Wände geschleudert würde. Während der ersten Minuten traute ich mich nicht aufzublicken. Ich versuchte, mich selbst zu beruhigen: Es ist ein Irrtum. Alles ist in Ordnung. Es kann dir nichts geschehen. Du bist in Amerika. Bleib ruhig und überleg dir, was zu tun ist. Das ist halt so. Manche Dinge kann man nicht begreifen, die klären sich nie auf, die versteht man nie, die bleiben einem für immer ein Rätsel. Ich verlor den letzten Rest meines lädierten Zeitgefühls. Nach einer Stunde – oder waren es schon zwei? – öffnete der dunkelhäutige Chinese seine Augen, musterte mich lange, stand auf, kam zu meinem Platz hinüber und sagte: »I want your shirt.« »What?« »Gimme your shirt!« Der einäugige Glatzkopf lachte wie ein irrer Zyklop, kratzte ein trockenes Kaugummi von der Wand und steckte es sich in den Mund. Der Inder tat so, als ob er unsichtbar wäre, wippte hin und her. Der Chinese griff sich den Saum meines T-Shirts, reflexartig zog ich den Bauch ein. Völlig verängstigt hob ich wie ein kleiner Junge die Arme, und er zerrte es mir über den Kopf. Er ging zurück in seine Ecke, zwängte sich in mein T-Shirt, zog es sich über seine Hängebrüste und schloss wieder die Augen. Einmal durfte ich noch aufs Klo, aber auch bei diesem kleinen Ausflug gelang es mir nicht, irgendeine Antwort zu erhalten. Obwohl ich mich gegen die Müdigkeit wehrte, Angst hatte einzuschlafen, dämmerte ich weg. Als ich aufwachte, war ich mit dem wippenden Inder allein. Ich hatte Hunger. Wie lange war ich nun schon hier drin? Meine Eltern würden sich schreckliche Sorgen machen, weil ich nicht anrief. Stan und Hazel würden in Laramie am Flughafen stehen und vergeblich warten. Im Neonlicht verschoben sich die Wände. Plötzlich sah ich keine Ecken mehr, und es kam mir vor, als wäre ich in einer Kuppel gefangen. Da ging die Tür auf: »Follow me!« Es ging zurück in den Raum, in dem ich mich, wie es mir vorkam, vor Tagen ausgezogen hatte. Alle meine Anziehsachen lagen auf dem Boden. Fein säuberlich zusammengelegt, eingeschweißt in Zellophan. Am Ende dieser Reihe standen meine Wanderschuhe. Beutel für Beutel riss ich auf und zog mir die leicht chemisch riechenden Sachen an. Ich bekam mehrere Papiere vorgelegt, die ich unterschreiben musste. Verschiedene neue Flugtickets und Bordkarten und ganz zum Schluss auch meinen Brustbeutel. Der Mann, der sich nun um mich kümmerte, war nicht derselbe wie zu Beginn, hatte aber exakt den gleichen Anzug an, den gleichen ausrasierten Nacken und auch einen sehr schönen Füllfederhalter mit goldenen Initialen. »We booked you on a new flight straight to Denver.« Er brachte mich zurück vor die Schwingtür, sah auf seine goldene Uhr und sagte: »Hurry up. If you're lucky you'll catch your plane!«

Ich rannte los und tatsächlich, das Flugzeug war noch da. Direkt nach Denver! Man begrüßte mich mit meinem Namen, so, als hätte man auf mich gewartet. Ich hatte einen Platz ganz vorne: Business Class. Von einer bildhübschen Stewardess wurde ich liebevoll betreut. Auf meinen bisherigen Flügen war ich maßlos von den Stewardessen enttäuscht gewesen, hatte meine überzogenen Erwartungen an diesen Berufsstand komplett revidieren müssen. Doch die Dame, die mich zu meinem lederbezogenen Sitzplatz führte, war umwerfend. Später kippte sie mir in einem Luftloch Tomatensaft auf meine chemisch gereinigte Jeans. Sie kniete sich hin und tupfte mir mit einer Serviette, die sie mit Selters befeuchtet hatte, den Fleck aus dem Hosenbein. Ich bekam eine eigene Thermoskanne Kaffee, konnte zwischen verschiedenen Sandwiches wählen, und sie überreichte mir Gratiskopfhörer für den Kinofilm »The Color Purple«. Ich studierte das abgestempelte Papier des John-F.-Kennedy-Airports. Viele Vokabeln, die ich nicht kannte. Ich las die Worte »epidemic« und »disease« und »sheep« und »excrement«. Baustein für Baustein setzte sich der Grund meiner demütigenden Inhaftierung zusammen. Zu mir selbst sagte ich mehrmals: »Das gibt's ja wohl nicht … Die spinnen ja wohl!« und »Warum sagen die denn das einem nicht!«. Ich war entrüstet, freute mich aber bereits darauf, alles meinen Eltern zu erzählen. Unfassbar, dachte ich, welche Konsequenzen ein Spaziergang am Meer haben kann! Über den Wolken stand satt und orangerot die Sonne. Ob sie auf- oder unterging? Ich hatte keine Ahnung.

In der Highschool wusste fast niemand von dem Unfall. Ich hielt mein Unglück geheim. Außer meiner Gastfamilie hatte niemand Mitleid mit mir. Das tat mir gut. Ich lebte einfach so weiter wie vor dem Unfall. An meinen Bruder dachte ich selten. Eigentlich immer nur nach den Sonntagstelefonaten mit meinen Eltern. In einem Schulaufsatz, den ich auf Englisch über meine Familie schreiben musste, lebte mein Bruder und studierte Medizin in Gießen. Noch heute antworte ich auf die Frage, ob ich Brüder hätte, mit »Ja, zwei«. Und wenn mich jemand fragt, was sie machen, sage ich, dass der eine Journalist und der andere Arzt geworden ist.

Ich lernte ein Mädchen kennen, obwohl ja in Deutschland auch noch jemand auf mich wartete. Ich traf sie auf einer wilden sogenannten »Whirlpoolparty«. Bei solchen Partys werden die Whirlpools auf Pick-up-Trucks in die Berge gebracht. Bestimmt zwanzig Whirlpools standen in einem großen Kreis auf einer Lichtung. Drum herum die Pick-up-Trucks mit bellenden Hunden auf den Ladeflächen. Zuerst wurde Schnee in die Whirlpools geschaufelt. Mehrere große Generatoren heizten das Wasser in den Becken. In der Mitte brannte ein riesiges Lagerfeuer. Überall standen große Barbecuegrills. Es war mitten in den Bergen. Schnee auf den Bäumen. Sternklarer Himmel. Erst wurde gegessen, getrunken und getanzt, und als der Schnee geschmolzen, das Wasser in den Whirlpools heiß genug war, zogen sich alle aus und legten sich hinein. Zuerst noch mit Unterhosen und die meisten Mädchen mit T-Shirts. Doch als alle immer betrunkener wurden – das bevorzugte Getränk war ein süßer Erdbeerschnaps –, zogen sich viele ganz nackt aus. Wenn sich der Dampf für Momente lichtete und verwehte, sah man sich küssende Paare im blubbernden Wasser. Wir hörten Wölfe heulen. Die Hunde wurden unruhig und winselten. Einige Mädchen schrien, und ein massiger Junge mit einem Cowboyhut rannte gut durchblutet durch den Schnee, holte aus seinem Pick-up ein Gewehr und feuerte in den Wald. Alle wurden immer besoffener. In jedem der zwanzig Becken saßen vier bis fünf Nackte. Es gab Paare, die sich einseiften oder sich küssten und ihre Hände unter Wasser bewegten. Hintern tauchten auf, Beine ragten über die Whirlpoolränder. Einige aßen große Steaks mit den Händen und warfen die abgenagten Knochen lachend nach den Liebespaaren. Als alle satt, zufrieden und volltrunken waren, wurde die Musik ausgemacht, die Generatoren abgestellt. Ich hörte eine noch nie da gewesene Stille.

Da lag ich, mitten in den Rocky Mountains, auf einem Hochplateau. Und tatsächlich auch ich mit einem Mädchen im Arm. Sie war plötzlich da gewesen. Erst ihre Hände an meinem Rücken. Ihr Gesicht verschwommen im Dampf. Ich hielt ihren Po fest. Sie stank leicht nach diesem süßlichen Erdbeerschnaps, trieb mir auf den Schoß. Saß auf mir und wir küssten uns. Wir schliefen miteinander, und ich wusste nicht einmal, wie sie hieß. Ich weiß noch, wie großartig ich das fand, dass ich es so weit an Verwegenheit gebracht hatte, mit ihr zu schlafen, ohne ihren Namen zu kennen. Und es hatten mir sogar andere dabei zugesehen. Steve aus dem Tennisteam aß, nur eine Armlänge entfernt, ein verkohltes Hüftsteak und nickte mir aufmunternd zu. Sie hatte lange nasse Haare, die jetzt gefroren waren und hell klirrten, wenn wir uns küssten. Wieder hörte man lang gezogen einen Wolf heulen.

Der Cowboy, der in den Wald geschossen hatte, war einer der Stars des Laramier Ringerteams. Innerhalb dieses Teams gab es eine kleine Gruppe, deren Mitglieder nicht nur über und über tätowiert waren, sondern auch auf dem Hintern ein Brandzeichen hatten. Ein richtiges Brandzeichen, so wie es Kälber oder Pferde bekommen. Diese Gruppe galt als gefährlich, war gefürchtet und bewundert. Sie waren so alt wie ich. Siebzehn, vielleicht achtzehn, und trugen immer Cowboyhüte. Selbst im Unterricht. Die Lehrer hatten es längst aufgegeben, sie zum Abnehmen der Hüte zu bewegen. Sie fuhren die größten Pick-up-Trucks und prügelten sich gerne auch ohne jeden Grund. Ich hatte einmal neben einem von ihnen auf dem Klo gesessen. Auf den Schultoiletten gab es keine Trennwände. Fünfzehn Toiletten standen einfach in einem großen gekachelten Raum. Ich ekelte mich vor dieser Großtoilette, aber an dem Tag musste ich zu dringend, um es noch bis nach Hause zu schaffen. Ich saß auf dem

Klo, als einer von ihnen hereinkam und sich direkt neben mich setzte. Er sah mich an. Atmete in meine Richtung. Ich wusste nicht, was schlimmer wäre: hinsehen und »Hallo« sagen oder weiter vor mich hin starren. Ich wandte mich ihm zu. »Hi!« Er spuckte mir einen großen Klumpen speichelnassen, stinkenden Kautabak ins Gesicht und ging. Einfach so. Ich hatte so eine Angst, dass ich tat, als wäre gar nichts passiert. Ich nickte, wandte mich wieder ab und blieb noch ein bisschen auf dem Klo sitzen. Dann zog ich mir die Hose hoch, wusch mir die Hände und ging langsam hinaus.

Einige dieser Ringer – wie viele es genau waren, konnte ich im Wasserdampf nicht erkennen – warfen immer mehr Holz auf das Feuer. Sprangen zwischendurch wieder in die Becken, um sich aufzuwärmen. Ich sah die vernarbten, wulstigen Wundränder der Brandzeichen auf ihren muskulösen Ärschen. Es waren zwei Buchstaben: »D« und »R«. Ich weiß bis heute nicht, wofür sie standen. Einer von ihnen holte aus seinem Wagen eine Eisenstange, an deren Ende eben diese beiden Buchstaben waren, zerstocherte damit das Feuer und legte die Buchstaben in die Glut. Ein anderer kletterte betrunken auf das Dach seines Trucks und rief: »Peter, do you really wanna be one of us?« Irgendwo brüllte jemand: »Yes!« Nackt bis auf den Cowboyhut trat Peter aus dem Dampf. Das Feuer beschien seinen bulligen Körper. Ich konnte von meinem Whirlpoolplatz aus alles, was jetzt geschah, bestens sehen. Es war grauenhaft. Peter nahm einen großen Schluck aus seiner Schnapsflasche, stopfte sich selbst einen Lappen in den Mund und kniete sich in den Schnee. Der oben auf dem Auto gab das Kommando: »Hold him!« Zwei weitere Cowboys packten ihn an den Armen und drückten ihn hinunter. Der eine rammte ihm sein Knie in den Nacken. Der Anführer kam vom Autodach geklettert, zog sich einen Handschuh an und griff sich das Brandeisen. Es leuchtete rot, so glühend rot. Es war nur noch das Blubbern der Whirlpools, der Jacuzzis, zu hören. Er stellte sich hinter Peter, dessen weißer Hintern im Scheinwerferlicht aussah wie ein großes gefrorenes Stück Fleisch. Er drückte ihm das rot glühende Brandeisen auf die rechte Pobacke. Es zischte und rauchte. Roch sogar leicht nach Gebratenem. Peter schrie. Lang gezogen, lappengedämpft. Warf sich mit aller Gewalt nach vorn, riss sich los. Stürzte. Zappelte unkontrolliert im Pulverschnee hin und her, stand kurz kerzengerade da, sackte zusammen, zuckte und blieb leblos liegen. Die Augen weit offen, verdreht. Die Cowboys umringten ihn. Zwei lachten noch. Dann wurden sie panisch. Rissen ihn hoch. Zogen ihm den Lappen aus dem Mund. Das »D« und das »R« rauchten leicht. Sie hoben ihn auf ihre Schultern, eine mondbeschienene Ringerprozession. Da sah ich – und ein erregtes Grausen durchströmte meinen Körper –, dass er eine Erektion hatte. Während sie ihn rüber zum Pick-up-Truck trugen, ragte sein großer Schwanz in die sternklare Nacht, zeigte hoch ins Universum, auf die mir noch nie in dieser Deutlichkeit erschienene Milchstraße. Sie legten ihn auf die Ladefläche und deckten ihn zu. Saßen nackt und ratlos, die Kälte ignorierend, um ihn herum. Rieben ihn mit Schnee ab und riefen immer wieder laut seinen Namen. Keiner traute sich in ihre Nähe. Das Mädchen in meinem Arm war weich. Und trotz ihrer Weichheit feingliedrig. Ihre Knochen schienen sehr dünn zu sein, tiefer zu liegen als gewöhnlich. Die Wassertropfen perlten von ihren Armen. Ich fragte sie nach ihrem Namen. Sie öffnete den Mund, mit süßlichem Erdbeerschnapsatem sagte sie: »Maureen!« Die beiden Es blieben müde auf ihrer schweren Zunge liegen. Ihre Stimme war angenehm tief. Wieder küssten wir uns. Sie konnte etwas mit der Zunge, das ich aus Deutschland nicht kannte. Da wurde gejohlt. Peter war wieder zu sich gekommen. Er konnte nicht stehen, war benommen. Beugte sich über die Ladefläche und kotzte in den Schnee. Sie halfen ihm, legten ihn neben das Feuer und desinfizierten das frische Brandzeichen mit Erdbeerschnaps. Blass nahm er die Glückwünsche, meist angedeutete Kinnhaken oder Kopfstöße, entgegen.

Maureen und ich zogen uns an. Ich den Pullover meines Bruders. Maureen sah mich verwundert an und strich über die braunen Wollwülste. »Wow, never seen such a sweater before.« Ich antwortete: »It's Italian.« »Looks good on you.« Sie setzte sich eine buschige Fellmütze auf, und wir gingen Hand in Hand, die vom warmen Wasser völlig verschrumpelten Finger fest ineinander verhakt, durch den Schnee. Ich sank ein, kam kaum voran. Maureen dagegen war leicht und lief über den Schnee. Sie erklärte mir, dass ich nicht stehen bleiben dürfe. Ich müsse, sagte sie, bei jedem Schritt schon gleich den nächsten machen. Ich versuchte es, und tatsächlich, es funktionierte. So eilten wir beide leichtfüßig über die gefrorene Oberfläche der Schneelandschaft. Doch sobald wir stehen blieben und uns küssten, knirschte es, und wir brachen ein. Nein, selbst wenn ich es versucht hätte, ich konnte nicht an meinen toten Bruder denken. Ich wollte nicht trauern.

Am darauffolgenden Montag suchte ich Maureen in jeder Pause. Ich schlenderte durch die von Schließfächern gesäumten Gänge der Highschool. In der Kantine kam ein stark geschminktes Mädchen mit einer vor Haarspray erstarrten Betonfrisur zu mir an den Tisch. »Hi, what's up?« Erst an der Stimme erkannte ich sie. »Maureen?« »Think so.« »Hi.« »Something wrong?« »Ah, you look so äh different.« »What do you mean?« »Your hair is … hey, hello.« Sie trug ein grob kariertes, flauschig aussehendes Holzfällerhemd, eine hautenge Jeans und Cowboystiefel. Ich konnte den Blick nicht von ihrer Frisur lassen. Wie auf blonden Bugwellen schob sich ihr Gesicht durch diese fixierte Haarpracht hindurch. Im Whirlpool hatten ihr die Haare nass am Kopf geklebt und ihr offenes Gesicht hatte mir gut gefallen. Meine Locken, damit war ich von meinen Brüdern bei jedem Bad im Meer geärgert worden, blieben sogar kraus, wenn sie nass waren. »Du bist eine Ente«, hatte mein mittlerer Bruder zu mir gesagt, »du hast Drüsen auf dem Kopf und fettest dein Haar so ein wie eine Ente ihr Gefieder.« Maureen trank aus einem Pappbecher. Am Strohhalm hinterließ sie schmierige Lippenstiftspuren. Ihre Schminke war so dick aufgetragen, dass ich den Strich der Pinselborsten sehen konnte, und auf der Stirn erkannte ich feine Risse wie auf einem alten Gemälde. Die Wimpern waren von schwarzer Wimperntusche verklebt. Sie saß vor mir, lächelte und schien auf etwas zu warten. Sie fragte mich: »Where are you from?« »I'm from Germany.« »Wow! Cool!« Sie trank den Becher aus, schlürfte den Rest geräuschvoll mit dem Strohhalm auf. »So then«, sie rückte den Stuhl zurück, »see you!« »Yes, see you.« Irgendetwas lief gerade total schief. Sie stand vorm Tisch, wippte auf den Spitzen der Cowboystiefel und drehte sich langsam weg. »Maureen?« Sie schwenkte zurück: »Yes?« »Äh, I … would you like to äh … meet me again?« Sie strahlte: »Hey, German, are you asking me for a date?« Ich nickte: »Yes, I think so!« Maureen klatschte in die Hände. »Yesss!« Doch dann sah sie mich an und sagte: »No! I'm sorry!« Sie beugte sich zu mir über den Tisch und flüsterte: »But try again soon!« Sie gab mir einen Kuss auf den Hals. Es war eigentlich kein Kuss, eher ein blitzschnelles Festsaugen. Sie balancierte ihre getürmte Haarhaube zum Kantinenausgang, drehte sich zu mir um, winkte sehr bezaubernd und ging.

Bill und Brian kümmerten sich nach meiner zweiten Ankunft rührend um mich. Mehrmals hatte mich Bill in seinem schäbigen Auto abgeholt und war mit mir zu einer großen Wiese gefahren, um mir beizubringen, wie man einen Baseball wirft und fängt. Wir standen weit voneinander entfernt und schleuderten den steinharten Ball hin und her. Hin und her. Ein paarmal rief Bill: »Nice catch!« Mehr nicht. Die Gleichförmigkeit der Bewegungsabläufe, das satte Ploppgeräusch, wenn es gelang, den Ball perfekt zu fangen, und die kühle Luft taten mir gut. Danach fuhren wir Burger und Pommes essen. Bill bestellte sich drei Hamburger, packte sie aus und legte sie nebeneinander vor sich aufs Tablett. Er klappte die Hamburger auf, stapelte sich alle drei Hackfleischscheiben auf einen einzigen Burger und klappte eine Brötchenhälfte drauf. Die anderen warf er weg. Er sagte zu mir: »It's called: Bills Big Burger!« Wir tranken Mountain Dew, eine zuckersüße Limonade, die stark koffeinhaltig ist. Das erfuhr ich erst Monate später. Hin und wieder lag ich hellwach in meinem Wasserbett, konnte nicht einschlafen und wusste nicht warum. Die Zeitumstellung, dachte ich, kann das doch nun wirklich nicht mehr sein. Dass der halbe Liter Mountain Dew, den ich vor einer Stunde getrunken hatte, schuld daran war, kam mir nicht in den Sinn. Bill fuhr mich nach Hause, ließ mich auf der Auffahrt aussteigen, winkte, und jedes Mal dachte ich: Wie kann man eine Baseballkappe nur so bescheuert weit oben auf dem Kopf tragen? Warum zieht der sie sich denn nicht runter? Er aß in letzter Zeit nur noch sehr selten bei seinen Eltern. Etwas zwischen Stan und ihm schien kompliziert zu sein. Ich glaube, Stan hielt ihn für faul.

Brian, mein mittlerer Gastbruder, hatte sehr viel zu tun, sein Medizinstudium ließ auch ihm kaum noch Zeit, bei den abendlichen Tischgebeten und Essen dabei zu sein. Doch jedes Mal, wenn er kam – und er tat dies meist unangekündigt –, waren Stan und Hazel überglücklich. Er liebte es, mit seinem Jeep auf die Auffahrt zu kurven und sich von seinen herbeieilenden Eltern beklopfen und hofieren zu lassen. Mit mir fuhr Brian Geschenke für Weihnachten einkaufen. Er beriet mich, was seinen Eltern und Brüdern gefallen könnte. Für Stan kaufte ich ein Hemd, für Hazel einen gerade erschienenen Fantasyroman, für Bill einen besonderen Angelköder, eine schillernde, mit Haken gespickte Fischattrappe zum Blinkern, und für Donald ein Poster. Eine mit Altöl beschmierte Frau räkelte sich auf der Kühlerhaube eines Porsches. Don liebte genau wie sein Vater deutsche Autos. Allerdings nur die teuren. Dass man auf der deutschen Autobahn tatsächlich so schnell fahren konnte wie man wollte, es keine Geschwindigkeitsbegrenzung gab, war für Don ein Traum. Es war im Grunde das einzige Thema, mit dem ich bei ihm überhaupt je gepunktet hatte. Von allen drei Brüdern hatte nur Brian eine Freundin. Eine schüchterne, spindeldürre Kommilitonin, die Chirurgin werden wollte. Seltsamerweise habe ich weder Brians noch Bills Wohnungen je betreten.

Meine Rivalität mit Don verlief in unberechenbaren Wellen. Eine Zeit lang ging alles gut, Don schien durch den Verlust meines Bruders nachsichtig geworden zu sein. Meine Sachen im Bad blieben, wo sie waren, und er verschonte mich mit Gemeinheiten. Dann brach, meist wegen einer unbedeutenden Kleinigkeit, wieder offene Feindschaft zwischen uns aus. Er wollte nicht, dass ich mich um Mr. Spock kümmerte. »Stay away from my horse!« Dann bekam er aber Ärger von seinem Vater, weil er nichts tat und das Pferd knietief im Mist versank. Er sagte abenteuerliches Zeug zu mir: »You've lost the war! We've won the war! So be careful what you are doing. I'm watching you!« Oder er kam mit einem BMW-Kalender in der Hand und seinem provokanten Hüftschwung in mein Zimmer geschlendert und fragte: »Sorry, do you already know the day you're leaving?« Ich war oft nicht schnell genug, um die Bosheiten zu durchschauen. Ich antwortete: »Some day in August.« Er blätterte seinen Autokalender bis August durch und schrieb quer über alle einunddreißig Tagesspalten: »The German is leaving!«

An dieses »German« musste ich mich gewöhnen. Alle in der Schule, ja selbst einige Lehrer, zum Beispiel Larry beim Woodworking, nannten mich so: »Nice chair, German!« Es hatte auch damit zu tun, dass sie das Ch in meinem Vornamen nicht aussprechen konnten und daraus ein Ck machten. Dons Angriffe machten mir aber lange nicht mehr so viel aus wie zu Beginn meines Amerikajahres. Vielleicht tat es mir sogar wohl, gab mir, da mich mein mittlerer Bruder auch oft bis aufs Blut gequält und geärgert hatte, ein wenig Halt.

Von meiner Freundin kam ein Kärtchen. Auf der Vorderseite waren zwei Schnecken, die sich im hohen Gras mit geschlossenen Augen küssten. Ihre Fühler berührten sich. Hier das, was sie mir schrieb:

Na mein Lieba!
Deine superfaule Traummaus war extra auf dem Weihnachtsmarkt, um diese winzige Karte zu kaufen, damit sie nicht so viel schreiben muss. Nee, jetzt mal im Ernst. Ich war mit Andi und Harald auf'm Weihnachtsmarkt in Lübeck. Es war sehr schön. Richtig weihnachtlich. Danach hatte ich Weihnachtsfeier vom Handball. Harald hat mich hingefahren. Wir haben in den Balkanstuben gegessen. Es war ganz toll. Um 23 Uhr sind Imke, Hiske, Ole, ich und Harald auf dem Fußball-Weihnachtsball gewesen. Das war nicht so toll. Die Leute da waren viel zu gut drauf für mich. Aber ich will nicht jammern. Traummaus halt die Ohren steif!
Letztes Mal in der Schule haben wir über die Körperbehaarung gesprochen. Unter anderem auch über Bauchhaare. Ich bin völlig geschmolzen. Sind sie schon gewachsen? Was? Noch mehr sind es geworden? Is ja 'ne Frechheit. Oder hat sie Dir

schon jemand weggeguckt? Na ja, es reicht ja auch noch, wenn Du sie die letzten Monate wachsen lässt.
Bei mir ist alles so weit unverändert. Ich war bei der Berufseignungsuntersuchung. Harald hat mich gefahren. Der Arzt musste auch meine Maße nehmen (wozu weiß ich auch nicht). Auf jeden Fall waren oben 94. Ich bin fast aus den Latschen gekippt. Es ist wohl besser, wenn ich ein bisschen Platz frei lasse auf der Karte, bevor ich weiterhin so 'n Müll schreib.
Deine einsame Traummaus
Ich freu mich schon aufs Telenieren!

Unter die Karte hatte sie einen Pfeil gemalt, der auf die Vorderseite mit den sich küssenden Schnecken zeigte. Unter dem Pfeil stand winzig mit Bleistift: Guck mal da knutschen zwei? Wer sind denn die?

Ich war mir nicht ganz sicher, ob mir ihre Art zu schreiben gefiel. Ich mochte es nicht, dass sie alles verniedlichte, auch sich selbst, und doch bekam ich Sehnsucht nach ihr. Was wusste ich schon? Vielleicht musste das genau so klingen. Ich bekam plötzlich so ein Verlangen nach ihr, dass ich mich, obwohl Stan direkt vor meinem gekippten Fenster den Schnee von den Birken klopfte, nackt auszog und meine Begierde auf der heißen Wassermatratze wegschwappte.

Meine Antwort auf diese Karte bestand aus nur einem Satz: Wer ist Harald?

In diesen Tagen, kurz vor Weihnachten fiel ein halber Meter Neuschnee, begann nun endlich das, worauf ich so lange gewartet hatte, das, was der eigentliche Anlass meines Amerikaaufenthaltes gewesen war: die Ausscheidungswettkämpfe für das Basketballteam. Der Trainer, Coach Carter, war ein zwei Meter acht großer ehemaliger Profibasketballer und Vietnamveteran. Alle Schüler, die in das Schulteam wollten, trafen sich an einem Nachmittag in der großen Sporthalle. Diese Sporthalle hatte eine Tribüne, auf der mehrere Hundert Zuschauer Platz fanden. Das Basketballteam der Laramie Highschool hieß »The Plainsmen«. Es versammelten sich um die fünfzig Schüler in der Halle. Nur fünfzehn würden es ins Team schaffen. An diesem ersten und auch an den nächsten beiden Nachmittagen geschah nichts weiter, als dass Coach Carter die Mannschaften einteilte. Seltsamerweise kannte er die Vornamen aller fünfzig Schüler auswendig. Auch meinen. Er saß am Rand, beobachtete mit ausdruckslosem Gesicht das Spiel und machte sich Notizen. Vor den großen Fenstern der Turnhalle schneite es, und auf dem Hallenboden quietschten die Turnschuhe. Auch wenn ich mich an die Höhe in Laramie gewöhnt zu haben glaubte, nach nur einer Viertelstunde war ich vollkommen fertig. In Deutschland wurde Basketball als körperloses Spiel bezeichnet. Handball und Fußball waren Sportarten, wo es um Körpereinsatz ging, um Tritte und Rempler. Basketball war, so dachte ich, etwas für schnelle und wendige Sportler, die Körperkontakt scheuen, aber dank ihrer Größe für diesen Sport prädestiniert sind. Unter den fünfzig Teamanwärtern zählte ich mit meinen ein Meter neunzig eher zu den kleineren. Und das mit dem körperlosen Spiel stellte sich schon nach zehn Sekunden als grober Irrtum heraus. Ständig wurde ich geschoben und geschubst. Sobald ich den Ball hatte, fuchtelte mir jemand mit seinen Armen wie ein Propeller vor der Nase herum und schlug ihn mir aus der Hand. Hatte ich, um zu verteidigen, den eigenen Korb erreicht, rannten schon wieder alle beim Tempogegenstoß zum anderen Korb. Die Spieler riefen sich Spielzüge zu, die ich nicht kannte, und wiesen mir Positionen zu, von denen ich noch nie gehört hatte. Genauso wenig wie ich im Angriff zustande brachte, trug ich zur Verteidigung bei. Ich beobachtete meine Gegner ganz genau. Mit einer winzigen Körperdrehung tricksten sie mich aus. Ich verlagerte mein Gewicht auf den falschen Fuß, und sie zogen an mir vorbei zum Korb. Das Spiel war viel schneller, hektischer und kraftvoller, ja, brutaler, als ich es je für möglich gehalten hätte. Immer und immer wieder stand an diesen drei Nachmittagen jemand mit dem Basketball vor mit und ich wusste, gleich würde er etwas tun und ich wäre unfähig, es zu verhindern. Rechts an mir vorbei, links an mir vorbei. Elegante Drehung, Ball durch meine Beine gespielt, und wieder weg. Wenn ich dribbelte, musste ich dabei auf den Ball sehen. Meinen Mit- und Gegenspielern schien der Ball wie ein dressierter Flummi in die Hand zu springen. Mit keinem Blick kontrollierten sie ihre Dribblings, sahen immer nur den Gegner oder den Korb an. Wenn ich dribbelte, wusste ich nicht, wo ich hinrannte. Ich patschte den Ball unbeholfen auf den Boden und irrte übers Feld. Mehrmals dribbelte ich den Ball einfach am Korb vorbei ins Aus. Ich sah auf und wollte werfen, stand aber längst hinterm Korb, und meine Mitspieler sahen mich verständnislos an.

Coach Carter hatte mich an diesem Nachmittag allen vorgestellt und gesagt: »Look at this man. He comes from Germany! GERMANY! It's an honor to have you here!« Ich verstand nicht ganz, was das sollte, war aber froh, so freundlich begrüßt zu werden. In einer kurzen Spielunterbrechung kam er zu mir und sagte auf Deutsch: »Ik liebe Deutschland. Deutschland hat große Geschikte! Ik habe deutsche Hunde!« Ich rannte zurück aufs Spielfeld. Nie war ich mir so plump, ungeschickt und lahm vorgekommen wie an diesen drei Nachmittagen, an denen uns Coach Carter Stunde für Stunde neu einteilte und, ohne je auch nur den geringsten Kommentar abzugeben, aufeinander losließ. Wer die Besten waren, stellte sich schnell heraus. Alle überragte Benny Wiseman. Er war nicht viel größer als ich. Ein sehniger Junge.

Unermüdlich. Er traf von allen Positionen aus. War genauso gut aus der Distanz wie unter dem Korb. Er war so schnell, dass er nicht nur mich ausspielte. Benny lachte beim Spielen, war von gut gelaunter Aggressivität und konnte mit wenigen Bewegungen die gesamte Abwehr aushebeln. Sein kleiner Bruder Blake war viel unscheinbarer. Doch wenn am Ende eines Spiels davon gesprochen wurde, wer die meisten Körbe erzielt hatte, hatte Blake oft genauso viele Punkte gemacht wie sein nur ein Jahr älterer Bruder. Bennys Punkte waren immer spektakulär, Blake dagegen agierte eher unauffällig, aber immens effektiv. Oder Jason Powell, ein grandioser Distanzschütze. Noch bevor man überhaupt verteidigen konnte, warf er vor der Drei-Punkte-Linie und traf. Nach dieser ersten Runde wurden zwanzig Spieler aussortiert. Coach Carter stellte sich auf die unterste Sitzreihe der Zuschauertribüne und verlas die Namen derer, die es in die zweite Runde geschafft hatten. Zu meiner großen Überraschung war ich dabei. Warum auch immer. Ein Schüler, der mir durch seinen verbissenen Ehrgeiz aufgefallen war und nicht aufgerufen wurde, schleuderte mit großer Wucht einen Basketball gegen die Holzverkleidung der Hallenwand und fluchte: »What the fuck!« Coach Carter ging auf ihn zu, stellte sich vor ihn, war einen halben Meter größer und schrie ihn an: »What did you say?« Der Schüler hatte die Fäuste geballt. Coach Carter brüllte: »Leave! Leave this gym. I never want to see you here again!« Der Junge rannte davon.

Aus den übrig gebliebenen dreißig Spielern würde nach einer weiteren Woche noch einmal die Hälfte aussortiert werden. Nur fünfzehn würden es in die sogenannte »Varsity« schaffen: die erste Mannschaft der Laramie Plainsmen. Dass ich nicht unter diesen ersten fünfzehn sein würde, war mir vollkommen klar. Ich beschloss, die kommende Woche zu genießen und so viel wie möglich zu lernen. Diese zweite

Woche hatte mit der ersten, in der uns Coach Carter nur beobachtet hatte, nichts gemein. Nun wurde trainiert. Nach einem minutiös ausgetüftelten Trainingsplan. Zehn Minuten nach Schulschluss mussten wir umgezogen auf der untersten Bank sitzen. Das Training ging von vier Uhr nachmittags bis um acht Uhr abends. Bei den Trainingseinheiten, die mit dem Ball zu tun hatten, versagte ich kläglich. Doch bei allen Einheiten, wo es um Schnelligkeit und Ausdauer ging, war ich einer von den Besseren. Von zehn Freiwürfen traf ich zwei. Aber von allen dreißig Spielern war ich Vierter oder Fünfter beim Linienlaufen. Dabei musste man von der Hallenwand starten, bis zur ersten den Raum durchlaufenden Linie spurten, sie kurz mit den Fingern antippen und zurück zur Wand rennen. Dann zur zweiten Linie, zur dritten, zur vierten und so weiter. Benny Wiseman gewann mit Vorsprung, aber ich war nicht weit hinter ihm. Nach dem Linienlauf lagen alle auf dem Boden und atmeten schwer. Coach Carter stolzierte wie ein Feldherr in kurzen Hosen, auf seinen langen Beinen zwischen den hingestreckten, keuchenden Schülern herum und nickte zufrieden.

Als ich am Morgen nach dieser ersten echten Trainingseinheit erwachte, konnte ich mich nicht mehr bewegen. Noch nie in meinem Leben hatte ich einen solchen Muskelkater gehabt. Gelähmt lag ich auf dem Wasserbett und versuchte, mich aufzusetzen. Es gelang mir nicht einmal, den Arm zu heben oder den Kopf. Hatte ich mir einen Wirbel eingeklemmt? Oder war es eine rätselhafte Krankheit, die mich über Nacht in einen bettlägerigen Pflegefall verwandelt hatte? Ich sah es vor mir: Meine Gasteltern schoben mich im Rollstuhl zum großen Finale der Basketballmannschaft, und ich applaudierte mit den Wimpern. Beim dritten Versuch gelang es mir, die Beine aus dem Bett zu biegen und mich auf die Bettkante zu setzen. Ich streckte die Arme über den

Kopf. Alles tat mir weh. Ich kam mir vor wie eine Versteinerung. Ein Archäopteryx, der nach Tausenden von Jahren aus dem Stein steigt und die Flügel streckt. An diesem Nachmittag wäre ich beinah nach einer halben Stunde Konditionstraining zu Coach Carter gegangen, um mich vorzeitig zu verabschieden. Meine Beine zitterten, ich sah meine Gegner doppelt und hörte verzerrte Stimmen. Durch einen glücklichen Zufall unterbrach Carter genau in dem Augenblick die Übung, als ich mich auf dem Weg zu ihm gemacht hatte, und gönnte uns allen eine Pause.

Nach dem Training winkte mich Coach Carter zu sich. »Sit down!« Ich setzte mich. »Listen. You are a terrible basketball player but a very good sportsman. So I have to find out how fast you learn. Grab a ball.« Coach Carter ging ein Stückchen weg von mir, ungefähr fünf Meter. Ich stand auf. »Pass me the ball!« Ich warf ihm den Ball zu. Er schleuderte ihn zurück. »Don't pass like a faggot!« Ich warf ihm den Ball stärker zu. Wieder passte er den Ball so scharf zurück, dass ich ihn fast nicht fangen konnte, und rief: »Faggot!« Faggot? Was sollte das heißen? Beschimpfte er mich als Fagott? Konnte das sein? Egal, es ging darum, zu beweisen, dass ich nicht das war, was er zu mir sagte. Dass es eine sehr abfällige Bezeichnung für Schwule war, erfuhr ich erst Wochen später. Mit aller Kraft feuerte ich den Ball zurück. Er fing ihn mit einer Hand. Mit EINER Hand! Es gab einen Knall, und der Ball klebte in seiner riesigen Pranke. Er nickte: »Better! Again.« Ich stand da, Coach Carter ging um mich herum, und wir passten den Ball hin und her, bis meine Hände glühten. Dann musste ich mich an die Freiwurflinie stellen und auf den Korb werfen. Zehn Versuche. Kein Treffer. Er sagte mir, dass ich alles falsch machen würde, was man nur falsch machen konnte. Er nahm sich den Ball und warf ihn ohne große Konzentrationspausen ein paarmal in den Korb hinein. Eigenartigerweise rollte der Ball, nachdem er durch das Netz gefallen war, zu Coach Carter zurück und blieb ihm wie ein treues Hündchen vor den Turnschuhen in Größe neunundvierzig liegen. Draußen war es schon längst dunkel geworden, und doch sah ich, wie die Schneeflocken durch die Nacht wirbelten. Die anderen Schüler waren gegangen. Nur noch der Assistenztrainer saß auf der Tribüne und klimperte mit dem Schlüsselbund. Ein strafender Blick von Carter genügte, und er legte es beiseite. In der nächsten Stunde lernte ich, aus den Knien heraus zu werfen und nicht mit der Kraft der Arme. Ich lernte, dass es eine Wurfhand und eine Führungshand gibt. Ich musste meine linke Hand hinter den Rücken legen und nur mit der Rechten werfen. Ich hielt das für unmöglich. Immer hatte ich beide Hände am Ball gehabt, mit beiden Händen den Ball auf den Korb geworfen. Ich hielt den Basketball einhändig über meinem Kopf wie ein Kellner sein Tablett und versuchte, aus den Knien heraus den Schwung in meine Wurfhand zu lenken. Vorbei. Carter korrigierte an mir herum, justierte die Winkel zwischen Hand und Arm, zwischen Arm und Schulter. Langsam bekam ich ein Gefühl für den ungewohnten Bewegungsablauf. Er sagte: »And now the most important thing. Don't look at the ball! Look at the basket. There!« Er zeigte auf den Basketballkorb. »THERE is the target. Who gives a shit about watching a ball fly through the air. Watch how it hits the target!« Für mich war das unfassbar schwer. Nicht dem fliegenden Ball hinterherzugucken, sondern die Augen die ganze Zeit auf dem Korb zu lassen. Mit dem Blick auf ihn zu warten. So lange, bis der Ball durchs Netz rauschte. Zum Abschluss dieser Sondertrainingseinheit deutete er wieder auf die Freiwurflinie: »Now try again.« Zehnmal warf ich auf den Korb. Vier Treffer. »Not good enough, but better than none!«

Auf dem Weg zur Umkleidekabine sagte er zu mir, dass ich endlich aufhören solle, mich darüber zu wundern, wenn ich treffe. Von nun an solle ich mich darüber wundern, wenn ich NICHT treffe. Zum Abschied klopfte er mir auf die Schulter und sagte auf Deutsch: »Gutes Nacht!«

Am nächsten Tag versuchte ich, das umzusetzen, was mir Coach Carter beigebracht hatte. Beim letzten entscheidenden Test kam ich, da ich nervös war, wieder nur auf drei von zehn Treffern, hatte aber im Spiel zwei Körbe gemacht. Wieder stellte er sich auf die unterste Tribünenbank und verlas die Namen derer, die es endgültig geschafft hatten. »The members of the Laramie Plainsmen Varsity Team are: Lance Hogan, Tim Rainwater, Jason Powell, Justin Cunningham, Dennis Burnett, Benny Wiseman, Blake Wiseman, Jerry Sanderson«, er sah vom Blatt auf, zu mir herüber, und rief meinen Namen in die große Halle, rief meinen Namen mit ck, nicht mit ch. Laut und deutlich. Während die letzten Spieler verkündet wurden, versuchte ich, meine Tränen zu verbergen, rannte, als würde ich mich lockern, ein wenig von der Gruppe weg zu den großen Fenstern. Fang bloß nicht an zu weinen, befahl ich mir. Umsonst. Los, jetzt hör schon auf! Aber es ging nicht. Da legte sich warm, pfannkuchengroß Coach Carters Pranke auf meine Schulter: »I am very proud to welcome you in my team. You have quite a way to go but you did a great job!« Ich nickte, und durch die Tränen in meinen Augenwinkeln funkelten die Deckenleuchten wie Sterne. Die, die es nicht geschafft hatten, saßen mit dem Handtuch über dem Kopf auf dem Hallenboden oder trotteten kopfschüttelnd über das Spielfeld.

Als ich am Abend Stan und Hazel von meinem Erfolg berichtete, stand Stan auf und umarmte mich. »Oh boy! Wow! That's great«, und Hazel bekreuzigte sich, sagte »O Lord!«, nahm mein Gesicht in beide Hände und gab mir einen Kuss. »What a wonderful message!« Don kam aus seinem Zimmer geschlendert und fragte: »What's going on? Everybody looks so happy!« »He made the Basketballteam!«, sagte Stan voller Stolz. Don ging an mir vorbei in die Küche: »I know the reason for that: Coach Carter loves Germany. That's all.« Hazel rief in die Küche: »Come on, don't be so mean!«

Als ich im Bett lag, war ich unsicher, ob Don nicht vielleicht sogar recht hatte. Waren nicht viele von denen, die ausgeschieden waren, viel besser als ich? Ich sah auf den Wecker mit meiner Heimatzeit – sechs Uhr morgens – und dachte an meine Freundin. War sie überhaupt noch meine Freundin? Jetzt schlief sie noch. Ich musste ihr endlich einen Brief schreiben. Und Sonntag anrufen. Ich streckte die Hand aus dem Bett und drehte den Temperaturregler ein wenig höher. Mir war kalt. Für die Nacht, so hatte Stan gesagt, war ein Blizzard angekündigt worden. Ich schlief ein.

Um halb sechs weckte mich Stan. »I need your help!« Mit seinen buschigen Ohrenschützern sah er aus, als würde er zu einer Polarexpedition aufbrechen. Er sagte mir, dass ich mich so warm anziehen solle wie möglich. Verschlafen kroch ich aus dem gewärmten Bett und suchte meine Sachen zusammen. Den Pullover meines Bruders und noch einen dicken Norwegerpullover aus dem Schrank. Im Flur stand Don, mürrisch, dick eingepackt, mit Handschuhen und Mütze. Mit drei Schneeschaufeln bewaffnet traten wir ins Freie. Traten hinaus und direkt in den Blizzard hinein. Die Auffahrt war von Schneemassen wie nach einer Lawine verschüttet. Der Wind jaulte und peitschte mir die scharfkantigen Flocken ins Gesicht, winzige von der Kälte geschliffene Eisdornen. Stan rief Anweisungen in den tosenden Sturm. Kaum hatte man eine Stelle freigeschaufelt, war sie auch schon wieder zugeweht. Don war überraschend zäh und schaufelte, selbst als ich mich schon schwächelnd auf den Briefkasten stützte, mit kräftigen Schwüngen Schneisen in den Schnee. Mein Gesicht fror ein, und in meinen Augenbrauen hingen Eisstückchen wie bei einem Extrembergsteiger. Meine Füße und Hände waren taub, und gleichzeitig rann mir der Schweiß über den Rücken. Mehrmals schaufelte mir Don mit voller Absicht eine Ladung Schnee ins Gesicht. Durchgefroren zogen wir uns ins Haus zurück, traten die Schuhe gegeneinander, schüttelten die Jacken aus und ließen uns im Wohnzimmer in die Sessel fallen. Hazel hatte Kaffee gemacht. Stan sagte: »Guess we have to get out there again!« Der Pudel winselte. Es klang, als ob der Sturm die Bretter von den Außenwänden abreißen würde, nach dem Herausbiegen langer Nägel aus Holzbalken. Das ganze Haus klapperte und knarzte. Dons arrogante Blässe war verschwunden. Er sah frisch und gesund aus. Hielt den Kaffeebecher in beiden Händen und trank in kleinen Schlucken. Und so begann mit der Basketballsaison auch die Schneeschaufelsaison.

Zu Weihnachten kamen Stans Schwestern und erfüllten das Haus mit ihrer wohlgenährten Heiterkeit. Es wurde gekocht, gebraten, gebacken, und vor dem unter Tonnen von Lametta begrabenen, wie ein Warndreieck blinkenden Tannenbaum stapelten sich Geschenke. Von meinen Eltern bekamen Stan und Hazel eine Schallplatte mit deutschen Weihnachtsliedern, die großen Anklang fand. Bevor wir am 25. und nicht, wie bei mir zu Hause, am 24. Dezember unsere Pakete auspackten, sahen wir eine Serie im Fernsehen, in der ebenfalls der 25. Dezember war und Weihnachten gefeiert wurde. Stans Schwestern und auch Hazel waren sehr gespannt, was jeder Einzelne im TV geschenkt bekommen würde. Jedes Mal, wenn einer der Darsteller, insbesondere die Kinder, ein Geschenk auspackte, jauchzten die Schwestern auf und riefen: »Oh my God! Look! A pink nightgown.

How cute! Isn't that gorgeous!« Im Nachhinein kam es mir sogar so vor, als hätten sie die Fernsehbescherung mit mehr Anteilnahme verfolgt als unsere kurz darauf stattfindende echte. So sehr wie über die kirchenfensterbunte Tiffanylampe, die die Hauptdarstellerin von ihrem Ehemann bekam, freute sich Hazel über ihr neues Bratenthermometer auf jeden Fall nicht. Als ich mein Paket auspackte, war ich überwältigt. Stan und Hazel hatten mir eine Spiegelreflexkamera geschenkt. Bei den Vorbereitungstreffen in Hamburg waren wir mehrmals darauf hingewiesen und gewarnt worden, dass Weihnachten der absolute Heimwehhöhepunkt sei. An keinem anderen Tag des gesamten Jahres sei ein Austauschschüler so gefährdet, von einer Heimwehattacke niedergestreckt zu werden, wie an Weihnachten. Zu keinem anderen Zeitpunkt sei der Kulturschock so vehement, die Kluft zwischen der alten und der neuen Welt so abgrundtief. Weihnachten sei das Heimwehnadelöhr, durch das jeder hindurchmüsse. Und angeblich war es keine Seltenheit, dass Austauschschüler nach dem Weihnachtstelefonat mit zu Hause weinend zusammenbrachen, in ihr Zimmer gingen, ihre Koffer packten und keinen Augenblick länger in der von Jingle-Bells dröhnenden Kitschwelt ausharren wollten. »Wer Weihnachten schafft«, hatte Traudel Buscher-Böck gerufen, »der schafft auch locker den Rest der Zeit.« Ich spürte von alldem gar nichts und war heilfroh, nicht zu Hause sein zu müssen. Ich konnte mir keinen von Trauer und Schmerz angefüllteren Ort vorstellen als das Weihnachtszimmer mit meinen abgemagerten Eltern, meinem Bruder und dem Hund. Natürlich sagte ich meiner Mutter am Telefon, wie gerne ich bei ihnen sein würde, aber die Wahrheit war eine andere.

Von dem Augenblick an, da ich es in die erste Mannschaft des Basketballteams geschafft hatte, wurde ich in der Highschool anders wahrgenommen. In den ersten Monaten waren mir die Schüler freundlich begegnet, aber ohne wirkliches Interesse an meiner Person. Wenn ich jetzt durch die Schule ging, tuschelten die Mädchen und warfen mir aufmunternde, ja, anzügliche Blicke zu. Ein Mädchen zwinkerte mir sogar jedes Mal zu, wenn ich ihr begegnete, und schlug sich mit der flachen Hand knallend auf ihren Jeanshintern. Ich sah verstört zu Boden, tat, als hätte ich sie nicht gesehen.

Erst bei meiner dritten Bitte um ein Date gab Maureen nach, und wir verabredeten uns für einen Samstagabend. Als ich ihr gestand, dass ich keinen Führerschein hatte, war sie perplex, überlegte einen Augenblick und sagte: »Oh well, I can drive.« Ich gab ihr meine Adresse, beschrieb den Weg und bat sie, auch das Lokal, die Bar oder das Restaurant auszusuchen, da ich mich mit diesen Dingen nicht auskannte. Sie gab einen eigenartigen Grunzton von sich. »Okay. So I'm the boy and you're the girl, right? One last question. Do I also have to pay?« Da ich mit meinem knappen Taschengeld kaum auskam – ich bezahlte jeden Tag das Lunchpaket in der Schule davon –, schlug ich vor, sich die anfallenden Kosten zu teilen. Maureen war sprachlos. Sie hatte wirklich schöne Augen. Ihre Pupillen waren so groß, dass für das dunkle Grün nur wenig Platz blieb. Ein schmaler Ring ums Schwarz. »Kind of unusual, but alright! I'll come and pick you up!« Die Schulglocke läutete, und das blecherne Scheppern der zuklappenden Spindtüren erfüllte den Gang. Sie kam näher zu mir heran und stellte sich auf die Spitzen ihrer Cowboystiefel: »Congratulations to the Varsity. Wow! Now you are a Plainsman, German!« Ich sah ihr hinterher. Hätte sie nicht diese absurde Haarhaube auf, dachte ich, könnte man sie auch für einen Jungen halten. Einen zarten Cowboy. Sie ging davon, und auch ich musste mich beeilen, da ich noch durch die halbe Schule zu meiner Englischklasse musste.

Als ich Hazel von meinem Date erzählte, legte sie ihr Buch auf den Couchtisch – auf dem Cover war eine verwitterte Ritterburg, von deren oberster Zinne eine fauchende Hydra stürzte – und fragte mich eine halbe Stunde lang über Maureen aus. So hatte ich Hazel noch nie erlebt. Sie fragte und forschte mit kindlicher Neugierde nach jedem noch so winzigen Detail. Wie alt Maureen wäre, wie sie sich kleiden würde, welche Kurse sie besuchen würde, ob sie katholisch sei, was ihre Eltern für Berufe hätten? Keine dieser Fragen konnte ich beantworten. Hazel war enttäuscht. Und natürlich, wie wir uns denn kennengelernt hätten? Ich log: »In school.«

Am Samstag sah ich Maureens Auto vom Wasserbett aus eine halbe Stunde zu früh vom Highway in unsere Siedlung abbiegen. Und doch kam sie eine Viertelstunde zu spät. Heimlich beobachtete ich von meinem Fenster aus, wie Maureen in unsere Auffahrt einbog. Sie parkte direkt unter den großen Bäumen. Jeden Tag ging Stan mit einer langen Stange durch den Garten und stieß den Schnee von den Ästen, damit sie unter der Last nicht brachen. Ich war gespannt, wie Maureen aussehen würde. Ich hatte mich für eine Jeans und ein schwarzes Hemd mit Druckknöpfen entschieden. Sie stieg aus dem Auto und trug eine weiß-rote Lederjacke mit großen Zahlen darauf. Die ersten Schritte tastend, aus Furcht vor eventuellem Glatteis, kam sie auf das Haus zu. Sie musste sich allerdings keine Sorgen machen, da Stan, sobald aller Schnee weggeschaufelt war, kiloweise Salz streute. Wie ein mittelalterlicher Bauer schritt er über den Platz, griff in die Tüte und säte Salz. Hazel geriet darüber jedes Mal in Wut, weil der Pudel wunde Pfotenballen bekam. Maureen klingelte, und ich ging zur Tür und machte ihr auf. »Hi!« Sie verstellte die Stimme, sprach so tief sie konnte: »Hi. Are you my date?« Ich bat sie herein. Stan und Hazel saßen nebeneinander auf dem Sofa, sahen aus wie frisch geduscht, erhoben sich und gaben Maureen die Hand. Das zehnminütige Gespräch, das nun folgte, war eine Mischung aus Verhör und Herzlichkeit. Mir war das etwas unangenehm, aber Maureen schien sich nicht zu wundern und beantwortete alle Fragen. So erfuhr ich lauter Dinge über sie, die ich noch nicht wusste. Sie war gar nicht aus Wyoming! Kam aus Baltimore. Lebte aber schon seit über fünf Jahren in Laramie. Ihr Vater war Dozent am College of Technology, und ihre Mutter hatte anscheinend irgendetwas mit Politik zu tun. Sie sprachen über meinen Kopf hinweg, schnell, ich verstand nur jedes dritte Wort, und für einen Augenblick kam es mir so vor, als würde auf einem Basar über meinen Preis verhandelt. Don kam aus seinem Zimmer. Blieb in der offenen Tür stehen, lehnte sich an den Türpfosten und musterte Maureen. Sie sah ihn an und sagte: »Hi, I'm Maureen!« »Hi, I'm Don. I live here, too. Nice jacket.« »Thanks. It's from the Indie 500!« »I know that!«

Ich war froh, als ich endlich neben ihr im Auto saß und wir in die Stadt fuhren. Was würde jetzt geschehen? Würden wir wirklich in ein Restaurant fahren? Ich hörte ein Geräusch, nicht den Motor, ein kaum wahrnehmbares, schabendes Kratzen. Es klang wie ein winziges Tier, das mit messerscharfen Krallen über Glas läuft. Maureen bog von der Hauptstraße ab. Links und rechts geschmackvolle Häuser, wie ich sie bis jetzt in Laramie noch nicht gesehen hatte. Hier lag lange nicht so viel Schnee wie draußen in unserer Westernsiedlung. Wir erreichten eine große Auffahrt. Sie sagte: »That's our place! Come on. Let's make it short!« Wir gingen ins Haus und betraten ein weitläufiges Vorzimmer, von dem aus eine Marmortreppe nach oben führte. Der Boden war bedeckt mit Schuhen. Turnschuhe in allen Variationen, Herrenschuhe und Fellstiefel, hochhackige Damenschuhe, Ballettschläppchen und Skistiefel. Ich fand einen freien Platz. Das Haus war erfüllt von ohrenbetäubendem Krach. Was genau woher kam, war nicht zu orten. Ich hörte klassische Musik, asiatische Kampfschreie, hysterische Zeichentrickfilmstimmen und etwas, das wie ein Presslufthammer klang. Maureen brüllte: »Mooom! Daaaad!« Doch bevor Mom und Dad kamen, rannten zwei ungefähr zehnjährige Jungen um die Ecke, gefolgt von einem etwa dreizehnjährigen Mädchen. »These are my brothers and my sister«, sagte Maureen. »Don't talk to them, they are crazy!« Ein Mann mit strubbeligen Haaren kam den Flur entlang, gab mir im Vorbeigehen die Hand, »Nice to meet you«, und verschwand wieder. Maureen: »That was my dad!« Einer der Brüder pupste und bekam einen Lachkrampf. Jemand rief aus dem oberen Stock: »Sorry! Sorry! Can't come right now. Hiii! I'm Maureens Mom. You are from Germany, right?« Ich rief die Treppe hoch: »Right!« »Huhhh, what a sexy voice!« Maureen rief: »Mom, PLEASE!« Wieder die Stimme von oben: »Make yourself comfortable. Do you wanna eat with us?« »Mom, we're going out for dinner. He is my date.« Die Brüder rutschten freihändig das lange Marmorgeländer hinunter und wälzten sich in den Schuhen. »Oh, I see. Have fun. Bye!« Die Schwester sagte: »She told me you won't pay for her. Is that true?« Maureen fuhr sie an: »Would you please shut up!« Einer der Brüder hatte einen Basketball geholt und warf ihn mir durch den Flur zu. »Hey, let's play Plainsmen!« Maureen nahm meine Hand. »Let's go!« Der Vater kam zurück mit Akten unter dem Arm. »Did somebody see my glasses?« Maureen sagte: »Dad, I'm leaving!« »Where did I put my glasses?« Maureen schüttelte den Kopf, und wir gingen.

Als wir im Auto saßen, hörte ich wieder das winzige Tier mit den messerscharfen Krallen übers Glas kratzen. Wir hielten vor einem mexikanischen Restaurant, dessen Dach ein riesiger beleuchteter Sombrero war. Bevor wir ausstiegen, klappte Maureen ihre Sonnenblende hinunter, die matt beleuchtet war, und begann sich zu schminken. Tupfte und malte, zupfte und puderte gut eine Viertelstunde lang. Wir gingen hinein, mussten kurz an einer Kakteenrezeption warten, und wurden von einem Kellner zum Tisch geführt. Der Kellner hatte den gleichen Hut auf wie das Restaurant. Seine über der Brust gekreuzten Patronengurte waren mit kleinen Tequilafläschchen bestückt. Maureen zog die Lederjacke aus. Sie trug ein rotweiß kariertes Hemd, das über der Jeans zusammengeknotet war. Vom Knoten standen wie zwei Ohren die Hemdzipfel ab. Unter meiner Speisekarte hindurch sah ich ihren Bauch, der sich leicht über die schwere Gürtelschnalle wölbte, von der mich ein Adlerkopf mit spitzem Schnabel warnend anstierte. Dass wir vor nur zwei Wochen in einem Whirlpool miteinander geschlafen hatten, dass sie auf meinem Schoß gesessen und im blubbernden Wasser ihre Hüften hatte kreisen lassen, kam mir in diesem Moment wie eine Wunsch-, ja Wahnvorstellung vor. Mehrmals hatte sie, sobald ich versuchte, ihr Hüftkreisen durch Auf- und Abwärtsbewegungen zu erwidern, in mein nasses Ohr »Don't move!« geflüstert. Ich hatte still gesessen. Nur sie bewegte sich. Dann wieder »Move!«. Vorsichtig machte ich mit. »Yes, move!« Ich bewegte mich stärker. »Don't move!« Nichts war von diesem Ereignis, von diesem für mich bahnbrechenden Erlebnis mehr übrig. Ich hatte gehofft, dass wir uns im Auto küssen würden, sie sich in einer abgelegenen Sackgasse bei laufendem Motor wieder auf mich setzen würde. Oder dass sie mich an einen von ihr erwählten geheimen Ort chauffieren würde, vielleicht die leer stehende Wohnung einer Freundin, und wir uns ausziehen und miteinander schlafen würden. Doch jetzt saßen wir abseits in einer Nische, aus den Lautsprechern triefte mexikanische Gitarrenmusik, und bestellten Tortillas und Enchiladas, redeten über das Wetter und hätten auch beide achtzig sein können. Beim Essen purzelte mir der Mais aus meinem gerollten Weizenfladen. Die Körner lagen überall auf dem Tischtuch herum, und ich pikste sie einzeln mit der Gabel auf. Maureen lächelte gequält. Unmittelbar nachdem wir aufgegessen hatten, rief sie den Kellner und bat um die Rechnung. Wie verabredet bezahlte jeder die Hälfte, und wir verließen das Restaurant. Sobald wir im Auto saßen, klappte sie wieder den Spiegel herunter und begann, sich ausgiebig nachzuschminken. Auf der Rückfahrt begriff ich plötzlich, woher das kratzende Geräusch kam. Maureens Haarspitzen schabten am Autohimmel.

Nach nur neunzig Minuten war ich wieder zu Hause. Beim Abschied hatte Maureen weder zu mir herübergesehen noch die Hände vom Lenkrad genommen. »See you.« »Yes, bye.« Stan, der in einem blauen Trainingsanzug vor dem Fernseher mit einem Expander trainierte, fragte mich: »Anything forgotten?« Don lag auf dem Boden. Er hatte eine bestimmte Art, die Beine übereinanderzuschlagen, die mich wahnsinnig machte, weil es so angeberisch gelenkig aussah. Er sah mich an und grinste: »Oh boy. Looks like a real successful evening!« Ich ging in mein Zimmer, setzte mich an den Schreibtisch und schrieb einen langen, sehnsuchtsvollen Brief an meine Freundin. Ich lästerte über die amerikanischen Mädchen, flehte sie an, auf mich zu warten, und gelobte ewige Treue. Nie, nie wieder, schwor ich mir, gehe ich hier mit einem Mädchen aus.

Aber als ich am nächsten Morgen meinen Spind öffnete, lag ein gefaltetes Zettelchen im oberen Fach. Es war von Maureen. Sie bedankte sich für den wundervollen Abend:

»Hey German, thank you so much for the wonderful evening. I really appreciate your company. Do you remember when the corn dropped out of your Tortilla? That

was so funny! I have strong feelings for you. My Goodness! It was so romantic! I enjoyed every single moment. For ever yours. Maureen! P.S.: And it made me so proud that I got to pick you up and paid half the cheque.«

Konnte das sein? War der Brief von ihr? Vielleicht, dachte ich, steckt jemand von denen, die es nicht ins Team geschafft haben, dahinter, oder sogar Don.

Von dem Moment an, als das Basketballtraining begann, hatte ich für fast nichts anderes mehr Zeit. Kaum ein Tag, an dem ich mit Stan noch in die Kirche musste. Die erste Trainingseinheit begann bereits morgens um sechs Uhr. Jerry Sanderson holte mich jeden Morgen ab. Er wohnte am anderen Ende der Siedlung und war mit 5 feet 9 der kleinste Spieler im Team. 6 feet 3 war meine amerikanische Größe. Wie froh war ich über diese neue Maßeinheit. Meine deutschen ein Meter neunzig waren mir immer wie eine Behinderung vorgekommen. Ein Meter neunzig, mit Locken zwei Meter, und Schuhgröße sechsundvierzig. Das war nicht lustig. Hier war ich mit six feet three und shoesize 11 zwar um einiges größer als Jerry, aber bei Weitem nicht der Größte. Tim Hogan maß six feet four und unser Center Mike Hastings stolze six feet five. Jerry hatte Probleme mit seinem Gewicht. Er war alles andere als dick, aber Coach Carter hatte ihm gesagt, er müsse bis zum ersten Spiel abnehmen. Wenn Jerry mich morgens abholte, hatte er zwischen seinen Beinen auf dem Fahrersitz eine große Schüssel eingeklemmt. In der Schüssel war ein Berg von geschnittenem Obst, Cornflakes und Milch. Er fuhr mit einer Hand und schaufelte sich sein Gesundheitsfrühstück rein. Ich saß neben ihm und musste schalten. In den Kurven blickte er zwischen Straße und Milchpegel hin und her und rief »Change the gear!« Mit Jerry verstand ich mich gut. Ich nahm meine deutschen Kassetten mit in sein Auto und musste sehr lachen, wenn er ohne ein Wort zu verstehen mitsang. Jeder Spieler hatte zu Beginn der Saison seine Ausrüstung bekommen. Zwei Sporthosen, zwei Trikots, ich hatte die Nummer zwölf, und einen Trainingsanzug, in dem ich aussah wie ein Schiffssteward. Diese Anzüge waren zu jeweils fünfzig Prozent aus Acryl und Polyester, und wenn wir sie nach dem Aufwärmtraining auszogen, war es ein beliebtes Ritual, das Licht in der Kabine zu löschen. Tausende elektrische Funken knisterten um uns herum.

Wenn Jerry und ich die Turnhalle betraten, waren Benny und sein Bruder Blake immer schon da. Hellwach und durchgeschwitzt. Um Punkt sechs begann das Training. Coach Carters Büro hatte einen direkten Zugang zur Halle. Wenn der Sekundenzeiger der Uhr, die groß wie eine Bahnhofsuhr über der Tribüne prangte, auf zwölf sprang, öffnete sich die Bürotür und Carter betrat die Halle. Wer auch nur eine Sekunde zu spät kam, durfte nicht mehr am Training teilnehmen. Der Morgen begann mit Würfen aus dem Feld und lockeren Passübungen. Dann folgten Übungen, die zum Beispiel »Daily dozen«, »44 Rotation«, »Slash to split« oder »4 Men Shell« hießen. Immer wenn ich zu Coach Carter sah, traf mich sein Blick. Er schien uns alle in jedem Moment zu beobachten. Nichts, aber auch gar nichts entging ihm. Obwohl ich mit dem Rücken zu ihm stand, als ich auf den Korb geworfen hatte, ermahnte er mich, endlich damit aufzuhören, dem Ball hinterherzusehen. Wir Spieler durften keine Privatgespräche führen. Während der Übungen hörte man nichts als das Quietschen der Turnschuhe, Fang- und Wurfgeräusche und Atmen. Coach Carter bellte seine Kommandos, und wir parierten. Hin und wieder versammelte er uns um sich, hob die Hände, und wir setzten uns wie Jünger zu seinen Füßen. Dann schwärmte er voller Selbstergriffenheit von seiner Zeit in der NBA, der National Basketball Association. Er sprach von berühmten Spielern, und ein anerkennendes Raunen ging durch die Mannschaft. Nur Benny Wiseman blieb unbeeindruckt, schien sich zu langweilen und sprang am Ende der Heldenepen stets als Erster auf, griff sich den Ball und dribbelte ihn in vollem Lauf akrobatisch zwischen den Beinen hindurch. Später in der Saison kam es hin und wieder vor, dass Coach Carter von Vietnam sprach, seltsame Bezüge zwischen unserer knappen Niederlage und der Niederlage der US Army herstellte. Mir zeigte er in einer Trainingspause, wie man mit leicht gebogenem Zeige- und Mittelfinger jemandem in die Augen stechen und so durch eine Schleuderbewegung das Genick brechen kann.

Nach der Schule begann der Nachmittag mit einer einstündigen Trainingseinheit, in der es um theoretische und taktische Dinge ging. Mit Kreide malte Coach Carter Laufwege und Spielzüge auf eine Tafel. Die Spielzüge hatten Nummern, die der Spielführer vor dem Angriff ansagte. Dann ging es in die Folterkammer, The Torture Chamber, gegenüber der Zuschauertribüne, in der dicht gedrängt eine unüberschaubare Anzahl von Geräten stand. Überall wurden Gewichte gestemmt, mit den Füßen hochgedrückt, mit den Armen gewuchtet. In den unmöglichsten Positionen zogen Hände an Metallseilen, und Schultern pressten sich gegen gepolsterte Bügel. Da die Geräte eng beieinanderstanden, sah es so aus, als wäre es eine einzige Maschine, in der eingeklemmte menschliche Körper um ihr Überleben kämpften. Jeder von uns bekam einen speziell auf ihn abgestimmten Plan, um individuell seine defizitären Muskelbereiche zu stählen.

Bei mir ging es vor allem um den Brust- und Rückenbereich. Ich bräuchte, so der Coach, auf dem Platz mehr Präsenz. Er hielt mir einen Vortrag darüber, dass ein Gegenspieler sofort wittern würde, ob ich ängstlich wäre oder nicht. Ich musste mich an eine Linie stellen. »Don't move! This is your territory!« Ein Spieler nach dem anderen musste auf mich zurennen und erst im letzten, ja allerletzten Moment ausweichen. Wenn ich die Augen schloss, brüllte Carter: »Keep your eyes open! Watch the danger coming and don't move. Face it!« Benny Wisemans Windhauch streifte mein Ohr. Ich blinzelte und zuckte zusammen, riss zur Abwehr die Arme hoch, versuchte mich tot zu stellen. Doch es gelang mir einfach nicht, meinen Fluchtreflex zu beherrschen. Coach Carter brach den Test ab. Der Beweis war erbracht. Ich war ein Angsthase. Zu allem Überfluss musste ich dann noch auf Benny Wiseman zurennen. Ich raste los und sah seine stolzen Augen. Die Hände hatte er locker wie ein älterer Herr beim Promenadenspaziergang auf dem Rücken ineinandergelegt. Sosehr ich es auch versuchte, je näher ich Benny kam, desto langsamer wurde ich. Drei, vier Meter vor ihm prallte ich gegen die Mauer seines Charismas, drehte ab und taumelte als feige Motte ins Nichts. Ich bräuchte, so Carter, mehr Masse. Er tippte mir mit dem Finger auf mein Brustbein: »Here, right here is your weak spot.« Im Abendtraining wurden die Spielzüge einstudiert, uns eingetrichtert, bis wir, sobald die jeweilige Zahl gerufen wurde, wie Lipizzaner unsere Wege abgaloppierten. Die Spielzüge gingen mir so in Fleisch und Blut über, dass ich nachts aufwachte davon, dass ich in meinem Bett liegend mit den Füßen zuckte und den Spielzug Number nine absolvierte. Zu einer Trainingseinheit brachte Coach Carter ein Gewehr mit. Er zerlegte es und breitete die Einzelteile vor sich auf dem Boden aus. Jerry durfte ihm die Augen verbinden. In sieben Sekunden baute er das Gewehr wieder zusammen. Kein Fehlgriff, keine einzige überflüssige Bewegung. Er streifte sich die Augenbinde ab und sah uns an: »Every single one of you must know exactly what he's supposed to do.«

Wenn das Training um acht Uhr abends endete – der

Sekundenzeiger sprang auf die Zwölf, und Coach Carter ließ seine Pfeife schrillen –, war ich aufgekratzt und erschöpft zugleich. Jerry und ich fuhren dann oft noch zu irgendeinem Fast-Food-Restaurant an der Hauptstraße. Er aß Salat, ich einen Burger. Wir redeten über den Coach, andere Spieler oder Mädchen. Wenn ich nach Hause kam, aß ich ein zweites Mal. Meistens waren Stan und Hazel noch wach. Mehrmals hatte ich versucht, etwas über ihre Berufe zu erfahren, aber darüber sprachen sie nicht sonderlich gern. Er war Chemiker in einem Institut und sie Sekretärin. Mehr wusste ich nicht. Hazel wärmte mir die für mich aufgehobene Mahlzeit in der Mikrowelle auf, und einer von beiden setzte sich zu mir an den Tisch und leistete mir Gesellschaft. So abrupt wie in den Wochen dieses harten Trainings bin ich nie wieder eingeschlafen. Ich schaltete die Nachttischlampe aus und schaffte es gerade noch, den Arm, mit dem ich an der Lampenkordel gezogen hatte, unter die Bettdecke zurückzustecken, und schon schlief ich. Schräg über dem Bett hing noch immer der kleine Zettel mit der Adresse des Gefängnisses und seinem Namen: Randy Hart.

An einem Sonntag, ich war gerade mit Stan aus der Kirche gekommen, setzte ich mich an meinen Tisch und schrieb ihm. Diesmal mit Absender. Drei Tage später lag, als ich abends ins Haus kam, seine Antwort neben einem großen Truthahnsandwich, das mir Hazel gemacht hatte. Dies ist Randy Harts erster Brief an mich:

Wyoming State Prison

Lieber Joachim,
vielen Dank für Deinen Brief. Ich hoffe, Du warst mir nicht böse, dass ich Dir nicht geantwortet habe, aber auf der Karte, die Du mir geschrieben hast, war leider kein Absender. Ich habe versucht, an Deine Adresse zu kommen. Man wollte sie mir

nicht geben. Aber jetzt habe ich sie ja, und darüber freue ich mich sehr. Es ist lange her, dass ich einen Brief geschrieben habe. Und dann auch noch auf Deutsch! Ich mache bestimmt viele Fehler. Wie geht's Dir denn so? Gefällt es Dir in Wyoming? Du wohnst in Laramie? Da war ich mal vor vielen Jahren. Nettes Städtchen. Vielleicht ein bisschen langweilig. Ich hab mir so oft vorgestellt, was ich Dir alles schreiben könnte, und jetzt fällt mir gar nichts mehr ein. Ich erleb hier ja auch nicht so viel. Aber vielleicht interessiert es Dich ja, wie mein Tag so aussieht. Alle meine Tage sind sehr ähnlich. Morgens um sieben werden wir mit einer lauten Klingel geweckt. Das ist sehr gut. Wir im Todestrakt dürfen eine Stunde länger schlafen als die normalen Gefangenen. Gott sei Dank. Früh aufzustehen ist mir immer schwergefallen. Aber so richtig ausschlafen würde ich schon mal gerne wieder. Nachts ist es noch stiller hier als am Tag. Das hält man gar nicht für möglich. Stiller als still geht doch eigentlich gar nicht. Am Vormittag lese ich. Unsere Bibliothek ist gar nicht so schlecht. Es gibt sogar ein paar deutsche Bücher. Die habe ich schon alle durch. »Soll und Haben« von Freytag. Kennst Du das? »Narziss und Goldmund« von Hesse. »Der Fragebogen« von einem Ernst von Salomon. Was für ein Name! So würde ich auch gerne heißen. Um zwölf gibt es Essen. Wir bekommen das Essen aufs Zimmer gebracht. Leider dürfen wir nicht in den großen Saal. Danach schlafe ich. Ich kann am Tag viel besser schlafen als in der Nacht, wenn es so still ist. Wenn ich aufwache, gibt es wieder Essen. Ich räume meine Zelle auf. Um sieben wird die Zelle untersucht. Alles muss ordentlich sein. Eigentlich bin ich froh, eine Zelle für mich allein zu haben. Aber etwas mehr Ablenkung würde mir guttun. Um neun geht das Licht aus. Ich lege mich auf die Pritsche und stelle mir Sachen vor, bis ich müde werde. Ich glaub, ich hör jetzt mal lieber auf. Wer weiß denn schon, ob Du das alles wissen willst. Aber ein Brief von Dir wäre toll. Liebe Grüße von Randy. Ach ja, ich schicke Dir ein Foto von mir. Von früher. Als ich noch nicht hier drin war. So hab ich mal ausgesehen!

Ich schüttelte den Briefumschlag, und ein Passbild fiel heraus. Auf der Rückseite stand ›Randy Hart‹. Darunter: ›Summer 73‹. Ich sah ihn mir an. Kaum Ähnlichkeit mit dem Mann, dem ich im Gefängnis begegnet war. Wilde Haare, buschige Koteletten bis zu den Mundwinkeln. Ich war mir nicht ganz sicher, ob er einen verwahrlosten oder verwegenen Eindruck auf mich machte. Seine Augen sahen so aus, als ob er sie oft und ausgiebig reiben würde. Vielleicht war es aber auch ein leichter Ausschlag. Da, wo am Anfang meine Familie und meine Freundin gehangen hatten, klebte jetzt Randy Harts Passfoto. Ich schrieb ihm zurück. Wieder dauerte es nur zwei Tage, bis seine Antwort kam. Immer, wenn ich ihm schrieb, dauerte es nur zwei, maximal drei Tage, bis sein Brief da war. Ich schrieb ihm über das Basketballtraining, Coach Carter, über meine Gasteltern und über Don. Seine Antwort auf meine Klagen über Don endete mit dem schlichten Vorschlag: »Hau ihm eine rein, das wirkt manchmal Wunder.« Und ich schrieb ihm über den Verlust meines Bruders. Er war der Einzige, dem ich Genaueres über den Unfall erzählte. Ich habe Randys Briefe damals durchnummeriert. In Amerika hat er mir vierundzwanzig Briefe geschrieben. Während der ersten Zeit kamen Randys Briefe vollständig bei mir an, doch dann schienen sie jemand gefunden zu haben, der Deutsch konnte und sie kontrollierte. Von da an waren oft ganze Passagen geschwärzt. Brief siebzehn war, wie ich vermutete, eine kurze Beschreibung, wie es zu den Morden in Babenhausen gekommen war. Davon war Folgendes übrig. Über drei Seiten ging da so:

Lieber Joachim,
heute möchte ich Dir von einem Tag erzählen, der mein Leben verändert hat XXXXXXXXXXXXXXXXXXXXXXXXX XXXXXXXXXXXXXXXXXXXXXXXXXXXXXXXXXXXXX

XXXXXXXXXXXXXXXXXXXXXXXXXXXXXXXXXXX
XXXXXXXXXXXXXXXXXXXXXXXXXXXXXXXXXXX
XXXXXXXXXXXXXXXXXXXXXXXXXXXXXXXX
XXXXXXXXXXXXXXXXXXXXXXXXXXXXXXXXXXX
XXXXXXXXXXXXXXXXXXXXXXXXXXXXXXXXX
XXXXXXXXXXXXXXXXXXXXXXXXXXXXXXXXXX
XXXXXXXXXXXXXXXXXXXXXXX. Ich bereue das alles zutiefst.
Genug für heute,
Randy

Erregt hielt ich den Briefbogen gegen das Licht, doch was weg war, war weg.

Unser erstes Spiel war ein Heimspiel gegen Scottsbluff. Die Tribünen waren brechend voll. Schon während wir uns warm machten und einwarfen, wurde jeder Korb bejubelt. Kurz vor Spielbeginn erhoben sich alle und legten sich die rechte Hand aufs Herz. Auf dem Spielfeld stand im Mittelkreis Jennifer McKee, der Musicalstar der Schule, und schmetterte die amerikanische Hymne ins Mikro. Der Klang der Lautsprecherboxen konnte nicht annähernd das wiedergeben, was Jennifer für alle deutlich sichtbar an Inbrunst in ihre Darbietung legte. Die Anlage war dem Stimmumfang dieser Ausnahmekönnerin in keiner Weise gewachsen. Die Band spielte eine sehr rustikale Interpretation der Hymne. Die Bläser hatten gut zu tun. Auch ich war aufgestanden, auch ich hatte meine vom vielen Training schwielig gewordene Hand auf dem Herzen. An der Seitenwand der Sporthalle wurde die Flagge gehisst. Ich kannte Jennifer aus meiner Englischklasse, sie war ein freundliches, bescheidenes Mädchen, und ich war erstaunt, wie weit sie den Mund aufreißen konnte. Sie trug ein weißes Kleid, das vor der Brust und an den Ärmeln von Rüschen zu explodieren drohte, und war nun ganz Stimme, ganz

Ausdruck geworden. Ihr letzter, lang gehaltener Ton verhallte ergreifend und versiegte knisternd im Rauschen der Lautsprecher. Jubel brach aus, und die Cheerleader stürmten auf den Platz. Sie hüpften, stießen ihre Glitzerpuschel in die Luft und grinsten auch noch beim Spagat. Wir Spieler saßen in der ersten Reihe in unseren Trainingsanzügen direkt vor den wirbelnden Mädchen. Sie kletterten sich auf die Schultern und bauten eine Pyramide. Jerry rammte mir seinen Ellenbogen in die Seite und gab mir mit einem Augenzwinkern einen Wink. Ich verstand nicht, was er meinte. Er flüsterte: »Pussyparade!« Ich sah hoch, und tatsächlich, direkt über mir eine Reihe gespreizter Beine. Und darüber noch eine. Und darüber noch eine. Das Mädchen vom Gipfel ließ sich rückwärtsfallen. Genauso schnell, wie sich der Mädchenturm aufgebaut hatte, flog er wieder auseinander.

Coach Carter gab uns ein Zeichen. Unauffällig verließen wir die Halle und warteten in einem Gang. Carter hatte schon im letzten Training die Startformation bestimmt. Ich war nicht dabei. Wir bildeten einen Kreis. Draußen in der Halle war ein Trommelwirbel zu hören. Coach Carter rief: »Who are you?« Wir riefen zurück: »We are the Plainsmen.« Wieder rief er, nun schon lauter: »Who are you?« Wir brüllten zurück: »We are the Plainsmen.« Und noch ein drittes Mal, so laut, dass ich die Vibrationen im Bauch spüren konnte: »WHO ARE YOU?« »WE ARE THE PLAINSMEN!« Dann wieder der Trainer: »And what are we going to do?« Wir antworteten leise und verschwörerisch: »We kick ass!« Alle streckten ihre Hände aus und legten sie aufeinander. Coach Carter sah in die Runde und durchschlug diesen dreißighändigen gordischen Knoten der Verschworenheit mit der Faust. Er rief: »Let's go!«, und wir joggten locker auf den Halleneingang zu. Einer nach dem anderen wurde von den Cheerleadern aufgerufen. Wir hatten alle Spitznamen oder richtiger, Kampfnamen bekommen. Ich hieß leider nicht nur im Basketball, sondern mittlerweile auf der ganzen Highschool The German. Jerry wurde The Fridge genannt wie refrigerator, Kühlschrank, da er so breite Schultern hatte und eiskalt im Verwandeln von Freiwürfen war. Benny Wiseman hieß Max Factor, keine Ahnung, warum, und sein Bruder Blake Shy Tiger. Ich hörte, wie mein Name gerufen wurde. Der Hallensprecher, auch ein Schüler, sagte: »And here comes a new guy! Be aware of him. We call him Theeeeee Germannnn!!!!!« Ich rannte aus dem Gang, eine kleine Rampe hoch, und sprang wie ein Zirkuslöwe durch einen von zwei Cheerleadern gehaltenen, mit Papier bespannten Ring, auf dem »The German« stand. Weil ich zu wenig Anlauf genommen hatte, blieb ich im Papier stecken und musste die herabhängenden Fetzen mit der Hand abreißen. Als ich mich befreit hatte, trabte ich winkend zu meinem Platz und setzte mich. In diesem Moment durchlief mich ein Schauder. Ein Schauder, verbunden mit einer Gewissheit. Ich sah mich um, fühlte mich großartig und dachte: Jetzt bin ich angekommen. Ab jetzt bin ich wirklich angekommen!

Wir verloren fünfzig zu neunundfünfzig. Ich hatte keine Sekunde aufs Feld gedurft. Hatte aber überwältigt von der Atmosphäre dagesessen und meine Mitspieler angefeuert. Unser Spiel wurde live im Fernsehen übertragen, lief zur besten Sendezeit bei einem Lokalsender. Auf dem Platz hinter mir saß Matt Finger. Er war mein nur für mich zuständiger Assistent. Hinter jedem Auswahlspieler saß so ein Junge aus den unteren Jahrgängen, den Sophomores, und kümmerte sich um einen. Für den Assistenten war dies eine Ehre. Er musste zu jedem Training erscheinen, meinen Spind aufräumen, mir in den Pausen Wasser reichen, meine durchgeschwitzten Trikots zusammensuchen und in den Wäschesack stopfen. Er durfte während der Spiele hinter mir stehen, mich massieren und, ganz wichtig: Er sollte mir Mut machen. Matt nahm das mit meiner Motivation sehr ernst. Obwohl ich nicht spielte, sprach er mir ständig Mut zu. Beugte sich beim Massieren vor und flüsterte mir ins Ohr: »Hey boy, you are really great!« Ich war genervt. »Matt. I didn't play yet.« »Move! You have to move. Don't forget: you are THE GERMAN!« »Shut up, Matt!« Nach diesem ersten verlorenen Spiel saßen wir in der Umkleidekabine und boten ein Bild des Jammers. Benny Wiseman weinte und stieß immer wieder mit dem Hinterkopf gegen die Spindtür. Mit Mühe gelang es mir, meine Euphorie zu verbergen und mich in den Trauerchor der Geschlagenen einzureihen. Ich warf mir zum Zeichen meiner Enttäuschung ein Handtuch über den Kopf und verbarg so mein glückseliges Lächeln. Coach Carter kam in die Kabine und warf sein Klemmbrett mit den Taktikanweisungen gegen die Wand. Er ging zu jedem einzelnen Spieler, der auf dem Platz gestanden hatte, zeigte wie ein zürnender Gott mit dem Finger auf ihn und sagte: »Shame on you!« Bei jedem Wort tippte er mit dem Finger in Richtung des Versagers: »Shame« – Tipper – »On« – Tipper – »You« – Tipper. Er ließ kein gutes Haar an der Mannschaft und verließ mit der Ankündigung »From now on you will learn what it means to practise hard!« Türen knallend den Raum. Ich hatte gedacht, dass nach seinem Verschwinden Heiterkeit ausbrechen würde, doch meine Mitspieler waren ehrlich geknickt, am Boden zerstört, und selbst unter den Duschen stand jeder für sich, stumm im warmen Regen seiner Schande.

Jedes Wochenende hatte ich jetzt ein Spiel. Im Wechsel ein Auswärtsspiel, ein Heimspiel. Unsere Gegner hießen Fort Collins Lambkins, Poudre Impalas, Sheridan Broncs, Gillette Camels, Kelly Walsh Trojans, Natrona County Mustangs, Rocky Mountains Lobos oder Rock Spring Tigers. Oft dauerte die Anreise Stunden. In Rawlins fuhren wir an der Abzweigung zum Gefängnis vorbei, und über der Stadt sah ich die Adler kreisen. Wir hatten unseren eigenen Tourbus. Hinten saßen die Spieler, jeder hatte einen Doppelsitz für sich allein, im vorderen Teil gedrängt die Assistenten. Ganz vorne neben dem Busfahrer Coach Carter. Auf dem Bus, mit dem wir in die entlegensten verschneiten Winkel Wyomings fuhren, stand in großen Lettern LARAMIE PLAINSMEN. Wenn wir ankamen, streckten wir unsere gestauchten Körper wie Raubkatzen nach dem Mittagsschläfchen und stiegen ins Freie. Betraten den Ort, das Neuland unseres nächsten Sieges, mit der Überheblichkeit von Eroberern, und Matt und seine Mitsklaven trugen uns die Sporttaschen ins Hotel hinterher. Es war wichtig, dass diese Taschen groß waren. Vier Wochen musste ich mich gedulden bis zu meinem ersten dreiminütigen Einsatz. Nur, wenn wir haushoch führten oder hoffnungslos zurücklagen, wurde ich eingewechselt. Bei einem Heimspiel gegen Sheridan, einem unserer härtesten Gegner, gelang mir mein erster Korb. Ich rannte wie von Sinnen mit geballten Fäusten über den Platz und schrie »Yeahhhhhhhh!«. Die Spieler Sheridans sahen mich fassungslos an, führten sie doch mit über zwanzig Punkten. Doch ich jubelte, jubelte so, als hätte ich in letzter Sekunde den alles entscheidenden Siegtreffer erzielt. Ich sah, wie Stan und Hazel auf der Tribüne aufgesprungen waren, als Einzige!, sich umarmten und auf der Stelle hüpften. Doch da stand noch jemand. Maureen winkte mit einem Plainsmenfähnchen. Es wurde ein Tusch gespielt, die Cheerleader schwenkten ihre Puschel und riefen: »Go, German, go!« Für mich war es ein Triumph, für meine Mannschaft ein Desaster. Nach dem Spiel kam es zwischen Coach Carter und Benny Wiseman zum Eklat. Carter warf ihm vor, kein Teamplayer zu sein, stets nur auf seinen Vorteil hin zu agieren und durch seine selbstverliebte Spielweise allen zu schaden. Es war absolut ein Tabu, dem Coach zu widersprechen, doch Benny rief: »Come on! Twentyeight points ain't so bad!« Carter brüllte: »I give a shit on that! Twentyeight points? Who cares? What for? We lost the game, selfish asshole.« Er drehte völlig durch: »You fuck up my team!« Mit voller Wucht trat er knapp neben Benny Wisemans Bauch eine Delle in die Spindtür und verließ den Raum. Um ein Haar wäre dieser zornige Riese beim Verlassen der Kabine mit dem Kopf gegen den Türrahmen geknallt. Doch er erkannte die Gefahr gerade noch rechtzeitig, senkte, als wäre es eine schwere ihm auferlegte Prüfung, sein Veteranenhaupt, trat durch die Tür, richtete sich wieder auf und ging. Gegen Sheridan in der eigenen Halle zu verlieren war eine Schande.

Als wir drei Wochen später in Sheridan mit vier Punkten Vorsprung gewannen und die Schmach tilgten, tanzten wir in der Kabine im Kreis um den strahlenden Carter herum. In der Dusche seiften wir uns ein und kämpften miteinander. Wir waren nackt, glitschig und stolz. Vor diesem Revanchespiel hatten wir uns in einem martialischen Akt der Kampfbereitschaft in Tim Hogans Zimmer die Haare abrasiert. Das war schrecklich für mich. Weil aber alle mitmachten, traute ich mich nicht, Nein zu sagen. Jerry fuhr mir mit der Schermaschine über den Kopf, und meine Goldlocken fielen zu Boden. Als wir aus den Katakomben in die Halle einmarschierten, ging ein Raunen durch die feindlichen Zuschauer. Nach der Schlacht reichte Coach Carter Benny Wiseman die Hand und dankte ihm für sein großes Spiel. Ich hatte nicht auf den Platz gedurft, dafür aber Matt zum Weinen gebracht. Er redete ununterbrochen auf mich ein, legte mir jedes Mal, wenn er etwas wollte, von hinten die Hand auf die Schulter: »Hey German, something to drink?« »Hey German, you are hot today!« »Hey German, little massage?« »Hey German, kick their ass!« »Hey German, nice haircut!« Ich stand auf und schlug ihm die Wasserflasche aus der Hand: »Shut up, Matt! Stop talking to me!« Matts Gesicht fing an zu zittern: »Oh sorry, sorry, sorry!« »Matt! Never touch me again!« Er duckte sich und zwinkerte mit den Augen: »Oh, sorry, sorry, sorry!« »Leave me alone, Matt! I don't need you!« Die Tränen liefen ihm im Zickzack über die zuckenden Wangen. Ich drehte mich zurück und feuerte Jerry an, der gerade seinen zweiten Freiwurf eiskalt im Netz versenkte.

Während der gesamten Basketballsaison gelangen mir in keinem einzigen Spiel mehr als zwei Punkte, nie mehr als ein einziger armseliger Korb! Darunter litt ich sehr. Doch in der Abwehr wurde ich besser und besser. Meine Spezialität war es, mich von einem Angreifer über den Haufen rennen zu lassen und dadurch ein Stürmerfoul zu provozieren. Nicht sehr elegant, aber effektiv. Meinen schönsten Korb warf ich gegen Cheyenne East. Wir führten neunundsiebzig zu vierundfünfzig. Die Gegner waren ausgepumpt, vertrugen die Höhe nicht – die Höhe war stets unser größter Heimvorteil – und verteidigten nur noch halbherzig. Ich bekam den Ball zugespielt, dribbelte einen Bogen, ohne dabei nach unten zu schauen, überquerte links die Dreipunktelinie, bremste vor der Freiwurfzone scharf ab, war dadurch meinen Gegenspieler los, sprang hoch und warf auf den Korb. Der Ball rauschte durchs Netz, ohne den Ring zu streifen. Nach diesem Geräusch war ich süchtig. Dieses Geräusch war für mich wie für jeden Basketballer ein Hochgenuss. Es gibt keine andere Sportart, in der ein Treffer so schön klingt. Alles hatte gestimmt. Die Täuschung, das Timing, die Technik. Ein perfekter Wurf. Trotz des hohen Tempos, trotz der auf dem Spielfeld herrschenden Hektik dank einer guten Technik die Übersicht nicht zu verlieren, trotz der Erschöpfung, trotz des Körpereinsatzes sich durchzusetzen, abzuspringen und schlagartig beim Wurf zur Ruhe zu kommen, darin lag das Geheimnis. Ich war konzentriert! Hoch konzentriert!

Mit Stan und Hazel fuhr ich an freien Tagen nach Denver, und wir sahen uns Basketballspiele der Profis an. Ich sah Magic Johnson, Larry Bird und meinen Lieblingsspieler, Kareem Abdul-Jabbar. Ein riesiger, eleganter Schwarzer, der schwerelos durch die Luft segelte und den Ball mit einem Dunk krachend in den Korb stopfte. Durch das tägliche Training, die qualvollen Stunden in der Folterkammer und das häufige Schneeschippen hatte ich mich verändert. Alles Dürre, Hühnerbrüstige, Schlaksige war verschwunden. Die gesamte Statik meiner Statur hatte sich gewandelt. Meine schmalen Schultern waren durch das Krafttraining zu tragenden Balken geworden. Meine Brust, mein Bauch, meine Arme, meine Beine – alles strotzte vor Kraft und Bereitschaft. Und dann noch der rasierte Schädel! Je durchtrainierter ich wurde, desto langsamer bewegte ich mich jenseits des Basketballfeldes. Alle im Team taten das. Unendlich lässig saßen wir in den Pausen auf einem Mäuerchen und spuckten ekelhafte Pfützen vor uns auf den Asphalt. Jerry konnte die Olympiaringe rotzen! Ich hatte mir einen eigenwilligen Gang angewöhnt. Größere Schritte, leicht verzögertes Schlendern mit wiegender Hüfte. Diese Art zu gehen habe ich mir in Deutschland innerhalb eines einzigen Tages wieder abgewöhnt. Meine Mutter hatte gelacht und gefragt: »Warum wackelst du denn so komisch mit dem Hintern?«

Wir alberten herum, wie nur Hochleistungssportler herumalbern können. Der ganze Körper ein einziges zum Sprung bereites Understatement. Immer und überall gaben wir Kostproben unserer Schnellkraft, hoben ab und tippten mit den Fingerspitzen an für Normalsterbliche unerreichbare Deckenlampen oder Stahlträger. Zielsicher warfen wir leere

Cola-Dosen in die Mülltonnen und imitierten dabei Stadionsprecher: »Here he comes – Oh my God! Look at this! Oh Jesus, what a great move!« Lange hatte es gedauert, aber auch mein Englisch hatte sich verbessert. Wenn ich mit meinen Eltern telefonierte, suchte ich nach den passenden Worten und wunderte mich, wie hölzern sich meine Zunge anfühlte. Wie sperrig die deutschen Worte waren, wie scharfkantig! Wie die Lippen und die Zunge arbeiten mussten! Wenn ich Englisch sprach, rekelte sich meine Zunge wohlig im Mund und formte die Worte mit minimalem Aufwand. Ich sprach genau so, wie ich mich bewegte. Ohne jegliche Anstrengung, ohne Kraftaufwand, mit lockerem Kiefer: »Ey, dude, I'm starving! I wanna chew some juicy, fat superburgers. Let's get to it!«

Nach einem Abendtraining im Januar brachte mich Jerry wie immer nach Hause. Er hatte mehrere Kilo abgenommen, war von Coach Carter in die Startformation für unser nächstes Spiel berufen worden und in ausgelassener Stimmung. Wir hörten laut Musik, und Jerry lenkte das Auto mit zwei Drumsticks. Er trommelte die Musikrhythmen auf das Lenkrad, das Armaturenbrett, den Rückspiegel, die Windschutzscheibe und zum Spaß auch auf meinen Oberschenkel. Ohne ein einziges Mal das Steuer anzufassen, manövrierte er es mit diesen Trommelwirbeln um die Kurven herum, den ganzen Weg von der Highschool bis in unsere Siedlung hinauf, direkt vor meine Haustür. Ich sagte mein zum Ritual gewordenes: »See you tomorrow, Fridge. Take care!«, und ging hinein. Vom Flur aus sah ich Stan und Hazel im Sofa sitzen. Beide schwarz angezogen! Die Hand, in der ich das Schlüsselbund hielt, begann zu zittern. Blitzschnell griff ich mit der anderen Hand zu, umfasste den Schlüssel. Stan und Hazel starrten in Richtung Fernseher. Schwarz angezogen, mit fassungslosem Gesichtsausdruck. Ich dachte: »Wer ist es diesmal? Mein Vater, meine Mutter, mein letzter Bruder?« Wie ein Einbrecher huschte ich hinüber in den Flur, der zu meinem Zimmer führte. Sie hatten mich nicht gesehen. Aber ich hatte bemerkt, dass in den Sesseln links und rechts vom Sofa Bill und Brian saßen und auf dem Boden Donald lag. Auch sie alle drei in Schwarz. »Oh Gott«, dachte ich, »sie haben sich alle hier versammelt, um dir die nächste Todesnachricht zu überbringen, und gleich kutschieren sie dich wieder in die menschenleere Kirche.« Lautlos schlüpfte ich in mein Zimmer und setzte mich auf die Kante des Wasserbetts. Ich legte das Schlüsselbund auf den Nachttisch. Es klimperte leise, wie ein Glöckchen kurz vor der Bescherung. Ich zitterte. Sogar meine Bauchdecke und die Haut an meinem Hals zitterten. »Bitte, bitte, bitte«, dachte ich, »nicht schon wieder! Ich schaffe das nicht noch mal.« Ich erinnere mich daran, dass ich kurz aufatmete, als mir plötzlich einfiel, dass vielleicht mein Großvater oder meine Großmutter gestorben wären. Das, dachte ich, würde ich vielleicht noch irgendwie überstehen.

Bereit zum Empfang der Trauerbotschaft stand ich auf und ging ins Wohnzimmer. Da saßen sie, alle in Schwarz, mit blassen Gesichtern, Hazel verheult, und fixierten den Fernseher. Ich trat einen Schritt vor. Jetzt war ich mir sicher, dass sie mich sehen würden, und machte mich bereit für die Todesnachricht, für die unter mir aufspringende Bodenklappe, für das nächste Nichts, das mir bestimmt war. Doch sie schienen mich gar nicht zu bemerken. Leise sagte ich: »Hi.« Stan sah zu mir hinüber, nickte. Mehr nicht. Hazel schnäuzte sich in ein Taschentuch. Hatten sie Angst, mir die Wahrheit zu sagen? Konnten sie meinen Anblick nicht mehr ertragen? Waren sie zornig auf mich, weil sie sich meinetwegen andauernd schwarz anziehen mussten? Ich ging zum Sofa und wollte etwas fragen, doch ehe ich sprechen konnte, hob Bill die Hand und deutete kraftlos auf den Bildschirm. Als Erstes sah ich zwei Mädchen, die sich mit den Händen ihre Münder zuhielten und mit angstgeweiteten Augen nach oben blickten. Das Bild wechselte. Durch den strahlend blauen Himmel wanden sich weißer Dunst oder Rauchwolken, teilten sich, Trümmer rasten durch die Luft, stürzten abwärts auf die Erde zu. Dann sah man wieder die verzweifelte Menge, viele junge Menschen, die nicht glauben konnten, was sich über ihnen ereignet hatte. Die Stimme, die mit um Fassung ringendem Vibrato aus dem Fernseher zu hören war, wiederholte mehrmals den Namen Christa McAuliffe. In der nächsten Einstellung war die Menge plötzlich heiter, ja überglücklich. Fähnchen schwenkend jubelte sie mehreren Astronauten zu. Unter ihnen auch diese Frau, Christa McAuliffe. Die Stimme sagte: »Christa will be the first teacher in space!« Sie bestiegen eine Raumfähre. Dann wurde wieder der blaue Himmel eingeblendet. Die Raumfähre glitt durch dieses tiefe Blau, flog dahin und explodierte. Nach nur 73 Sekunden. Hazel senkte den Kopf, konnte den Anblick nicht ertragen. Don wippte am Boden nervös mit der Fußspitze. Ich setzte mich auf Bills Sessellehne und flüsterte: »What happened?« Er flüsterte zurück: »A national tragedy. The Challenger exploded!« Bis tief in die Nacht saßen wir vor dem Fernseher und sahen uns, wie in einer tödlichen Endlosschleife gefangen, immer und immer wieder an, wie die Raumfähre startete, plötzlich in Flammen aufging, explodierte und ihre brennenden Einzelteile durchs tiefe Blau regneten. Tagelang schien es so, als wäre der Fernseher zu nichts anderem erfunden worden, als diese Katastrophe zu senden. Mehrere Wochen wurden Stan und Hazel von diesem Ereignis beherrscht, so sehr, als hätte sie höchstpersönlich ein Schicksalsschlag getroffen. Auch in der Highschool wurde getrauert, und ein geregelter Unterricht war tagelang unmöglich. Ich war noch mal davongekommen, aber die Nation hatte es erwischt.

An einem frisch-windigen Morgen, die Gipfel der den Horizont zackenden Berge waren alle noch bis weit in die Täler verschneit, doch in der Prärie blühten schon, Teppiche bildend, Tausende von lila Blümchen, wuchtete ich den Westernsattel auf Mr. Spocks hohen Pferderücken, stellte die Steigbügel ein, einen Fuß hinein, hielt mich am Knauf fest und schwang mich hinauf. Mr. Spock knickte unter meinem Gewicht kurz mit den Hinterläufen ein, und dann, aus dem Stand heraus, galoppierte er los. Mit beiden Händen klammerte ich mich am Knauf fest. Die Zügel – es waren zwei Lederriemen, kein geschlossener Zügel – peitschten wild durch die Luft. Das Unkontrollierte seiner Sprünge galt eindeutig mir. Es hätte nur noch gefehlt, dass ich »Yeeehaaa!« gebrüllt hätte, so sehr passte diese Rodeoeinlage zu diesen Gattern, diesem Hochplateau, dieser ganzen Landschaft. Mr. Spock raste auf den Zaun zu, und ich hatte Angst. Eine schöne, tiefe, völlig gerechtfertigte Todesangst. Ich sah es vor mir, wie er mit einem gewaltigen Satz in den Zaun krachen und mich für immer unter sich begraben würde. Kurz vor dem Gatter vollbrachte Mr. Spock eine physikalische Unmöglichkeit. Aus vollem Galopp blieb er einfach stehen. Bremsweg null Meter. Mir katapultierte es die Füße aus den Steigbügeln, und die Zügelenden peitschten mir um die Ohren. Da ich mich mit aller Kraft am Westernknauf festhielt, flog mein Hintern in die Höhe. Für eine Sekunde waren meine Beine über meinem Kopf. Handstand auf dem Sattelknauf! Nein, ich lasse diesen Knauf nicht los! Ich lasse ihn nicht los! Mit einem satten Geräusch klatschte ich breitbeinig zurück in den Sattel. Das Pferd stellte die Ohren auf, schnaubte. Mit meinem Rücken stimmte etwas nicht. Ich kam mir gestaucht und schief vor. Ich richtete mich auf, beugte mich vor und klopfte seinen Hals: »Schhh, schhhh. Everything is alright. Schhh!« Sabber tropfte ihm in langen Fäden aus dem Maul. Ich nahm mir die Zügel: »Wanna go for a ride? Hm?« Vom Pferderücken herunter schob ich den Riegel zurück. Als wenn er mich verstanden hätte, setzte er sich in Bewegung. Über zwei Stunden bin ich an diesem Morgen mit Mr. Spock ausgeritten. Lenken konnte ich ihn nicht. Er lief immer genau in die entgegengesetzte Richtung. Doch ich war froh, dass er mich überhaupt trug.

5. Kapitel

Da ich mich im ersten Halbjahr doch leicht unterfordert gefühlt hatte, gestaltete ich das zweite um einiges anspruchsvoller. Mein Stundenplan für den second term sah so aus:

Erste Stunde: American History. Der Lehrer war ein adretter junger Mann. Selten habe ich jemanden getroffen, der so wenig zu seinem Namen passte wie dieser freundliche, stets gut gelaunte und zuvorkommende Geschichtslehrer. Er hieß Brett Schreckenghost. Ich lernte alles über Pearl Harbour und den Eintritt der Amerikaner in den Zweiten Weltkrieg. Ein Veteran im Rollstuhl kam zu Besuch. Ein mageres Männlein mit einem grotesk riesigen, strahlend weißen Gebiss. Er erzählte vom sogenannten D-Day, der Erstürmung der Normandie. Der aufgewühlten See, der Landung, und wie noch vor dem Erreichen des Strandes links und rechts von ihm seine Kameraden tödlich getroffen im eiskalten Wasser zusammenbrachen. Wie blutgetränkt der Sand gewesen sei und wie er gar nicht begriffen hätte, woher die Schüsse überhaupt kämen. Mehrmals versagte ihm die Stimme. In der Klasse herrschte betretenes und doch auch irgendwie neugieriges Schweigen. Erst als die Steilküste erklommen und die Bunkernester der Deutschen eingenommen worden waren, klang er wieder fest und stolz. Am Ende seiner abenteuerlichen Geschichte klatschten wir. Das gab es bei mir zu Hause nicht im Geschichtsunterricht, dass geklatscht wurde, wenn es um den Zweiten Weltkrieg ging. Wenn da jemand geklatscht hätte, beim Einmarsch in Polen, wäre er aber schneller beim Direktor gewesen, als er gucken konnte. Der Veteran drückte sich mühsam ein wenig aus seinem Rollstuhl hoch und verbeugte sich. Wir klatschten und klatschten. Mir tat das gut, mal auf der richtigen Seite zu stehen. Nachdem es schon geklingelt hatte, versammelten sich einige Schüler um ihn und stellten Fragen. Ein Mädchen wollte ganz ungeniert wissen, was das Grauenvollste gewesen sei, was er im Krieg je gesehen hätte. Und dann erzählte er etwas völlig Unglaubliches. Er habe einmal, in einem erstürmten Bunker, einen toten Deutschen gefunden, dem zwei abgeschnittene Zeigefinger in den Ohren gesteckt hätten. Wahrscheinlich, mutmaßte der Veteran, hätte diesem Soldaten der Geschützlärm so zugesetzt, dass er seinem toten Kameraden kurzerhand die Finger abgetrennt, sie sich in die Ohren gestopft und weitergeschossen habe. Kurz darauf hätte es wahrscheinlich dann auch ihn selbst erwischt. »These Germans«, sagte der Veteran, »are barbarians. No American soldier could ever be so cruel. I still hate them. I wish I would have killed …« Mr. Schreckenghost lächelte mir freundlich zu, sagte »Sorry, Sir, but I have to lock the classroom«, und schob den Veteran einfach davon. Das ganze Halbjahr über war ich überrascht, mit welcher Selbstverständlichkeit im Geschichtsunterricht Heldengeschichte an Heldengeschichte gereiht wurde. Von Scham und Schande keine Spur.

Zweite Stunde: Psychologie 2. Auf Connie Hill und ihre klappenden Sandalen wollte ich nicht verzichten. Wir befassten uns mit verschiedenen Versuchsanordnungen, sowohl theoretisch als auch praktisch. Schlaue Ratten in der Skinnerbox, Rorschachtest und Milgramexperiment. Das volle Programm. Um das Thema Konditionierung zu veranschaulichen, bekamen mehrere Probanden aus der Klasse einen Doughnut zu essen. Ich war auch dabei. Da ich Doughnuts sehr mochte, hatte ich mich sofort gemeldet. Jedes Mal, wenn man in den bunt glasierten Kringel hineinbiss, drückte Connie Hill auf eine mörderisch laute Klingel. Vor Schreck kniffen wir unsere Augen zusammen. Bestimmt zwanzigmal ging das so. Wenn man seinen Doughnut aufgegessen hatte, durfte man sich einen neuen nehmen. Ich kam auf sieben Stück. Mal schrillte die Klingel los, wenn wir hineinbissen, mal war sie das Kommando zum Abbeißen. Nach einer Pause von knapp zehn Minuten – mir war ein wenig übel – wurde nur die Glocke ausgelöst und tatsächlich: In meinem Mund sammelte sich Spucke, und es schmeckte nach Zuckerguss. Doch auch andersherum funktionierte das Experiment. Connie Hill hielt einen Doughnut in die Höhe, und wir erschraken und blinzelten. Große Heiterkeit erfüllte den Klassenraum. Bei mir hielt sich dieser Effekt noch tagelang. Bei jedem Schulläuten kniff ich die Augen zusammen, hatte den Mund voll Sabber und Lust auf Süßes.

Connie Hills Anmut, die ich so sehr mochte, ihre stets leicht übertriebenen Posen hatten auch etwas Schmerzliches. Für immer wird mir folgendes Bild in Erinnerung bleiben: Sie steht mit dem Rücken zu uns und malt irgendein Diagramm auf die Tafel. Durch die Fenster scheint die Sonne in den Klassenraum, strahlt direkt auf ihre leichte Bluse. Plötzlich hält sie inne, die Kreide fällt ihr aus den Fingern, sie hebt den anderen Arm. So steht sie für einen Moment da. Alle sehen ihr auf den sonnigen Rücken. Beide Handflächen über dem Kopf auf die Tafel gestützt. Und dann sank Connie Hill langsam nach unten. Die Handflächen wischten durchs Diagramm. Sank hinab und verschwand hinter dem Pult. Nach einem kurzen Schreckmoment sprangen wir auf, liefen zu ihr, umringten sie. Sie lag mit geschlossenen Augen auf dem

Boden. Ihr Rock war hochgerutscht, eine der Sandalen lag neben dem Fuß. Jemand rief: »Miss Hill! Miss Hill!« Jemand anderes: »We need a doctor!« Da schlug sie die Augen auf und lächelte sanft. Auch ihre Bluse war herausgerutscht, und ich sah ihren eigenartig verzwirbelten Bauchnabel. Wir halfen ihr auf, setzten sie auf den Lehrerstuhl und gaben ihr ein Glas Wasser zu trinken. Kurz darauf kam schon der Schularzt und nahm sie mit. Sie fehlte vier Wochen. Als sie zurückkam, war sie noch schöner.

Den Rest des Halbjahres sprachen wir ausschließlich über Freud, und ich nahm rege am Unterricht teil. Freud kannte ich gut, von ihm hatte mir mein Vater schon mit sieben oder acht Jahren jede Menge beim Zu-Bett-Bringen erzählt. Besonders Geschichten über Hypnose hatten es mir angetan. Oft hatte er mir kurz vorm Lichtausknipsen drei Küsse gegeben und gesagt: »Gute Nacht, liebes Es.« – Kuss – »Gute Nacht, liebes Ich.« – Kuss – »Über-Ich, jetzt wird geschlafen!« – Kuss.

Dritte Stunde: English Literature. Auch dem nach Schulschluss unsichtbare Orchester dirigierenden Mr. Kirkwood hielt ich die Treue. Wir lasen: »To kill a Mocking Bird« von Harper Lee. Mir war die Lektüre auf Englisch zu mühsam, und ich ließ es mir von meiner Mutter auf Deutsch schicken.

Vierte Stunde: Frei. Erst wollte ich mich für Biologie oder sogar Physik eintragen. Doch dann kam mir das etwas übertrieben vor, und schon bald lernte ich diese tägliche Freistunde sehr zu schätzen. Entweder machte ich einen Abstecher in die Werkstatt und plauderte ein wenig mit Larry, oder ich schlenderte, wenn das Wetter gut genug war, zum Basketballfeld hinüber und warf ein bisschen auf den Korb. Hin und wieder spielte ich mit meinem Ex-Assistenten Matt, der auch freihatte, eine Runde Tischtennis oder ging an den Fenstern vorbei, hinter denen Maureen gerade Unterricht hatte. Ich mochte es, wie sie mir, wenn ihr Lehrer gerade wegsah, blitzschnell zuwinkte.

Fünfte Stunde: English Grammar. Da der Charme meines anfänglich belächelten Satzbauwirrwarrs ganz offensichtlich verflogen war und mich meine grammatikalischen Kapriolen zunehmend störten, hatte ich mich zu diesem Kurs durchgerungen. Ich rechnete mit dem Schlimmsten. Doch als Miss Murphy die Klasse betrat, gab es einen Knall und meine Sorgen waren atomisiert. Vom ersten Augenblick an wurde sie meine Lieblingslehrerin und Englisch Grammar mein Lieblingsunterrichtsfach. Miss Murphy war schlichtweg der Hammer. Um die fünfzig, etwas rundlich, kurze graue Haare. Sie trug weit geschnittene Hosenanzüge in grellen Farben, Gürtel mit hufeisengroßen Schnallen und dazu Budapester Herrenschuhe. An den Handgelenken, beidseitig, jeweils einen breiten Goldarmreif und um den Hals eine Kette mit wechselnden Anhängern. Machart: mexikanisch, aztekisch, indianisch. Sie redete uns nie mit unseren Vornamen an. Immer nur mit Mr. und Miss plus Nachnamen. Ihre Unterrichtsstunden waren grandiose Showeinlagen, pointiert, lustig, präzise: einfach brillant.

Sie sprach mit solcher Leidenschaft, flog mit solcher Hingabe durch ihre Wortkaskaden – ihre Stimme konnte alles, vom tiefen, eindringlichen Bass bis zu den zwitschernden Höhen –, dass es mir mehrmals so vorkam, als wäre sie kurz davor, loszusingen. Sie ging durch die Reihen, nahm alles und jeden wahr, jonglierte mit unseren Antworten und warf sie nur minimal verändert, aber doch veredelt zurück. Dagegen waren die Lehrer in meiner Heimatstadt uninspirierte, radebrechende Langweiler. Nie wieder habe ich so leicht gelernt wie bei Miss Murphy. Nie wieder habe ich es erlebt, dass, wenn die Schulklingel die Stunde beendete, ein kollektives »Ohh« ertönte. Sie stieß die Tür des Klassenzimmers mit Aplomb auf, rauschte hinein, Kaffeetasse in der Hand, und begann schon beim Türschließen mit dem Unterricht. Wenn sie Fragen stellte und man nicht zügig genug antwortete, sagte sie Dinge wie »Please, Mr. Vaughan, hurry up, I have to ask some other questions before I retire« oder, zu einer gelungenen Antwort: »If your answer would be a necklace, I would wear it all day.« Ohne den Tonfall zu ändern, flocht sie Anmerkungen zu uns Schülern in ihre Ausführungen ein: »You know, the subjunctive is a very tricky but effective – nice new shirt, Miss Houston, looks beautiful – grammatical construction.« Sie war so lustig. Beim Reden brach sie die Kreide in drei Teile und jonglierte damit, oder sie strich mir über meinen rasierten Schädel und bezeichnete mich als süßen deutschen Maulwurf: »cute German mole«. Noch beim Hinausgehen gab sie letzte Anweisungen: »Tomorrow we will start with chapter four. Ladies and – oh look what an interesting cloud out there – gentlemen, thank you very much for your attention. Mr. Gaddis, you get a little lost over there. Next lesson – first row. Have a nice day!« Tür zu. Die Klasse hielt nach diesen Stunden stets kurz inne, bevor der übliche Lärm einsetzte. Das war Unterricht, von dem ich nicht geahnt hatte, dass es ihn tatsächlich geben könne, den ich mir aber immer gewünscht hatte. Konzentration war da keine Frage der permanenten Selbstermahnung, sondern schlichtweg ein Zustand der Neugierde, um bloß nichts zu verpassen.

Sechste Stunde: Diving. Ich belegte einen Tauchkurs. Hätte ich gewusst, was auf mich zukommt, hätte ich lieber Algebra 3 belegt. Doch wer sich einmal für einen Kurs eingetragen hatte, der musste ihn auch besuchen. Ich hatte geglaubt, wir würden ein wenig herumschnorcheln und lernen, wie man mit einer Sauerstoffflasche umgeht. Doch wir fuhren dreimal die Woche in eine nahe Laramie gelegene »Military Base«. Dort gab es für ballistische Tests und Durchschlagskraftproben von Munition ein vierunddreißig Meter tiefes Becken, über dem an verwinkelten Stativen Schnellfeuerwaffen und an Furcht einflößenden Apparaturen schwere Geschütze hingen. Wenn ich vom Beckenrand ins Wasser sah, konnte ich den Grund nicht erkennen. Von den Seitenwänden blinkten grelle, bullaugenrunde Lampen ins Becken. Es sah aus wie eine in die Tiefsee führende Landebahn. Weit unten wurde das Wasser trübe, das Blinken schwächer, und alles versank in schwarzgelbem Dunkel. Und da sollte ich hinuntertauchen? Im ungeheizten Wasser ließen wir uns in Taucheranzügen in diesen Kanal hinab. Blickte man zurück, sah man durch die gekräuselte Wasseroberfläche verschwommen die Mündungen der Geschütze. Von Tauchstunde zu Tauchstunde ging es tiefer abwärts, immer zu zweit. Jerry hatte nicht ganz so viel Angst wie ich, aber auch er sah hinter dem Glas seiner Taucherbrille nicht gerade glücklich aus.

Am Ende des Halbjahres kam die Prüfung. Unser Tauchlehrer, Derek Brady, hatte eine schwere Krankheit überlebt und seitdem kein einziges Haar mehr am Körper. Glatze, keine Augenbrauen, keine Wimpern, glatte Arme und Beine – ein echter Froschmann. Er warf zwei Taucherbrillen, eine Sauerstoffflasche, zwei Paar Schwimmflossen und einen Bleigurt ins Tiefseebassin und sagte: »I want you to go down there, get the stuff and come back fully equipped!« Jerry bekam ein Sauerstoffgerät, ich einen Bleigurt. So machten wir uns auf den Weg nach unten. Abwechselnd atmeten wir aus dem blubbernden Mundstück ein und reichten es beim Ausatmen hinüber. Jerry hielt sich an mir fest, da nur ich durch den Gurt nach unten sank. Tiefer und tiefer. Ungefähr auf der Hälfte der Strecke kamen wir an einem Fenster vorbei, hinter dem ein kleines Büro lag. Eine Frau saß an ihrem Schreibtisch, umgeben von Kabeln und

Messinstrumenten. Sie sah vom Computer auf und grüßte. Blubbernd und von stechendem Licht geblendet ließen wir uns weiter nach unten gleiten. Alle paar Meter mussten wir anhalten und einen Druckausgleich machen. Das Wasser wurde trüber, gelblich wie Urin. Es schmeckte eigenartig. Irgendwie nach Schrottplatz, dachte ich. Da berührten meine nackten Füße etwas. Ich erschrak fürchterlich. Der Boden war übersät mit Projektilen, Patronen in allen Größen, verformten Metallhülsen und rostigen Eisenstückchen. In diesem Munitionsmüll wühlten wir nach unseren Taucherbrillen herum. Was mache ich hier unten bloß, fragte ich mich. Was für ein Unort das war. Hier hatte ich wirklich nichts verloren. Laramie war weit weg von meiner Heimatstadt, aber so weit weg von allem und jedem wie im gelben Rostwasser am Grund dieses gruseligen Schachtes war ich noch nie gewesen. Wie wir es gelernt hatten, setzten wir uns die Taucherbrillen auf und drückten durch die Nasen Luft hinein und das Wasser hinaus. Jerry schnallte den Bleigurt um, ich fand die andere Sauerstoffflasche. Zuletzt die Schwimmflossen. Nun ging es langsam wieder nach oben. Wieder vorbei am Unterwasserbüro. Bloß nicht zu zügig! Die einfache Regel war: niemals schneller auftauchen als die aufsteigenden Bläschen um uns herum. Ich hatte einen Heidenrespekt vor der sogenannten Taucherkrankheit. Ich sah es leider zu genau vor mir, um mich nicht damit beschäftigen zu müssen. Sah, wie ich mit geplatzten Adern in den Augen, gelähmt, an der Oberfläche unter den Geschützmündungen trieb. Das war das Schwerste. Nicht einfach so schnell wie möglich nach oben zu paddeln. Nein, Meter für Meter die Angst bezwingen und die Panik wegatmen. Doch es ging alles gut, und wir bekamen von unserem haarlosen Tauchlehrer ein Tauchabzeichen überreicht. Zum Abschluss gab es dann noch eine kleine Vorführung durch einen kantigen Offizier. Sein Kinn sah tatsächlich aus wie eine herausgezogene Schublade. Wir kletterten auf eine eiserne Balustrade, bekamen Ohrenschützer und durften zusehen, wie aus den Geschützen in das Becken geschossen wurde. Überall ballerte und knallte es. Ich hätte erwartet, dass es fürchterlich spritzen würde, doch die Projektile sirrten fast unmerklich durch die Oberfläche. Tiefer sah man sie dann, silbrig glänzend im Scheinwerferlicht, zu Boden trudeln. Wie kleine Fischlein verschwanden sie im Meer.

Zögerlich und unbeholfen wurde es Frühling. Zusammen mit Maureen machte ich Ausflüge in das Umland von Laramie. Wir fuhren in die Prärie und staunten über die noch immer sichtbaren, sich durch die weite Ebene dahinschlängelnden Radspuren der ersten Siedler. Hinter größeren Steinen lag überall noch Schnee und versteckte sich vor der schwächlichen Sonne. Auf einem dieser Steine positionierte ich meinen Fotoapparat, drückte auf den Selbstauslöser und rannte zu ihr. Wir umarmten uns, lachten, küssten uns kurz, warfen uns in übertriebene Posen, um im entscheidenden Moment dann doch stillzuhalten und ernst in die Kameralinse zu sehen. Einen ganzen Film verfotografierten wir so. Sechsunddreißig Aufnahmen. Sechsunddreißigmal drücken, rennen, zappeln, innehalten. Wochenlang hatten wir uns während der Basketballsaison nicht gesehen, doch seit einer Party vor drei Wochen trafen wir uns häufig und planten sogar eine gemeinsame Reise, vielleicht nach San Francisco. Sollte diese Reise tatsächlich stattfinden, würde sie eine logistische Meisterleistung erfordern, da es mir nicht erlaubt war, ohne meine Gasteltern Wyoming zu verlassen. Allen Austauschschülern waren Reisen mit Freunden oder, noch schlimmer, minderjährigen Freundinnen streng untersagt. Maureen und ich sprachen viel darüber, planten akribisch, so als hätten wir vor, eine Bank zu überfallen, ohne je wirklich an die Realisierbarkeit unserer Idee zu glauben. Bei der Party vor drei Wochen waren Horden junger Menschen in das Haus eines Jungen eingefallen, dessen Eltern bei einer Beerdigung in Los Angeles weilten. Der Sohn, Rudy Robinson, hatte am Morgen in der Schule ein paar Freunde für den Abend eingeladen. Für diesen einen Schultag wurde der Name Rudy Robinson zu einer Verheißung. Wie ein Lauffeuer verbreitete sich die Nachricht. Auf dem Schulparkplatz, ich trug meine Jeans mittlerweile ohne Gürtel auf den Hüften, hatte die Schnürsenkel meiner Turnschuhe herausgezogen und mir zu meinem rasierten Schädel einen flaumigen Bart stehen lassen, traf ich Tim Rainwater. Er sagte im Vorbeigehen »Rudy Robinson?« und ich »Yeah, Rudy Robinson. See ya tonight!«.

Am Abend holte mich Jerry ab. Bevor wir uns auf den Weg zur Party machten, fuhren wir die Hauptstraße ein paarmal hoch und runter. Jerrys Auto hatte eine bemerkenswerte Vorrichtung, mit der er die Vorderräder gut zwanzig Zentimeter in die Höhe hüpfen lassen konnte. Viele Autos in Laramie hatten so eine Druckluftschleuder eingebaut. Sah man einen Wagen mit Schülerinnen, ließ Jerry sein Auto hüpfen und balzte mit der Kühlerhaube die Mädchen an. Oft kam es an Ampeln zu motorisierten Hahnenkämpfen, wenn mehrere so ausstaffierte Autos aufeinandertrafen. Drei, vier Autos machten laut Pffft, sprangen pneumatisch in die Höhe, und der Wagen mit den Mädchen stand still und wartete auf Grün. Ein anderes Mittel, Konkurrenten zu provozieren und zu demütigen, war das sogenannte ›Mooning‹. Jerry rief: »Look over there: Quentin Skinner! Hold the wheel!« Ich übernahm das Lenkrad, rief: »Yes! Moon that crimp!« Jerry zog sich Jeans und Unterhose herunter und drückte seinen nackten Hintern aus dem Fahrerfenster. So fuhren wir an Quentin Skinner vorbei. Danach suchten wir das Haus, in dem die Party stattfinden sollte. Wir fuhren langsam, versuchten die Hausnummern zu erkennen, sahen es im selben Moment und es gab keinen Zweifel, dass wir richtig waren. Der driveway war vollgeparkt mit Autos. Jeeps und Pick-up-Trucks waren von der Auffahrt direkt in den Garten gefahren, standen in Zweierreihen um das Haus herum. Eine lange Autoschlange säumte die Straße. Jerry lenkte das Auto im Schritttempo am Haus vorbei. In den geöffneten Fenstern saßen überall Menschen, ließen die Beine baumeln. Selbst hoch oben in der vom spitz zulaufenden Dachgiebel eingerahmten Luke saß jemand, beide Beine in der Luft. Wir suchten uns einen Parkplatz und gingen zurück zum Haus. Die Party fand nicht nur drinnen statt, auch in den Autos saßen überall Schüler, hörten Musik, tranken und kifften. Einige kannte ich gut, andere nur vom Sehen, den Großteil gar nicht. Im Garten standen eine Couchgarnitur, mehrere Sessel, Stühle und eine leuchtende Stehlampe zwischen den Autos. Als ich das alles sah, dachte ich, dass es sich dabei um alte, zum Abtransport bestimmte Möbel handeln müsse. Erst im Wohnzimmer begriff ich, dass das Haus leer geräumt worden war, um Platz für eine Tanzfläche zu schaffen. Die Mädchen schrien oder fluchten, da ihnen im Gedränge die Schminke verwischt wurde oder sogar in die Höhe gehaltene Zigaretten die leicht entzündbaren Betonfrisuren zu berühren drohten. Panisch versuchten sie, ihre verwischten Münder im Gedränge nachzuschminken. Dabei wurden sie wieder angestoßen, und eine malte sich mit dem Lippenstift einen schmierigen Streifen vom Mundwinkel bis zum Ohr hinauf. Ich war mir nicht ganz sicher, ob sie wirklich verzweifelt waren oder Spaß hatten. Zwei hatten sich auf einem großen Schrank in Sicherheit gebracht, und die eine hielt der anderen den Taschenspiegel hin. Innerhalb der Menschenmasse gab es Strömungen, in die man sich hineinwerfen und ins nächste Zimmer tragen lassen konnte. Ich wurde gegen meinen Willen die Treppe hochgedrückt und kam erst mit dem Gesicht an der Wand im Schlafzimmer der abwesenden, trauernden Eltern wieder zum Stillstand. Ich versuchte, mich wieder nach unten treiben zu lassen. Schaffte es aber nicht, mich von der einen Menschenstromschnelle in die andere hinüberzuwerfen. So wurde ich auch noch die nächste Treppe hochgespült und landete auf dem Dachboden.

Ich erinnerte mich an einen verkaufsoffenen Samstag, eine Woche vor Weihnachten, als die Kaufingerstraße in München kollabierte. Abertausende Menschen konnten nicht vor und nicht zurück und hielten ihrer Weihnachtsgeschenke wie letzte Habseligkeiten bei einer Flutkatastrophe über die Köpfe. Über der Fußgängerzone kreiste ein Hubschrauber. Ein Mann kletterte hinaus, stellte sich auf die Kufe und rief durch ein Megafon: »Bitte bleiben Sie ruhig. Bleiben Sie ruhig! Es besteht kein Grund zur Panik! Bitte benutzen Sie die Eingänge der Geschäfte. Gehen Sie in die Geschäfte. Frohes Fest!« Ich hatte eine Einkaufstasche ins Gesicht bekommen, wollte mein Auge mit der Hand schützen, bekam aber den Arm nicht hoch, so eng war es. Über eine Stunde dauerte es, bis die Menschenmassen von den Eingängen der Kaufhäuser verschluckt und durch die Hinterausgänge wieder ausgeschieden worden waren und sich die Lage entspannte.

Die Dachbodentür war eingetreten, und an einem staubigen Tisch saßen im Zwielicht einer von Spinnweben verfinsterten Deckenfunzel mehrere Gestalten und summten. Kerzen brannten in den Winkeln der Dachbalken und tropften ihren schmelzenden Takt auf die Pappkartons. Kisten standen offen. Am Kopfende der Festtafel erkannte ich im flackernden Kerzenschein Blake Wiseman, The Shy Tiger. Er trug einen großen Damenhut und dirigierte die summende Versammlung. Nun sah ich, dass er nicht der Einzige war, der sich kostümiert hatte. Mehrere Jungen trugen Kleider und waren geschminkt. Ein Mädchen hatte einen Zylinder auf und hielt eine Meerschaumpfeife in der Hand. Vor Blake auf dem Tisch standen mehrere Medizinfläschchen aus Glas und Pillendosen ohne Etiketten. Er goss einen dickflüssigen roten Sirup auf einen Löffel und dekorierte den Saft mit einer Tablette. Das Mädchen mit dem Zylinder kam zu ihm, das Summen wurde lauter, sie öffnete den Mund, und Blake verabreichte ihr den kleinen Cocktail. Bevor ich den Raum verließ, sah ich noch, wie sich auch die anderen vor Blake in einer Reihe anstellten.

Ich ließ mich wieder hinunterquetschen und landete in einem Kinderzimmer, in dem eine Horde von Schülern um einen Fernseher herum hockte und »Oh No!« und »Oh my God, I can't believe this!« brüllten. Einige der Mädchen hatten sich die Hände vors Gesicht geschlagen. Jennifer McKee, der Musicalstar, drängelte und prügelte sich schließlich den Weg frei, floh aus dem Zimmer, rief: »That's disgusting!« Ich schob mich vor, ließ mich schieben und sah den Fernseher. Drei asiatisch aussehende Männer machten sich an etwas Haarigem zu schaffen. Waren das echte Asiaten, oder hatten sie Masken auf? Ich arbeitete mich näher heran. Musste in die Knie gehen, da hinter mir jemand schimpfte, ich würde ihm die Sicht versperren. Was war das für eine haarige Puppe? Jemand in einem Affenkostüm? Was taten die Männer? War das ein echter Affe? Im überfüllten Zimmer wurde gelacht. Jemand warf das Kopfkissen des Kinderbetts nach dem Fernseher. Ich versuchte, die Heiterkeit um mich herum mit dem in Einklang zu bringen, was ich nicht erkennen konnte. War es ein Witzfilm? Da setzte sich das Bild zusammen. Schlagartig. Mit voller Wucht traf mich das, was ich sah. Drei Männer und ein Orang-Utan. Sie vergewaltigten den Orang-Utan. Der eine kniete hinter ihm, der andere knetete die kleinen haarigen Affenbrüste, und der dritte onanierte ihm ins Gesicht. Der Orang-Utan hatte die Augen geschlossen. War er tot? Betäubt? Jemand rief: »He gives him doggy style!« Jemand anderes: »I love Borneo Porn!« Ich kroch zwischen Beinen hindurch und drängte mich aus dem Zimmer. Über eine Stunde lang suchte ich nach Jerry und fand ihn schließlich mit einem Bier auf der Ladefläche eines Pick-up-Trucks. Zusammen mit Tim Rainwater und Lance Hogan. Ich war froh, sie endlich gefunden zu haben. Ich kletterte zu ihnen, bekam auch ein Bier mit Schraubverschluss und versuchte, in großen Schlucken die Bilder aus dem Kopf zu spülen. Kurz nachdem ich den Affenporno gesehen hatte, war ich schon wieder sicher, mich getäuscht zu haben. So etwas konnte und durfte es nicht geben. Doch Jahre später las ich von einer Krankenstation für mit Hepatitis infizierte Orang-Utans. Narkotisiert wurden sie zu reichen Freiern in die Wohnungen gebracht und missbraucht. Sie galten unter asiatischen Männern mit abstrusen Neigungen als etwas ganz Besonderes.

Eine Ewigkeit saßen wir auf dieser Ladefläche, tranken Bier, froren und grölten ein bisschen herum. Sprachen über Basketball, über die verkorkste Saison. Von zweiundzwanzig Spielen hatten wir zwölf verloren. Eine miese Bilanz. Tim Rainwater senkte die Stimme und verfluchte die Wiseman-Brüder. Über Coach Carter beklagten wir uns nie. Um uns herum rangierten sich die Autos aus ihren Gartenparklücken, fuhren sich fest und pflügten grasspuckend den Rasen um. Ein monströser Riesentruck wühlte sich mit jaulendem Motor tiefer und tiefer in den erdigen Untergrund und bombardierte das Haus mit Dreck, die Erde flog durch die Luft, gegen die Hauswand, hinein in die geöffneten Fenster. Als wir sahen, wie zwei betrunkene Footballspieler torkelnd die Couch und die Sessel auf ihren Pick-up luden und mit ihnen davonfuhren, brüllten wir vor Lachen. Ich rief, ohne auch nur eine Sekunde an die richtigen Vokabeln zu denken: »These crazy footballjerks are stealing the goddamn couch!«

Uns wurde zu kalt, und wir gingen ins Haus. Nun wurde tatsächlich getanzt. Und da sah ich Maureen. Mit einer mir von der Form her wohlvertrauten Flasche in der Hand stand sie auf der Tanzfläche. Sie bewegte sich nicht viel, aber wie sie sich bewegte, gefiel mir. Ab und zu trank sie aus der Flasche, und ich sah, wie sie die Flüssigkeit nicht gleich hinunterschluckte, sondern im Mund ließ. Sie schien dieses süße Erdbeerzeug wirklich zu mögen. Ich stellte mich vor sie, und ohne auch nur im Mindesten überrascht zu sein, legte sie mir ihren freien Arm um die Hüfte und ihren Kopf auf die Brust. So tanzten wir in kleinen Seit- und Vor- und Zurückschritten über das Gras und die Erdklumpen auf dem Teppich, bis die Platte zu Ende war. Jerry kam zu mir: »Boy, I'm tired. Let's go now!« Doch ich wollte nicht gehen. Jerry sah meine Unschlüssigkeit, schaute zu Maureen hinüber und sagte: »Go for it, German. I'll wait in the car. Hurry up!«

Maureen nahm mich bei der Hand und führte mich in den ersten Stock. Zog mich ins verwüstete Badezimmer und schloss uns ein. Sie warf die leeren Bierdosen und zerknüllten Handtücher aus der Badewanne und drehte das Wasser auf. Wir zogen uns bis auf die Unterhosen aus und wollten hineinsteigen. Viel zu heiß. Wir drehten das kalte Wasser auf, saßen auf dem Rand, tunkten immer wieder kurz unsere Zehen hinein und tranken dabei den Rest Erdbeerschnaps. Wir legten uns in die Wanne. Sie tauchte, ließ sich rücklings unter die Oberfläche gleiten. Ich sah ihr Gesicht unter Wasser. Mit offenen Augen lag sie am Grund der Wanne und schielte. Als sie wieder auftauchte, strich sie sich ihre Haare glatt. Was für eine Verwandlung! Die Steinfrisur, die aussah, als wäre sie für alle Ewigkeit auf ihren Kopf gemauert worden, hatte sich innerhalb von nur fünf Sekunden aufgelöst. Sie spuckte mir Wasser ins Gesicht. Zog erst sich mit den Händen, dann mir mit den Füßen die Unterhose herunter und warf sie nach mir. Maureen setzte sich auf meinen Schoß und küsste mich. Küsste mich auf diese mir unerklärliche Art und Weise. Mein Gott, wie ich das vermisst hatte. Ihre Erdbeerschnapsfahne, ihre kreisenden Hüften, ihre eigenartige Kusstechnik und ihre nassen, glatten Haare! Das Wasser schwappte über den Badewannenrand, und sie flüsterte »Don't move!« und dann wieder »Move!«. Und dann wieder »Don't move!«.

Als wir aus dem Bad kamen, war es vollkommen still geworden im Haus. Wir gingen die Treppe hinunter. Im Wohnzimmer hob ein Junge einen Bilderrahmen mit zerbrochenem Glas vom Boden auf. Er sah sich im Zimmer um, machte einen großen Schritt über eine Pfütze Erbrochenes hinweg und hängte ihn, zersplittert wie er war, an die Wand. Mit der Fußspitze schob er einen Erdklumpen beiseite. Wir gingen an dem Jungen vorbei, sagten beide »Hi!«. Der Junge sah uns an, bückte sich, hob ein Büschel Gras auf und betrachtete es fassungslos. Sehr ernst, sehr erschüttert sagte er »Hi« und zeigte mit dem Finger auf eine matschige Spur an der Wand. Maureen und ich folgten den Stiefelabdrücken. Sie spazierten hoch bis zur Zimmerdecke, an der Zimmerdecke entlang, an der Lampe vorbei und an der gegenüberliegenden Wand wieder hinunter. Wir winkten dem Jungen und verließen das leer geräumte Wohnzimmer. Vor dem Haus fragte ich Maureen: »Who was that guy?« »Oh, he was our host tonight: Rudy Robinson!« Es standen nur noch zwei Autos auf der Straße. Maureens und weiter hinten noch eines. Jerry saß im beschlagenen Auto. Ich sah ihn durch die Scheibe verschwommen im Nebel liegen, mit offenem Mund, wie ein Toter. »Are you sure you can drive?«, fragte ich Maureen. »Girls from the countryside can always drive.« »I can give you a ride!« »You're not even allowed to drive! I have experience with this. Don't forget: I'm the man!« Wir küssten uns. Sie stieg ins Auto, kurbelte die Scheibe runter. »This time we should keep in touch, German. Don't drop me again, okay?« »Yes. Okay!« Sie fuhr in Schlangenlinien davon. Ich versuchte, Jerry zu wecken. Doch The Fridge war betrunken und im Tiefschlaf. Ich drehte das Radio an und rüttelte ihn an den Schultern. Er wurde gar nicht richtig wach. Vom Beifahrersitz aus musste ich schalten und lenken. Von außen sollte es so wirken, als ob er fuhr. Mehrmals fielen ihm die Hände vom Steuer. Es kam mir so vor, als würde ich einer Leiche Fahrunterricht geben. Sobald wir die Siedlung erreicht hatten, setzte ich mich hinters Lenkrad und kutschierte ihn nach Hause. Die Uhr im Auto stand auf Viertel nach fünf. Ich brachte Jerry bis zur Tür, steckte seinen Hausschlüssel ins Schloss, gab ihm einen kleinen Stoß und überließ ihn seinem Schicksal. Ich rannte nach Hause. »Na, das war's dann wohl!«, dachte ich. »Meine letzte Nacht in Wyoming. Besoffen, Fahren ohne Führerschein, die Sache mit Maureen und Stunden zu spät. Mein Gott, die drei Ds! Was soll ich Stan und Hazel bloß sagen? Die schicken mich gleich morgen zurück. So eine Katastrophe!« Ich erreichte das Haus. In meinem Zimmer brannte Licht. »Oh no! Shit! They are waiting for me! They will send me home! I'm such a stupid asshole.« Ich schlich mich unter mein Fenster. Hob langsam den Kopf. Niemand da. Da bemerkte ich, dass mein Fenster nur angelehnt war. Ganz behutsam drückte ich es auf, kletterte geräuschlos hinein. Der Hund durfte mich auf keinen Fall hören. Ich zog mich aus und legte mich ins Bett. Es war mucksmäuschenstill. Wer hatte das Licht in meinem Zimmer angemacht? Wer hatte das Fenster angelehnt? Hatte etwa Don mich gerettet?

Am nächsten Morgen rutschte ich vor Müdigkeit fast aus der Kirchenbank und schlief beim Knien ein, was aber allgemein als inbrünstiges Gebet interpretiert wurde. Stan und Hazel wunderten sich über meine Kopfschmerzen, und Don schwieg auf mysteriöse Weise. Sah, während er seine Hostie lutschte, belustigt zu mir herüber.

Jeden zweiten oder dritten Tag kam ein ausführlicher, ja ausufernder Brief von Randy Hart aus dem Wyoming State Prison. Alles, was sich über Jahre angesammelt zu haben schien, ergoss sich nun ungebremst in den seitenlangen Briefen an mich. Ich mochte diese Briefe, auch wenn sie sich meistens spiralförmig im Nirgendwo verloren und mit Nichtigkeiten beschäftigten. Randy konnte zum Beispiel eine ganze Seite über die Zubereitung von Kakao schreiben:

Wenn Du einen Löffel mit Kakao vorsichtig in die Milch tunkst und wieder rausziehst, platzt die nasse, dunkelbraune Außenschicht nach kurzer Zeit wieder auf, und darunter ist der trockene Kakao. Es kann auch zu einer Blase kommen, die, wenn man sie mit der Fingerkuppe antippt, platzt, kreisförmig zum Löffelrand hin aufspringt und den noch trockenen Kakao freigibt. Warum wird nicht der ganze Kakao feucht? Wenn Du einen Löffel mit Zucker in den Tee tunkst, ist der ganze Zucker nass. Das Kakaopulver ist ein sehr feines Pulver. Je feiner das Pulver ist, desto besser kann es sich auf dem Löffel vor der nassen Milch schützen. In dem Moment, in dem der Kakao auf dem Löffel mit Flüssigkeit in Berührung kommt, bildet sich eine dünne Kakaohaut, die das Eindringen von Feuchtigkeit verhindert. Der trockene Kakao auf dem Löffel ist durch die schützende Kakaohaut in Sicherheit vor der nassen Milch. Einen gut gehäuften Löffel kann man bis zu fünfmal in die Milch tauchen, bis der gesamte Kakao feucht geworden ist. Es sieht schön aus, wenn die

Blase platzt und man plötzlich wieder den trockenen Kakao sieht. Mit kalter Milch geht das besser als mit warmer Milch. Die Wärme der Milch dringt tiefer in den gehäuften Kakao ein. Wenn der Kakao ein billiger Kakao ist, ein grobkörniger und kein guter Pulverkakao, kann man ihn notfalls mit dem Löffel zerdrücken, bis er fein genug ist, um mehrmals die Blase zu bilden. Der beste Kakao ist derjenige, der fein wie Staub ist. Staubkakao. Stell dir mal Folgendes vor: einen Löffel so groß, dass Du bequem darin liegen kannst. Du legst Dich in den riesigen Löffel, und auf Dich drauf kommt ein großer Haufen vom allerfeinsten Staubkakao, den es gibt. Eine Apparatur versenkt Dich in einer riesigen Tasse mit herrlich frischer kalter Milch. Nach einer Minute wirst du wieder aus der Milch gehoben. Ich bringe mit meinem Zeigefinger die Blase zum Platzen. Da wärst du dann. Könntest Dir den Staub von der Hose und aus den Haaren klopfen und wärst vollkommen trocken!

Ein Brief über ein vollständiges Frühstück war dementsprechend lang. In den ersten Briefen an Randy hatte ich hauptsächlich von meiner Gastfamilie und vom Basketball geschrieben. Dann immer mehr von meinem Bruder und schließlich von meiner ganzen Familie. In diesen Briefen an Randy bin ich mir meiner Familie, meiner zu diesem Zeitpunkt durch den Tod meines Bruders in tiefen Schmerz gestürzten Familie, zum ersten Mal bewusst geworden. Wenn ich an meine Eltern, meinen übrig gebliebenen Bruder, meine Großeltern und meine Freundin dachte, sah ich sie so deutlich vor mir wie nie zuvor. So schrieb ich Randy:

Lieber Randy,
heute will ich versuchen, Dir über ein eigenartiges Gefühl zu berichten. Ich hab nicht viel Zeit, weil mich Brian gleich mit seiner Freundin zum Blueberrycake-Backen abholt.

Diese Freundin ist echt seltsam. Du weißt schon, die Chirurgin mit den winzigen Händen. Immer wenn ich sie essen sehe, muss ich daran denken, dass sie mit ihren geschickten Fingerchen vielleicht am selben Tag jemandem den Blinddarm rausoperiert hat. Ich will ja vielleicht auch Arzt werden. Meinen Vater würde das sehr freuen. Na, ich hab ja noch ein bisschen Zeit zum Überlegen. Also, es geht um Folgendes: Ich schäme mich oft, weil ich denke, dass ich nicht traurig genug bin. Mein Bruder lebt nicht mehr, und ich lasse es mir hier in Amerika gut gehen. Am liebsten würde ich nie wieder zurück. Ich habe ein wenig Angst vor meinen traurigen Eltern. Also nicht vor meinen Eltern, aber eben vor ihrer Trauer. Ich denke dann immer, wenn ich wieder in Deutschland bin, muss ich ununterbrochen für sie da sein. Dazu hab ich gar keine Lust. Wenn ich so etwas denke, fühle ich mich schlecht. Ich freu mich ja auch auf sie und auf den Hund und auf zu Hause und auf meine Freundin. Ich bin echt gespannt, ob das wieder gut wird, denn ich hab mich ja gar nicht mehr um sie gekümmert, und von Maureen weiß sie ja nichts. Hab ich Dir ja eh geschrieben. Ich denke jetzt auch lauter Sachen über meine Familie, die ich noch nie gedacht habe. Erst seit ich weg bin, denk ich so was. Mir kommt das so vor wie bei einer Schneeballschlacht. Die beste Strategie, um nicht getroffen zu werden, ist doch, den, der den Schneeball hat, zu umarmen. Sodass er nicht werfen kann. Je näher man dran ist, desto besser. So geht mir das mit meiner Familie, mit allen zu Hause. Die lassen mich nicht werfen! Die lieben und umarmen mich die ganze Zeit. Und jetzt hier in Amerika bin ich so weit weg, dass ihre Arme nicht herreichen, und endlich sehe ich sie mal aus der Weite und nicht immer von so nah. Sehe, was das überhaupt für Menschen sind. Jeder Einzelne. Nicht diesen Familienklumpen, sondern jeder steht von Weitem gesehen ganz für sich. Jetzt kann ich endlich werfen, kann sie sehen, zielen und sie treffen. Und davor hab ich Angst, dass mich, wenn ich wieder in Deutschland bin, alle

wieder in den Arm nehmen und ich sie nicht mehr angreifen kann, weil ich die Hand mit meinem Schneeball vor lauter Liebe und Zärtlichkeit und Traurigkeit nicht hochbekomme. Und dass mein mittlerer Bruder gerade jetzt, wo ich anfange, ihn zu sehen, zu erkennen, nicht mehr da sein soll, ist ganz schrecklich für mich. Ich kann gar nicht glauben, dass ich ihn nie mehr wiedersehen werde. Denn er ist ja für mich nicht mehr weg als der Rest der Familie. Oft vergesse ich, dass er tot ist, und freu mich auf ihn. Oh, Brian fährt gerade mit seinem Jeep auf die Einfahrt.
Bis bald. The German!

Eines Abends lag neben Randys Brief noch ein zweiter. Er war von Coach Carter, der mich für einen Nachmittag mit anschließendem Essen zu sich nach Hause einlud. Eine Woche später brachte mich Stan zu der angegebenen Adresse. Sein Haus lag am Ende einer Stichstraße auf einer Anhöhe. Ich sah es schon von Weitem. Vor den Fenstern hingen Blumenkästen mit Geranien. Ich hatte in Laramie noch kein einziges Haus mit einem Balkon gesehen. Coach Carter hatte einen. Wir fuhren auf die Auffahrt. Das Holzhaus war imposant. Doppelt so hoch und breit wie das von Stan und Hazel. Die Streben der Balkone waren kunstvoll gesägt, die Fensterläden waren aus dunklem Holz, ja sogar das Dach war mit Holzschindeln gedeckt. Es sah aus wie ein Bauernhaus im Schwarzwald! Stan und ich stiegen aus und bewunderten das Gebäude. Coach Carter kam aus der Haustür. Er trug eine Jeans und ein Hemd. Links und rechts von ihm ein Schäferhund. Sie drückten ihre gesenkten Köpfe an seine Unterschenkel. Er kam auf uns zu und ich war überrascht, wie anders er aussah. Ich hatte ihn immer nur in kurzer Hose oder im Trainingsanzug gesehen. Trug er sein Haar anders? Stan und Carter gaben sich die Hand. Stans Hand verschwand in der Riesenpranke von Carter. Beeindruckt von der Größe des Hauses, von der Größe Carters, beeilte er sich, in sein kleines deutsches Auto zu steigen und davonzufahren.

Wir gingen ins Haus. Die Schäferhunde waren mir unheimlich. Sie wichen Carter nicht von der Seite, setzten sich wie Sphinxen, links und rechts, neben seinen Stuhl und sahen mich an. Sie hechelten nicht, sie sabberten nicht, sie blinzelten nicht. »I am very happy to welcome you in my house!« »Yes, thanks for the invitation, coach!« »Oh, I am not your coach anymore, boy. Basketball season is over and this is a private meeting!« »Yes, no more Basketball right now. I am so sorry about that, coach!« »Don't call me coach all the time. I am Travis!« Er reichte mir die Hand, mit so einem angedeuteten Druck, der sagte: Wenn ich wollte, könnte ich dir jeden deiner Fingerknöchel zu Matsch zerdrücken. Dann stand er auf und fragte: »Want some coffee?« Ich nickte. Seine lautlosen Schäferhunde folgten ihm. Ich entdeckte Abdrücke ihrer Pfoten im Teppich, exakt an der Stelle, wo sie neben ihm gesessen hatten. Ich sah mich im Zimmer um. Geweihe an den Wänden. Großformatige Ölbilder von Wildtieren, Hirsche und Bären. Signiert mit: Travis Carter. Ein mit Naturstein ummauerter Kamin. Carter kam zurück aus der Küche. Trug er sein Haar länger? Seine Jeans verwirrte mich. Bei mir zu Hause nannte man das Hochwasserhose. Er sah aus wie jemand, der gefeuert worden war oder gekündigt hatte. Wir tranken unseren Kaffee, und er stellte mir seine Hunde vor: »This is Odin, and this is Wotan!« Und dann sagte er in seinem bemüht scharfkantigen Deutsch: »Ik liebe deutsches Schaferhunde!« Ich antwortete: »Oh yes. We also have a dog in Germany. It's a very rare race, called Landseer.« »Landser? Sounds good!« »No, no. Landseer!« »Never heard of that before. Come on, boy, I'll show you the house. The dogs live in the cellar.« Wir gingen in den Keller. Coach Carter sagte: »Watch your head!« Gebückt betraten wir einen niedrigen Raum, in dem mit dickem Draht inklusive Drahttüren zwei Käfige abgetrennt waren. In den Käfigen standen Näpfe, lagen zerbissene Spielzeuge, zerfetzte Gummihühner und überdimensionierte Knochen aus Schweinsleder. Im ersten Stock führte mich Coach Carter durch vier Zimmer. Ein Jagdzimmer. Bärenfelle an den Wänden und sogar ein Löwenfell auf dem Boden, auf das sich zielstrebig die Schäferhunde legten. An einem Balken hingen an schmiedeeisernen Haken Ferngläser und olivgrüne Kleidungsstücke. Er öffnete einen Schrank, in dem mehrere auf Hochglanz polierte Gewehre standen. Während Coach Carter – niemals würde ich ihn Travis nennen können – auf den Balkon trat, sah ich mir die Fotografien an. Immer dasselbe Motiv. Coach Carter steht oder kniet vor einem niedergestreckten Tier. In der einen Hand hält er die Waffe, die andere liegt groß, besitzergreifend, aber voller Anerkennung, auf der erlegten Beute. In einer savannenartigen Umgebung kniet der Coach hinter einem stattlichen Löwenmännchen. Es schien derselbe Löwe zu sein, der nun ausgebreitet als Läufer und Lieblingsplatz der Hunde auf dem Boden lag. Dieser Mann, dachte ich, hat größere Pranken als ein Löwe! Er rief mich zu sich auf den Balkon hinaus. »During the winter«, sagte er, »the bears are coming all the way down from the mountains. Last year I shot one right here from the balcony!« Er stützte sich mit den Händen auf dem Balkongeländer ab, beobachtete die Umgebung. Im Holz des Geländers waren unzählige Brandkreise, wie von ausgedrückten Zigaretten. Man konnte auf diesem Balkon um das ganze Haus herumgehen wie auf einem Wachturm.

Im nächsten Zimmer ein Basketballarchiv und der größte Fernseher, den ich je gesehen hatte. Zeitungsartikel, Fotografien, Plakate. Von allen Seiten sah mich Coach Carters jugendliches Gesicht an. Er springt und fliegt und jubelt und reckt die Fäuste. Er legte eine Videokassette ein: »I prepared something for you!« Eine Stunde lang durfte ich mir seine schönsten Körbe ansehen. Dadurch, dass in schneller Folge Korbwurf an Korbwurf geschnitten war, Korbleger, Tempogegenstöße, Dreipunktewürfe, Dunkings, erschienen Carters Fähigkeiten übermenschlich, ja irreal. Dieser Mann traf immer, egal wo er stand. Während ich fassungslos zusah, wie mein Coach pro Minute zwanzig Körbe warf, nannte er mir die Endergebnisse und Namen der jeweiligen Spiele: »Cleveland Cavaliers – Denver Nuggets 145 to 122! Carter: 28 Points.« Mein Gott, dachte ich, dieser Kerl weiß alles über sich. Pokale, Medaillen, verschiedenfarbige Trikots waren zwischen den Fotos an den Wänden befestigt. Der ganze Raum sah aus wie der Hauptsitz eines Sportvereins: eine Mischung aus Hall of Fame und Sportredaktion. Im nächsten Zimmer eine Bibliothek mit mehreren Regalen voller Bildbände über Kriege und Schlachten. Oben auf den Regalen standen Miniaturkriegsschiffe, lagen indianische Masken und Soldatenhelme. Ich las deutschsprachige Buchrücken: »Sturmgeschütz 3. Rückgrat der Infanterie« oder »Sturzkampfbomber – Focke-Wulf Fw 190 – Der Würger«. Coach Carter wies mich auf ein Bild hin: Ich sah ihn als jungen Soldaten in einem subtropischen Wald. Die Camouflage seines Kampfanzuges hob sich kaum von der Üppigkeit der Pflanzen ab. Sein scharfkantiger Kopf mit dem breiten, unverschämt selbstbewussten Grinsen schien im Blätterwerk zu schweben. »Best time of my life!«, sagte er, und wir gingen weiter. Sein Schlafzimmer: ein Bett. Ein Hirschgeweih. Eine Kommode. Ein Ventilator. Mehr nicht. Das Bett sah aus wie ein Hotelbett. Keine einzige Falte. Ein Zipfel für den nächsten Gast, als kleine Aufmerksamkeit zurückgeschlagen. Wir stiegen eine schmale Treppe hinauf. Unterm Dach war ein lichtdurchflutetes Atelier. Auf einer Staffelei stand ein halb fertiger Grizzly, der mit der Pranke versuchte, einen aus einem reißenden Gebirgsbach springenden Lachs zu erwischen. Ich sagte: »This is wonderful! Coach …« »Travis!« »Äh … Travis. I didn't know you were an artist!« »Nobody knows!« Eine Fliege setzte sich auf die Schnauze von Wotan oder Odin, ich konnte sie nicht unterscheiden, doch der Hund reagierte nicht. Ich hatte fest damit gerechnet, Carters Frau kennenzulernen. Doch hier lebte eindeutig niemand außer ihm. Aus den vom Boden bis zum Giebel reichenden Atelierfenstern hatte ich einen weiten Ausblick über das Land. Sogar unsere Siedlung war in blasser Bläue flimmernd, oberhalb von Laramie zu sehen. Er sagte »I can see your house!« und grinsend »I keep an eye on you!«. Dann wies er mit dem Finger auf markante Punkte: »Do you see over there: The old oak?« »Yes.« »And over there the rock!« »Yes.« »That's the border of my property!« »Jesus!«, staunte ich. »That's quite big!« Er lächelte minimal, voller Bitternis: »Yeahh, there was a time in my life when I earned lots of dollars!« »What's that?« Ich zeigte auf etwas, das an einem der weit entfernten Zaunpfähle hing: »Oh, that's a skunk. I nail 'em on the fence. That's the only way to get rid of them. Keeps them away!« Tatsächlich war, wie ich jetzt zu meinem Erstaunen feststellen musste, im Abstand von etwa zwanzig Metern an jeden fünften Zaunpfahl der Kadaver eines Stinktieres genagelt. »The only smell they can't stand is the smell of death!«, sagte Coach Carter. Er legte mir den Arm um die Schulter. »Let's go play some ball!« Hinter dem Haus war ein Basketballplatz. In Orginalmaßen, die Netze an den Körben schienen ganz neu zu sein. Der Draht, mit dem meterhoch das Feld eingezäunt war, war derselbe, aus dem die Hundekäfige im Keller gemacht waren. Er stellte sich an die Freiwurflinie und warf. Warf und traf. Warf und traf. Zehnmal. Nur ein einziges Mal hatte der Ball minimal den Ring gestreift. Neunmal war er perfekt durch das Netz gerauscht und zurück vor Coach Carters Füße gerollt. Ich stellte mich an die Freiwurflinie. Sechs von zehn, und Coach Carter sagte: »Too bad you're leaving. Next season you would have made it in the first five! That's for sure.« Dann spielten wir eins gegen eins. Wenn der Ball zu den Schäferhunden rollte, die wie Statuen am Spielfeldrand saßen und uns beim Spielen zusahen, sprach sie Carter auf Deutsch an: »Hallo Hunde!« oder »Braver Hund!«. Um mir eine Freude zu machen, rief er mir seine deutschen Hundekommandos zu. Mit einer Hand hielt er den Ball hoch. Ich musste versuchen, ihn zu schnappen. »Hier, lecker Knochen!«

Auf einem Grill brieten wir uns von ihm selbst geschossene Antilopenkoteletts und rösteten Mais. Die Terrasse war von mehreren Fackeln umstellt, in die knisternd Nachtfalter flogen. Während des Essens schimpfte er über die Wisemans. Benny hätte uns die gesamte Saison verdorben, und sein Bruder wäre eine Schwuchtel. Carter redete sich in Rage, biss und kaute wütend auf seinem Fleisch herum. Ich wusste nicht, was ich sagen sollte, und knabberte an meinem Maiskolben, wobei ich versuchte, unauffällig auf Carters Armbanduhr zu sehen, weil ich so schnell wie möglich wegwollte. Er schleuderte den Knochen von der Terrasse. Weit hinaus, in die hereinbrechende Dunkelheit. Die Schäferhunde zuckten zusammen, blieben aber sitzen. Nachdem er das zweite Antilopenkotelett abgenagt hatte, warf er den Knochen in Richtung des ersten. Wieder ging ein sprungbereiter Ruck durch die Hunde, und ihre Ohren hoben sich. Coach Carter wollte alles über meinen Großvater wissen. Ob und wo er im Krieg gekämpft hätte. Plötzlich rief er, mitten in meine Antwort hinein, »GO!«, und die Hunde schossen davon. Ich hörte sie in der Dunkelheit schmatzend und knurrend die Knochen abnagen. Carter sagte: »I love discipline!« Wir aßen weiter. Mit bedeutungsvoller Stimme hob er an: »I need your advice.« »My advice?« »Yes, I'm thinking about taking a German exchange student for a year!« »Oh.« »What do you think about that?« »Äh … I think it's a wonderful idea!« »Really?« »Yeah, sure. You should do that! You have a great house. The basketball court over there is fantastic!« Coach Carter rieb sich die vom Fleisch fettigen Hände: »Oh boy, I am so glad you say this!« »Yes, sure. Do it!« »You know, there is so much to do around here. I could go hunting with him and train him on my own basketball court!« »That sounds great, Coach!« »Travis!« »That sounds great, Travis!«

Als Stan kam, hätte ich ihn am liebsten umarmt. So freundlich, vertraut und harmlos sah er aus, dieser kleine, ordentlich angezogene Mann. Auf der Heimfahrt sah ich aus dem Fenster, roch Stans Pomade und war heilfroh und dankbar für meine Gasteltern. Mit einem malenden Vietnamveteranen, der vom Balkon aus Bären schießt, Stinktiere an Zaunpfähle nagelt und einen unter Hundeaufsicht zu Tode drillt, ein Jahr lang in diesem Horrorhaus zusammenzuleben? Dagegen hatte ich es doch wirklich gut erwischt. Da waren Dons Gemeinheiten doch eine Lappalie!

Noch drei Monate hatte ich bis zu meinem Rückflug nach Deutschland. Diese zwölf Wochen waren angefüllt mit den unterschiedlichsten Unternehmungen und Ereignissen: Ich hatte die große Ehre, zusammen mit Amy Height, einer der heiß umworbenen Schulschönheiten, zum Senior Prom zu gehen. Ein Frack, ein »tuxedo«, wurde geliehen. Ich sah mit meinen breiten Schultern aus wie ein Türsteher. Mit Brian und seiner Chirurgin besuchte ich ein Rodeoturnier. Wir fuhren mit seinem Jeep querfeldein zum Rodeoplatz. Benutzten keine einzige Straße. Das Turnier hatte drei Disziplinen. Bullenreiten: Die waren wirklich wild und gefährlich und krachten ihre Hörner in die Holzbanden. Rodeoreiten: Voller Entrüstung sah ich, dass die Pferde nur deshalb so wild waren, weil sie einen mit Dornen besetzten Riemen um den Bauch geschnallt bekamen. Sobald der Riemen heruntergerissen wurde, standen sie still und schnauften erleichtert und ließen sich abführen. Zuletzt eine Geschicklichkeitsprüfung mit dem Lasso: In dieser Disziplin mussten die Cowboys so schnell wie möglich ein Rind mit dem Lasso einfangen, umwerfen und mit dem Lassoseil alle vier Rinderläufe zusammenbinden. Die Lassowerfer waren natürlich immer andere, aber das Rind, das es zu fangen und zu fesseln galt, war immer dasselbe. Bereits nach dem fünften Reiter, der mit über dem Kopf kreisenden Lasso auf es zugaloppierte, hatte es jegliche Fluchtversuche eingestellt. Es stand einfach da, ließ sich das Lasso um den Hals werfen, umstoßen und fesseln. Bei den letzten Teilnehmern war diese harmlose Kuh so geschafft, dass sie von alleine umkippte und ihre Hufe dem Cowboy freiwillig zum Binden entgegenstreckte. Die Leute skandierten von den Rängen: »We want a fresh cow!« Für den letzten Cowboy mussten Helfer die Kuh aufstellen, ihr mit den Cowboystiefeln die Beine auseinanderdrücken, damit sie nicht sofort wieder niedersank, und da sie den Kopf hängen ließ, war es fast unmöglich, das Lasso zu werfen. Die Siegprämie von zehntausend Dollar gewann ein texanischer Teilnehmer. Er warf seinen Cowboyhut in die Menge, und um ein Haar hätte ich ihn gefangen.

Maureen wollte mit mir ins Autokino. Ich überlegte, wie ich an Erdbeerschnaps kommen könnte, und schließlich fiel mir Coach Kaltenbach ein, von dem ich schon monatelang nichts mehr gehört hatte. Einmal hatte ich ihn weit hinten bei einem Basketballspiel unter den Zuschauern gesehen. Ich rief ihn an und sagte ihm, dass ich ihn gerne besuchen würde. Er hatte ein eigenes Fitnessstudio eröffnet, zusammen mit seinem Bruder. Er gab mir am Telefon die Adresse. Maureen fuhr mich hin und wartete draußen im Auto auf mich.

Außer Kaltenbach, der in einem winzigen Slip, von oben bis unten eingeölt, vor einem Spiegel Hanteln stemmte, und seinem Bruder, der in einer Rudermaschine auf der Stelle um sein Leben kämpfte, war niemand da. Nachdem wir ein wenig über dies und das geplaudert hatten, bat ich ihn, mir zwei Flaschen Erdbeerschnaps beim sogenannten Liquorstore zu besorgen. Er war amüsiert: »Man, that's really freaky! A seventeen year old girl that can't fuck without strawberry schnaps!« Bevor ich gehen durfte, musste ich mich rücklings auf eine Bank legen und eine tonnenschwere Hantel von der Brust weg in die Höhe stemmen. Kaltenbach feuerte mich an, aber meine Arme begannen zu zittern, und er musste mir das Gewicht abnehmen. Von meiner Brieffreundschaft mit Randy Hart erzählte ich ihm nichts.

Zusammen mit meinen Gasteltern machte ich jetzt, da ich an den Wochenenden wieder viel Zeit hatte, mehrere Ausflüge und eine große Reise. Wir besuchten Fort Laramie. Stan und Hazel waren tief ergriffen von den gerade mal hundert Jahre alten Ruinen. Den Devils Tower am Rande der Bear Lodge Mountains kannte ich schon aus dem Film »Unheimliche Begegnung der dritten Art«. Dort dient der Riesenfels einem Raumschiff als Landeplatz, und Menschen formen durch übersinnliche Kräfte ferngesteuert den Berg beim Mittagessen aus Kartoffelbrei. Am Mount Rushmore hing ein Arbeiter in einem Trapez vor Jeffersons Gesicht und bohrte ihm mit einem Presslufthammer in der Nase. Und nicht weit davon entfernt, in den Black Hills: das Crazy-Horse-Memorial. Davon war ich tief beeindruckt. Ein einzelner Mann namens Korczak Ziolkowski arbeitete dort seit über vierzig Jahren an einer Monumentalskulptur zum Gedenken an die Indianer. Ein stolzer Häuptling sitzt mit freiem Oberkörper auf einem rassigen Wildpferd und zeigt mit ausgestrecktem

Arm in die vor ihm liegende Landschaft. Als ich Crazy Horse besuchte, konnte man trotz der vierzig Jahre währenden permanenten Arbeit nicht viel erkennen. Mit weißer Farbe war auf den zerklüfteten Berg ein Pferdekopf gemalt. Später, so las ich ungläubig, sollten auf dem ausgestreckten Arm viertausend Menschen Platz finden können. Ziolkowskis Leitspruch stand über dem Eingang des Informationshüttchens: »You must work on the mountain, but go slowly – so you do it right.«

Zum Ende des Highschooljahres schenkte mir die Basketballmannschaft einen von allen signierten echten Lederbasketball. Einige Spieler hatten unter ihre Namen kleine Anmerkungen wie »Forever friends!« oder »Go, German, Go!« geschrieben. Jerry warf ihn mir zu, wollte eine Rede halten, öffnete die Lippen, ließ es bleiben und umarmte mich.

Matt, mein Assistent, kam zu mir und überreichte mir zum Abschied ein Fotoalbum. Er hatte mich, ohne dass ich davon etwas wusste, während meiner raren Momente auf dem Spielfeld fotografiert. Als ich das Album durchblätterte, sah es tatsächlich so aus, als wäre ich ein integraler und wichtiger Bestandteil der Laramie Plainsmen gewesen: ich an der Freiwurflinie, ich beim Sprungwurf, ich beim Korbleger, ich während einer Auszeit vornübergebeugt, Coach Carters Anweisungen empfangend. Und ich beim Jubeln! Ein erstaunliches Bild. Ich renne mit erhobenen Fäusten über das Spielfeld an der proppenvollen Tribüne vorbei, schreie mit gespanntem Bizeps, und die Cheerleader machen Salti durch die Luft. Auf der ersten Seite vom Abschiedsalbum stand: »You are my hero! Matt.«

Mit Stan und Hazel fuhr ich nach Chicago. In einem Fahrstuhl rasten wir wie mit einer Rakete innerhalb von Sekunden zum Panoramarestaurant des Sears Tower hinauf: Fernsicht über den Lake Michigan. Wir besuchten Chinatown. Stan erklärte mir, dass es nicht ganz so berühmt sei wie das Chinatown in San Francisco, doch allemal sehenswert. Er hatte recht. Die Geschäftigkeit machte uns heiter, und Stan und Hazel gingen Hand in Hand. Die Fremdheit der Waren, der Gerüche, das Umherlaufen nach den langen Autofahrten tat uns gut. Wir kamen zu einem chinesischen Laden, der wie eine Zoohandlung wirkte. Wir gingen hinein. Hühner, Enten, wassergefüllte Wannen mit Karpfen und uns unbekannten Fischen. Es war aber keine Tierhandlung, es war eine Metzgerei. Außer uns war nur eine kleine Frau da, die den Verkäufer anbrüllte und dabei lachte. Beide standen vor einer Kiste, in der Schildkröten lagen. Sie reckten ihre faltigen Hälse. Der Verkäufer nahm eine nach der anderen heraus, zeigte sie der kreischenden Frau. Und dann geschah es: Sie entschied sich für eine. Der Chinese packte sie und riss ihr mit einer einzigen Bewegung den Panzer ab. Hazel schrie auf, Stan stöhnte, als hätte er eine Magenkolik, und ich hätte gerne weggesehen, wusste aber nicht mehr, wie man seinen Kopf dreht. Die Schildkröte krümmte sich. Das rosige Fleisch des Rückens begann langsam zu bluten. Ich dachte, das sieht ja aus wie das Fleisch unter meinen frisch herausgefallenen Fingernägeln. Und dann schrie die Schildkröte. Ein hoher Ton. Lang gezogen. Ich hatte nicht gewusst, dass Schildkröten überhaupt einen Ton von sich geben können. War es nicht gerade das Besondere an Schildkröten, dass sie stumm waren? Sehr alt wurden und stumm waren? Der Verkäufer steckte sie in eine Plastiktüte, die Frau zahlte und ging. Ging direkt an mir vorbei, strahlte mich mit ihrem einzigen schiefen Zahn an, und ich sah, wie die sterbende Schildkröte versuchte, in der Tüte wegzukriechen, wie das Plastik am blutnassen Rücken klebte. Vielleicht, dachte ich später bei einem Burger, haben sie nur diesen einen einzigen Ton, diesen Todeston. Sind ihr ganzes Leben stumm und schreien ein einziges Mal, wenn sie sterben.

In Chicago sah ich im Shubert Theatre »Cats«. Ich glaube, Hazel weinte. Stan saß die ganze Vorstellung über da und hatte schlechte Laune, weil die Karten so unfassbar teuer gewesen waren. Bill war mit dem Flugzeug nach Chicago gekommen und übernahm unser Auto, um es zurück nach Laramie zu fahren. Stan, Hazel und ich flogen weiter nach Los Angeles und fuhren von dort in mehreren Etappen in einem Mietwagen zum Grand Canyon. Wir übernachteten in Motels und beteten in weißen Kapellen am Highway. Wir erreichten den Grand Canyon am Abend. So etwas Schönes hatte ich noch nie gesehen. Die bizarren Felsen im weichen Licht der Abendsonne. Am nächsten Tag ritten wir auf Mauleseln hinab bis zum Grund des Canyons und übernachteten dort in einem Blockhaus. Oben war es kalt gewesen. Je tiefer unsere Karawane auf den gewundenen Pfaden hinabkam, desto wärmer wurde es. Ein paar Tage später besuchte ich Disneyland und aß mit Mickey Mouse und Goofy zu Abend. Sie saßen mit uns am Tisch, und Goofy reichte mir die Ketchupflasche herüber und fragte mich mit Comicstimme: »Hey, how are you? Where are you from?« Ich antwortete wie immer »I am from Germany«. Da fing Goofy zu singen an: »99 red ballons floating in the summer sky …« Mit seinen großen Puppentatzen zog er sich die wulstigen Lippen auseinander. Tief in Goofys Rachen sah ich zwei strahlende Augen. »I love Nena. Do you know her?« Ich antwortete leicht genervt: »No, I don't know her.« Das war mir während meines Aufenthalts immer wieder passiert. So als wäre Deutschland ein Kuhdorf, in dem alle unter einem Dach wohnen würden. Goofy sprach mit völlig normaler Stimme: »Oh too bad. I really love her. She is wild. Doesn't even shave her armpits!« Er klappte sein Maul zu und quietschte goofymäßig »Want some Ketchup on your french fries?«.

Als wir zurück nach Laramie kamen, waren es nur noch sieben Tage bis zu meinem Abflug. Am Tag meiner Abreise kam Maureen, um sich von mir zu verabschieden. Sie hatte ihre Frisur stark verändert, ja, man könnte sagen, umgebaut. Die voluminöse Haarhaube hatte sich geteilt und war zu den Seiten gerutscht. Sie hatte eindeutig weniger Haarspray benutzt, und wenn sie den Kopf bewegte, schwangen ihre Haare sogar ein wenig nach. Das hatten sie früher nie getan. Auch schien sie ihr Make-up dosierter einzusetzen. Wir gingen hinunter zu Mr. Spock und setzten uns auf das Gatter. Mr. Spock kam neugierig angetrabt und stupste mich mit seiner grauweichen Schnauze. Wir hielten uns an den Händen, küssten uns, redeten kaum. »My Dad goes over to Switzerland in September. I will come along«, sagte sie. »Really? Sounds great. I will be there!« Wir glaubten beide nicht daran. Weder, dass Maureen mitfliegen würde – wie auch, es war ja während der Schulzeit –, noch, dass ich in die Schweiz kommen würde. Sie sagte: »I've got something for you, German!« Sie zog ein welliges Foto aus der Tasche. Maureen mit nassen Haaren, ungeschminkt: »That's the way you like it, right?« Ich sah auf das Foto. Ihre glatte Stirn, die großen Augen, der etwas schmallippige Mund. Mr. Spock nagte an ihrem Cowboystiefel und ich drückte ihn mit dem Oberschenkel beiseite. Ich fand sie wunderschön. Mein langes, stilles Starren verunsicherte sie: »Do you like it? Something wrong?« »No, no … it's just because … gee, you are so beautiful … I …« Ich schluckte und sprang vom Gatter. Wir gingen zurück zum Haus. Ich sah Don hinter der Scheibe und winkte ihm. Maureen verabschiedete sich von Stan, der gerade die Rasensprenger umstellte, und setzte sich ins Auto:

»Bye then!« »Bye!« »Take care, German!« Sie fuhr los, fuhr eine Runde um die Einfahrt herum und hielt wieder direkt vor mir. Sie kurbelte das Fenster runter: »Hi.« »Hi.« »Missed you already.« Ich beugte mich zu ihr hinunter und küsste sie. Was war das nur? Warum waren ihre Küsse so einzigartig, so undeutsch? Stan hantierte betont abgelenkt mit seinen Sprengern herum. Ohne noch etwas zu sagen, drehte sie die Scheibe hoch und fuhr davon. Staub wirbelte auf, hüllte das Auto ein, und als er sich legte, war sie verschwunden.

Meine Sachen waren bereits alle gepackt und im Kofferraum verstaut. Hazel saß schon auf dem Beifahrersitz und wartete. Ich sah mich noch einmal im Zimmer um, ob ich nichts vergessen hatte, ging hinaus und zog die Tür zu. Stan klopfte an Dons Tür: »We are leaving!« Nichts. »Hey Don, we're leaving right now!« Don rief: »Bye!« Zornig öffnete Stan die Tür, betrat das Zimmer und zog sie wieder hinter sich zu. Ich hörte ihn zischeln. Ich ging hinaus zu Hazel, lehnte mich an das Auto und wartete. Don kam, den Pudel auf dem Arm, der ihm das Kinn leckte. Er stellte sich vor mich und sagte: »I am ordered to say goodbye. Goodbye then!« Er drehte sich um und stolzierte zurück ins Haus. Sein kleiner wackelnder Hintern war das Letzte, was ich von ihm sah. Stan kam. Sichtlich verstimmt. Er sah mich an, schüttelte den Kopf. »Time to go!« Wir stiegen ein und fuhren davon.

Hätte mir jemand am Flughafen in Denver gesagt, dass ich nicht zurück nach Deutschland fliegen könne, denn es gäbe einen Streik, einen unabsehbaren, vielleicht einjährigen Streik, dann wäre ich glücklich zu Stan und Hazel ins Auto gestiegen und zurück nach Laramie gefahren. War das wirklich so? Oder war es nur deshalb ein verlockender Gedanke, weil ich mir sicher war, dass es nicht so kommen würde? Ich wollte dableiben und wollte weg. Ich dachte: »Why do I have to go right now? I really like Maureen. I like the view from my room over the Rocky Mountains. I have my own horse. I like Stan and Hazel. I found friends. How shall I live without basketball? God damned, why do I have to leave right now?«

6. Kapitel

Als ich nach Deutschland zurückkam, wog ich zehn Kilo mehr, war durchtrainiert, und diesmal war die Heimkehr so, wie ich sie mir vorgestellt hatte. Meine Eltern und mein Bruder holten mich ab. Ich rannte, als ich sie sah, einfach los. Mein Vater war, das spürte ich sofort, als ich ihn an mich drückte, wieder genauso dick, wenn nicht noch dicker als früher. Meine Mutter war eindeutig geschrumpft. Mein Bruder umarmte mich, griff an meine Oberarme, drückte sie, sagte »Bitte, bitte tu mir nichts!« und umarmte mich wieder.

Auf dem Rückweg vom Hamburger Flughafen fuhr mein Bruder. Ich saß bequem auf dem Beifahrersitz. Mein Vater hatte sich neben meine Mutter nach hinten gezwängt. Wir kamen auf die Autobahn. Plötzlich roch es köstlich. Ich drehte mich um. Da saß mein Vater und schmierte mir ein frisches Schwarzbrot mit meiner Lieblingsleberwurst von Schmale, dem besten Schlachter unserer Stadt. In mehreren Briefen hatte ich von meinem Heißhunger auf Schwarzbrot mit Leberwurst geschrieben. Eigentlich hatte ich diesen Heißhunger gar nicht, aber ich wollte meinen Eltern eine Freude machen. Andauernd hatte ich von Dingen geschrieben, die ich vermissen würde, aber eigentlich gar nicht vermisste, über Entbehrungen, die keine waren. Mein Vater reichte mir das dick abgeschnittene Leberwurstschwarzbrot nach vorne. Ich biss hinein, machte »Mmmmmhhh! Ohhhh!« und schwärmte »Ist das lecker!«. Dabei taten mir die Zähne weh vom Kauen der ungemahlenen Körner, und auch der Geschmack war mir zu intensiv. Die letzten zwölf Monate hatte ich mehr oder weniger alle Speisen gelutscht oder maximal ein wenig mit den Backenzähnen zerquetscht. So richtig gekaut hatte ich schon lange nicht mehr. Mein Gott, war das mühsam! Als ich dieses feuchte, verdichtete Schwarzbrot kaute, ahnte ich bereits, wie steinig der Weg werden würde, mich in mein altes Vollkornleben zurückzubeißen.

Nach zwei Stunden fuhren wir in die Stadt ein. Kreuzten den verschlafenen Gottorf-Knoten. Alles unverändert. Die Leuchtschrift des Dani Grills war repariert. Ein neues G. Aber sonst? Mein Vater sagte: »Nach Hamburg hin und zurück an einem Tag, das ist wirklich eine Weltreise!« Ich antwortete: »I was … Ich bin mal mit Hazel 146 miles, das sind about 230 Kilometers, nach Denver gefahren and wieder zurück, to get, ihre Brille vom Optiker zu holen.« Meine Freunde erwarteten mich auf dem Parkplatz vor unserem Haus mit bemalten »Welcome Home«-Bettlaken, und, ich hatte nicht mehr damit gerechnet, meine Freundin war auch da. Ich ging auf sie zu. Sie kam mir ein wenig ungepflegt vor, so ungeschminkt und unfrisiert, wie sie da vor mir stand. Wir umarmten uns und alle machten: »Ohhhhh!« Unser Hund rannte um mich herum, freute sich aber eindeutig mehr, meine Mutter und meinen Vater wiederzusehen, was mich sehr enttäuschte. Zwei Stunden später legte ich mich zu ihm auf den braunen Teppichboden, kraulte ihn hinter den Ohren und flüsterte: »He, sag mal, warum freust du dich denn eigentlich gar nicht, du stupid dog? Schau mal, wer da ist!« Er sah mich an, mit seinen vom Alter schon leicht trüb gewordenen Augen, und plötzlich sprang er auf, stürzte sich auf mich und wedelte und bellte. Meine Mutter kam: »Was ist denn mit Aika los?« Der Hund war außer sich vor Freude. Rannte jaulend durch das ganze Haus, sprang an mir hoch und rammte mich mit seinem bulligen Kopf. »I think, äh … ich glaube«, sagte ich, »die hat erst jetzt geschnallt, dass ich bin back!«

Am Abendbrottisch erzählte ich von meiner luxuriösen Heimreise. Direktflug Denver – Frankfurt. Und wie Hazel beim Abschied geweint hatte und Stans Stimme ganz wackelig geworden war, als er sagte: »Was so good to have you here with us. I will miss you. Oh boy, I surely will!« Hazel hatte mich lange umarmt. Ihr Kreuz verhakte sich mit meinem Brustbeutelband. Wir standen eng beieinander, und Stan musste uns trennen. Lächelnd flüsterte er: »Little sign from above.« Meine Mutter klatschte entschieden in die Hände, so als müsste sie ihre eigene kleine Eifersucht verscheuchen, und rief: »Aber hier zu sein, das ist doch jetzt auch schön!« Mein Vater, meine Mutter, mein Bruder, alle bombardierten mich mit Fragen, und mir schwirrte der Kopf. Ich wusste nicht, was ich sagen, wo ich anfangen sollte. Ich dachte auf Englisch und sprach gebrochen deutsch. Meine Eltern strahlten mich an. Meine Mutter sah so glücklich aus, und doch lag über ihrem Gesicht ein hauchdünner Schleier unendlichen Kummers. Mein Vater schwitzte, seine Glatze glänzte. Seine Wohlgenährtheit hatte etwas Todtrauriges. Aus dem Gesicht meines übrig gebliebenen Bruders war ein Erwachsenengesicht geworden. Sie sahen mich an. Sie hatten so auf mich gewartet. Ich musste etwas erzählen. Ich holte meine Geschenke. Für jeden einen Kaffeebecher mit einem Rodeoreiter darauf und jede Menge amerikanische Lebensmittel. Maccaroni and Cheese, meine Toastscheiben mit Fruchtfüllung, eine Backmischung für Pancakes, dazu Ahornsirup, und sogar zwei Dosen Mountain Dew. Aber was sollte ich erzählen. Womit sollte ich anfangen? Ich sagte: »In der Highschool, da hab ich Sachen erlebt. Incredible! Da laufen lauter schwangere Mädchen rum. Here I never … hab ich noch nie ein schwangeres Mädchen in school gesehen. Da ist das ganz normal – nor-mal. In dem year da ich da on the Highschool war, da haben sogar welche geheiratet. Die heiraten mit seventeen. She was pregnant, und er musste maybe sie auch heiraten. Und ich habe gesehen, wie zwei Mädchen miteinander gekämpft haben. Sich richtig geprügelt haben. Jesus Christ! So und so and so. Voll in die Fresse haben die sich gehauen. Sich gegen die Locker – Locker na … gegen diese Schränke sind die geknallt. Die eine pulled a knife. Haben beide geblutet und geflucht!«

In der ersten heimatlichen Nacht schlief ich, obwohl ich sterbensmüde war, schrecklich. Diese deutsche Matratze ließ keinen Zweifel mehr daran, dass ich wieder zu Hause war. Kein Schwanken, keine Wellen, kein: Leinen los. Fest vertäut lag ich da. Mehrmals wurde ich in dieser Nacht wach, wurde wach mit dem eigenartigen Gefühl, an Händen und Füßen auf den Boden gedrückt zu werden, und nebenan meinte ich Don im Bad zu hören.

Als ich am nächsten Morgen aufwachte, war es still im Haus. Neben meinem Frühstücksteller ein Zettel meiner Mutter: »Ich bin so glücklich, dass du wieder da bist! Ruh dich aus. Ich komme so um eins, und dann gibt es Hühnerfrikassee!« Ich ging durchs Haus. Die Kerze vor dem Bild meines Bruders brannte. Aus seinem Zimmer war ein Gästezimmer geworden. Ich legte mich auf sein Bett und dachte an ihn. Und mir fiel etwas ein, das wir zusammen erlebt hatten. Ein richtiges Abenteuer. Ich hatte lange nicht mehr daran gedacht. Wie ich überhaupt während des ganzen Jahres in Amerika selten zurückgeblickt hatte. Meine Gedanken waren monatelang nur nach vorne geprescht. Dankbar hatte ich mich diesem Sog hingegeben, mich aus meiner eigenen Vergangenheit, und letztlich auch aus der Trauer, fortreißen lassen.

Das Abenteuer war kein wirklich großes, aber ich sah ihn in dieser Erinnerung so genau vor mir wie sonst nur selten. Ich muss zehn, vielleicht elf, und er dreizehn oder vierzehn gewesen sein. Wir waren auf dem Weg zu einem Wanderurlaub in Italien. Meine Mutter, mein mittlerer Bruder und ich saßen auf der einen Seite des Abteils, auf der anderen saß meine Tante mit ihren beiden Kindern, die ungefähr so alt waren wie wir. Das Mädchen zehn, der Junge dreizehn. Diese beiden Kinder habe ich immer beneidet und bewundert. Der Junge spielte Klavier und das Mädchen Geige. Bei jedem Familienfest musizierten sie, und alle Verwandten waren begeistert. Es waren adrette, hübsche gebildete Kinder. Der Junge trug weiße Rollkragenpullover, das Mädchen hatte einen Zopf und wickelte sich zum Einschlafen in von allen bewunderter Kunstfertigkeit Bänder und Tücher um die Finger. Sie nannten ihre Mutter, die am Fenster saß, auch nicht Mami oder Mama, sondern »Mutter«. Das fand ich einerseits affektiert, doch andererseits klang es so weltläufig: »Mutter, soll ich dir einen Apfel schälen?« »Mutter, ich gehe kurz auf die Toilette!« »Wasch dir bitte die Hände, ja.« »Selbstverständlich, Mutter.«

Wir hatten gerade Stadt, Land, Fluss gespielt, und der Junge hatte gewonnen, hatte sogar meine und seine Mutter weit hinter sich gelassen. Ich war beleidigt, da ich mehr gewusst hätte, aber einfach nicht so schnell schreiben konnte. Als ich unter der Rubrik Länder bei L »Lappland« vorlas, sagte er: »Hast du das gehört, Mutter: Lappland! Hahahah! Lappland ist doch kein Land. Es ist ein Gebiet und über mehrere Länder verteilt!« Meine Mutter sagte: »Also, ich finde, das gilt. Lappland. Immerhin heißt es ja Land!« »Also«, sagte er, »wenn das so ist, dann gilt ja alles! Dann kann man auch

Legoland schreiben!« Seine Mutter lachte ihm anerkennend zu und huldigte so seinem Scharfsinn. Meine Mutter fragte ihn: »Was hast denn du?« »Also ich hab Liberia, Liechtenstein und Luxemburg!« Nachdem die Punkte zusammengezählt waren, genügte es ihm nicht, dass er gewonnen hatte. Jeden Einzelnen fragte er nach seiner Punktzahl. »Also ich bin Erster und du, Mutter, bist Zweite. Du« – er zeigte auf meine Mutter – »bist Dritte. Du« – mein Bruder – »bist Vierter. Du« – seine Schwester – »bist Fünfte! Und du« – er zeigte auf mich –, »du hast nur fünfundfünfzig Punkte! Hahaha! Du bist Letzter!« Mein Bruder kannte meinen Zorn, sagte »Wir gehen ein Stück durch den Zug!«, nahm mich an der Hand und zog mich aus dem Abteil. Während ich die Tür zuschob, hörte ich einen unvergesslichen Satz: »Ach, wie schade, Mutter, dass man ein Klavier nicht mit auf Reisen nehmen kann. Sonst könnte ich jetzt ein wenig üben.«

Mein Bruder griff mir in die Locken, schüttelte mich liebevoll und sagte: »Lappland ist super, Bruderherz. So ein Blödmann!« Wir gingen von Waggon zu Waggon. Zwischen den einzelnen Wagen explodierte der Lärm. Durch Schlitze im Metallboden konnten wir die dahinrasenden Bahnschwellen sehen. Immer, wenn wir so einen lärmenden Zwischenraum betraten, brüllten wir etwas. Ich rief so laut ich konnte »Laaaaplaaaand!« und mein Bruder »Lavendel! Oleander! Jasmin! Vernell!«. Ganz am Ende des Zuges setzten wir uns vor die verriegelte Schiebetür. Ein italienisches Warnschild hing mit einer Kette über den Haltegriffen, unter einem Ausruf in roten Buchstaben stürzte ein Mann auf die Gleise. Wir drückten unsere Nasen an die Scheibe. »Das sieht doch so aus«, sagte mein Bruder, »als ob die Schienen aus dem Zug herausgeschleudert werden. Stell dir mal einen Zug vor, der so schnell Schienen verlegen könnte!« »Ja, das wäre toll. Da könnte man einfach so wie wir jetzt durch die Berge rattern, und hinterher wäre da eine Zugstrecke!« Wir sahen auf den Boden, und für einen Moment hatte ich wirklich das Gefühl, in einer Wundermaschine zu sitzen, die mit grandioser Kraft gleichzeitig Schwellen und Schienen in die Landschaft verlegt. Wir saßen nebeneinander, in den Kurven wurden wir aneinandergedrückt, und mein Bruder überlegte: »Wenn der Mann, der ganz vorne sitzt, Lokführer heißt, wie heißen dann wir? Gibt es dafür einen Namen? Für die Letzten im Zug?« Wir fuhren in einen Bahnhof ein, eine italienische Durchsage schepperte durch den Gang. Wir überlegten, wie wir uns nennen könnten und wie groß die Rolle oben auf dem Zug mit den Schienen sein müsste, um sie direkt während der Fahrt ins Tal abzuspulen. Wir erfanden einen Riesenbunsenbrenner, der das Eisen geschmeidig halten sollte, und mehrere Nietenpistolen, die genau in die Bohrungen treffen mussten. Aus einem der ersten Waggons sollte der Kies aus Luken direkt auf die Wiese fallen und von einer Walze planiert werden. In einer Gedankenpause spürten wir beide plötzlich die eigenartige Stille, die sich über den Waggon gelegt hatte. »Komm«, sagte mein Bruder, »wir gehen jetzt besser mal zurück.« In keinem Abteil saß mehr jemand. Wir rannten durch drei ausgestorbene Waggons, bis wir plötzlich vor einer verriegelten Tür standen, an der genau das gleiche Schild hing wie an dem Ende des Zuges, wo wir gerade herkamen. Die rote Schrift, der aus dem Zug fallende Mann. Ich bekam sofort Panik. »Was ist das? Was ist das? Wo ist Mami? Was ist das! Wo ist vorne?« Auch mein Bruder hatte einen riesigen Schreck bekommen, blieb aber ruhig. »Wir müssen hier so schnell wie möglich raus!« Er nahm das Schild ab und rüttelte an der Tür. »Das dürfen wir nicht. Lass das! Wir fallen raus. Sieh doch, der Mann!« Er rief »Wir müssen hier raus!«, doch die Tür ließ sich nicht öffnen. Durch das Glas konnte man einen von außen verkeilten Eisenbalken sehen. »Komm«, rief mein Bruder. Er zog die erste Abteiltür auf und riss das Schiebefenster herunter. »Komm! Ich helf dir!« Ich hatte furchtbare Angst. »Das darf man nicht! Man darf nicht aus dem Fenster klettern!« »Los jetzt! Wir müssen doch irgendwas machen!« Er kletterte vorweg. Ich sah ihn durch die Scheibe draußen hängen und zu mir hineingucken. Er ließ los und war weg. Ich sah aus dem Fenster. Er lag unten im Kies, suchte seine dicke Hornbrille, und neben ihm wuchs ein gelb blühender Strauch. Er stand auf: »Los jetzt! Jetzt du! Ich helf dir!« Noch nie hatte ich so eine Bedrohung, so eine tiefe Angst empfunden. Mit zitternden, nach Halt suchenden Füßen kletterte ich aus dem Fenster. Ich spürte die Hände meines Bruders an meinen Waden. Ich ließ los und sank ganz langsam zu Boden, so gut hatte er mich festgehalten. »Vorsicht an den Gleisen!« Vor jedem Gleis sahen wir wie artige Schulkinder an einer Straße nach links und rechts. Doch ich war mir sicher, so würde man Zügen nicht entkommen. Aus dem Hinterhalt würden sie hervorschießen und uns überrollen. Andauernd blieb mein Bruder stehen und sah mehrmals hin und her, hielt mich fest an der Hand, seinen kleinen Bruder, und bewältigte die lebensgefährliche Aufgabe, unbeschadet den rettenden Bahnhof zu erreichen.

Als wir es geschafft hatten und in die schattige Bahnhofshalle traten, fing ich zu jammern an: »Was sollen wir nur machen? Wo ist denn der Zug?« »Na, weitergefahren! Warte, ich frag mal!« Hinter einer Scheibe mit durchlöchertem Sprechoval saß eine alte Frau mit knallroten Haaren. Mein Bruder fuchtelte mit den Armen, versuchte, sich verständlich zu machen. Sie zuckte immer wieder mit den Schultern und nahm ihr kleines rotes Uniformkäppchen ab. Ich dachte im ersten Moment: »Oh nein, ist die sauer! Jetzt reißt sie sich die roten Haare vom Kopf, ein ganzes Büschel, weil ihr mein Bruder so auf die Nerven geht.« Er kam zu mir zurück: »Die versteht kein Wort! Los komm!«

Wir rannten auf den Vorplatz. Direkt vorm Bahnhof stand ein einzelnes Taxi. Auf dem Fahrersitz saß eine ebenfalls rothaarige Frau. Die Autotür geöffnet, ein langes Bein auf sehr hohem Absatz locker in den Kies gestellt. Rauchend. Sie sah der Frau vom Schalter sehr ähnlich, war aber dreißig Jahre jünger, höchstens fünfundzwanzig. Das haben wir uns später oft gefragt, ob das Mutter und Tochter waren. Wieder versuchte mein Bruder, unsere schreckliche Lage mit einzelnen Worten und wildem Zeigen deutlich zu machen. Sie stieg aus und streckte sich. Ihr Rock, der verdammt kurz war, rutschte noch ein wenig höher. Sie steckte sich die Zigarette in den knallroten Mundwinkel, zog den Rock wieder hinunter und schwenkte dabei einmal ihren Hintern hin und her. Mein Bruder sagte zu mir: »Los komm, wir müssen hoch zur Straße und ein Auto anhalten! Die versteht auch nix.« Wir rannten über den Bahnhofsplatz. Ich drehte mich um und sah, dass die rothaarige Taxifahrerin in ihr Auto stieg und losfuhr. Sie hielt vor uns an, winkte uns zu sich: »Venite, ragazzi! Su! Sedetevi!« Wir stiegen ein, und mein Bruder rief nach vorne: »Unsere Mama! Im Zug! Unsere Mama! Bitte schnell!« »Ah, Mamma! Mamma, sì, sì! In treno?« Mein Bruder schaltete schnell: »Sì, in treno nach Meran.« Sie rief »Ah, Merano! Va bene, andiamo!« und gab Gas, raste aus dem Ort und durch die Berge. Links ragten steil die Felsen empor, rechts ging es steil bergab. Parallel zur Straße verliefen die Gleise, die sich durchs Tal schlängelten, kamen näher, entfernten sich. Sie fuhr wie eine Besengte die kurvenreiche Bergstraße entlang, setzte sich eine riesige Sonnenbrille auf und hupte vor jeder Kurve. Ich sah zu meinem Bruder hinüber. Er hatte den Mund leicht geöffnet, seine dicken Brillengläser waren leicht beschlagen, und, eigenartig, er sah total glücklich aus. Er nickte mir zu und sagte: »Weit können die noch nicht sein!« Die Italienerin trug eine enge rote Bluse mit großen Schweißrändern unter den Achseln. Das sah ich, als sie sich mit gespitzten Lippen die nächste Zigarette aus der Schachtel zog. Wir überholten einen Lastwagen, der uns wie ein Ozeandampfer hinterherhupte. Sie fluchte »Porca miseria! Stronzo!«, drehte sich in voller Fahrt um, ballte zwischen mir und meinem Bruder hindurch die Faust, »Scopatore!«, und drohte Richtung Laster. Und dann tat sie etwas, das mir und meinem Bruder noch Jahre später imponieren sollte. Mitten in dieser wilden Verfolgungsjagd, mitten in einer engen Kurve schaltete sie das Radio an und sang mit. Fluchte, rauchte, sang und gab Gas. Ich hatte Todesangst und war schwer beeindruckt. In engen Serpentinen ging es einen Hang hinauf. »Ich kann die Gleise nicht mehr sehen!«, sagte ich. Wir rasten durch den Wald, und sie rief: »Qua crescono di maroni!« Wieder aus dem Wald hinaus, in einen Tunnel hinein: »Questa galeria di merda!« Wir erreichten eine Ortschaft. Ein Trecker stand quer auf der Fahrbahn. Sie schien sich hier gut auszukennen. Bog in eine Gasse ein, fuhr hinter einem Bauernhof entlang, dass die Hühner gackerten, und kam wieder auf die Hauptstraße. Sie bremste scharf vor einem Bahnhof, stieg aus und stöckelte über den Platz in das Gebäude hinein. Keine zwanzig Sekunden später flog die Tür wieder auf, und sie warf sich auf den Sitz: »Merda! Gia partito! Andiamo!« Jetzt war die Straße weniger gewunden, auch etwas breiter. Plötzlich rief mein Bruder: »DA! DA!« »Was denn?« »Na da! Der Zug!« Er tippte der Taxifahrerin auf die Schulter und zeigte ins Tal hinein: »Da! Treno!« Sie rief: »Mamma? Mamma? C'e dentro la vostra mamma?« »Ja, ja genau. Mamma ist im Zug!« Siegessicher griff er mir in den Nacken und beutelte mich. Mir war von der Fahrt schlecht geworden. Die Sorge, die Kurven, der Zigarettenqualm. Ich drehte das Fenster runter und versuchte, meine Übelkeit wegzuatmen. Die Straße mündete in ein breites Tal. Keine zweihundert Meter mehr waren wir hinter dem Zugende. Wir erreichten es, überholten Waggon für Waggon. Sie fing plötzlich an, laut zu hupen, hupte im Takt des italienischen Schlagers. Die Leute sahen aus den Fenstern und winkten, wussten nicht genau, was wir wollten. Da sah mein Bruder den Klaviermusterschüler und seine Flötenschwester: »Da sind sie! Da!« Auf der Höhe des Abteils drosselte sie das Tempo. Der Junge sagte etwas nach hinten in das Abteil hinein. Meine Mutter und die Tante kamen an das Fenster. Mein Bruder winkte, die Fahrerin rief »Ah, Mamma! Mamma!«, hupte lange und winkte. Für einen Moment, mir kam er damals unendlich lang vor, war meine Mutter starr vor Entsetzen. Sie schien schlicht nicht zu glauben, was sie sah: Ihre Söhne in einem hupenden Taxi mit einer rauchenden, singenden Taxifahrerin mit roter Mähne. In diesem langen Moment sah meine Mutter aus wie ein staunendes Kind.

Meine Tante riss das Fenster herunter. Meine Mutter rief etwas. Doch der Zug und auch wir waren zu schnell, um etwas zu verstehen. Der nächste Bahnhof war noch nicht in Sicht. Kopfschüttelnd stand meine Mutter da und winkte uns. Die Taxifahrerin drückte aufs Gas, ließ den Zug hinter sich, und wir erreichten als Erste den Bahnhof. Wir stürzten aus dem Wagen, ließen alle Türen offen, die Musik an und rannten zum Gleis. Der Zug fuhr ein, mein Bruder zerrte an der Waggontür, sie sprang auf, und wir kletterten hinein. Ich umarmte meine Mutter, weinte, stammelte: »Der Zug wurde … wir ganz allein … abgehängt … die Kurven!« Wir standen in der offenen Zugtür. Unsere Retterin kam angestöckelt. Meine Mutter, die fließend Italienisch spricht, beugte sich hinaus, schüttelte ihre Hände und sagte: »Signora, grazie! Mille grazie! Ha salvato i miei figli.

Come posso ringraziarLa?« Sie holte ihr Portemonnaie aus der Handtasche und gab der Frau alle Banknoten, die sie hatte. Der Schaffner pfiff, und der Zug fuhr an. Ich und mein Bruder winkten der Taxifahrerin. Sie winkte zurück und fächelte sich mit den ausgebreiteten Geldscheinen lässig Luft ins Gesicht.

Völlig fertig saß ich wieder in meinem Sitz. Mein Bruder erzählte detailliert den Hergang unserer Abkoppelung und Odyssee. Da sagte der Sohn meiner Tante, der bis jetzt nur blasiert dreinblickend zugehört hatte: »Mein Gott, Mutter, hörst du das? Wie kann man nur so dumm sein?« Da fuhr meine Mutter ihn an: »Halt deinen Mund, du Klugscheißer. Behalt deine Weisheiten für dich!« Beleidigt verließen meine Tante und ihre beiden Musterkinder das Abteil und blieben bis zur Ankunft im Speisewagen. Meine Mutter setzte sich zwischen uns, legte jedem von uns einen Arm um die Schulter. Mein Bruder und ich sahen uns an. Ich war in diesem Moment so glücklich, dass ich ihn hatte, dass er bei mir gewesen war, so froh, dass er mir gegenübersaß. Ohne ihn wäre ich verloren gewesen. Ich beugte mich über meine Mutter hinweg und gab ihm einen Kuss auf die Wange. Er lachte: »Sag mal, was ist denn mit dir los? Bist du nicht ganz dicht? Hast du das gesehen, Mama, der Kleine da hat mich geküsst!«

An dieses Abenteuer musste ich denken. So lag ich da. Auf dem Bett meines Bruders.

Ein Brief von Hazel kam. Sie schrieb mir, wie sehr mich alle vermissen würden und wie traurig sie sei, dass mein Jahr bei ihnen so schnell vorbeigegangen sei. Dann las ich folgende Zeile: »I am so sorry, but Don sold the horse.« Sobald es die Zeitumstellung möglich machte, rief ich sie an. Es war ihr unangenehm, und sie sagte: »I tried to prevent it.« Ich fragte sie, an wen Don denn das Pferd verkauft hatte. Hazel druckste herum: »You know, Mr. Spock was quite old!« Ich war entsetzt. Doch es war die bittere Wahrheit. Ich sagte: »How could you let him do that?« Hazel klang hilflos: »It was his horse: I couldn't do anything about it.« »But I liked this horse! I liked it so much! You knew that!« »I am so sorry. He did it when Stan and I were at work. When we came home in the evening the horse was already gone.« »And what did Stan do?« »Don't ask! He yelled at Don and said: ›Get out of this house. Do you understand? Get out of my house as soon as possible!‹« Nur drei Tage nach meiner Abreise hatte Don das Pferd weggegeben. Hatte Mr. Spock wahrscheinlich für einen Schleuderpreis an einen Abdecker verhökert. Für so gnadenlos hätte ich ihn nicht gehalten. Von dem Geld hatte er sich auf eine Reise nach Toronto begeben. Was für eine miese und heimtückische Rache! Was für eine Niedertracht. So hatte er mir noch ein letztes Mal klipp und klar zu verstehen gegeben, dass er mich hasste und dass nun wieder er es war, der die Entscheidungen traf.

Mit meiner deutschen Freundin war plötzlich alles ganz einfach und aufregend. Kein »Eins nach dem anderen!« mehr. Hatte sie so wie ich während meiner Abwesenheit Erfahrungen gesammelt? Wir sprachen nicht darüber. Einmal sagte ich, während wir miteinander schliefen, »Move!« und behauptete später auf ihr Nachfragen hin steif und fest, ich wüsste nicht, wovon sie spräche. »Ich hab es doch gehört. Ich bin doch nicht bescheuert. Du hast ›Move!‹ gerufen.« »So ein Quatsch. Warum soll ich denn bitte schön ›Move!‹ rufen?« »Woher soll ich denn das wissen? Aber gehört habe ich es!« »Vielleicht habe ich Huuove gemacht oder Ahhhhve! Irgendwie gestöhnt halt.« »Na ja, ich weiß nicht. Also für mich klang es wie ›Move!‹.«

Das Grab meines Bruders hatte ich noch nicht besucht. Meine Eltern waren oft dort. Fragten mich, ob ich denn nicht mitkommen wollte. Der weiße Marmorstein sei sehr schön. Es sei ein friedliches Grab. Doch ich wollte nicht. Maureen und meinen Gasteltern schrieb ich anfangs oft, aber dann immer seltener. Randy Harts Briefe kamen dagegen immer öfter, je weniger ich ihm schrieb. Das hellblaue Gefängnishemd, das ich damals geschenkt bekommen hatte, trug ich ununterbrochen. In der Schule war es eine von meinen Mitschülern viel bewunderte Trophäe. Fast jeden zweiten Tag lag, wenn ich nach Hause kam, ein blauer Luftpostbrief neben meinem Teller. So wie ich es auch schon in Laramie gemacht hatte, nummerierte ich die Briefe. Ich war mittlerweile bei Brief Nummer hundertsechsundzwanzig. Doch dann, von einem Tag auf den anderen, kam kein Brief mehr. Ich wartete eine Woche, zwei Wochen. Ich war erleichtert, machte mir aber auch Sorgen. In der Zeitung hatte ich gelesen, dass eine Hinrichtungswelle die Gegner der Todesstrafe zu Demonstrationen veranlasst hatte und dass sogar in Staaten, in denen schon jahrelang kein Urteil mehr vollstreckt worden war, mehrere Hinrichtungen stattgefunden hatten.

Ich öffnete seinen letzten Brief. Ein wirrer Brief. Seine Sache stünde auf Messers Schneide. Ob ich nicht irgendwelche Kontakte in Deutschland hätte. Juristen kennen würde. Ob ich zu ihm kommen könnte. Er hätte niemanden außer mir. Warum ich nicht mehr schreiben würde. Warum ich ihn im Stich ließe. Er wäre doch immer für mich da gewesen. Ich wusste nicht, was ich tun sollte. Ich wollte mit dieser ganzen Sache nichts zu tun haben, dachte aber ununterbrochen daran und ärgerte mich darüber, dass ich Randy Hart nicht loswurde.

Eine Woche später kam ich von der Schule, klingelte. Durch die Glastür konnte man weit in den Flur hineinsehen. Unser Hund kam um die Ecke, lief den Gang entlang und hechelte seinen freudigen Atem gegen die Scheibe. Am Ende des Flurs rechts war die Küche. Meine Mutter blieb einen Moment im Flur stehen und sprach in Richtung Esstisch. Sie ging den Flur entlang auf mich zu. Noch bevor sie mir aufmachte und mir der Hund, der ja der Hund meines Bruders gewesen war, schwanzwedelnd seine Schnauze entgegenstreckte, sah ich auf ihrem Gesicht ein übergroßes besorgtes Erstaunen. Die Tür ging auf, und während ich dem Hund den Kopf klopfte, fragte ich sofort, was los sei. »Du hast Besuch.« »Besuch. Wer?« »Aus Amerika.« Im Flur roch es nach Kohlrouladen. Ich ging in die Küche. Und da saß er: Randy Hart. An unserem Küchentisch. Er sah schlecht aus. Noch viel knochiger und eingefallener als damals im Gefängnis. Er sah mich an, stand auf. Es kostete ihn Mühe, aus dem Stuhl hochzukommen. Ging auf mich zu und umarmte mich. Er war größer, als ich ihn mir vorgestellt hatte. Ein kurz geschorenes, hohlwangiges Gespenst. Beim Mittagessen aß er kaum etwas von den Kohlrouladen und erzählte schleppend von der plötzlich unmittelbar bevorstehenden Hinrichtung und seiner überraschenden Begnadigung aufgrund der Intervention der deutschen Seite. Seiner Freilassung und Ausweisung. Das einzige Geld, das er hatte, stammte aus dem Verkauf seines zweiundzwanzig Jahre alten Autos. Vorgestern war er entlassen worden, gestern in Frankfurt angekommen und heute zu mir gefahren. Meine Mutter saß neben uns am Küchentisch und traute ihren Ohren nicht. Sie wusste, wer Randy Hart war, hatte meine Brieffreundschaft mit einem zum Tode Verurteilten aber in ihrer typischen Art heiter verdrängt. Dass nun aber dieser Randy Hart bei uns am Mittagstisch saß und lustlos in ihren Kohlrouladen rumstocherte, überstieg ihr Vorstellungsvermögen. Ihm fielen beim Reden die grauen Augenlider zu. Meine Mutter bezog ihm das Bett in unserem neuen Gästezimmer, dem Zimmer meines Bruders. Die Bettwäsche kannte ich gut. Wieder umarmte er mich, sagte nah an meinem Ohr »Thank you so much!«, umarmte sogar meine Mutter, »Thanks, Mam, for giving me shelter!«, und ging schlafen.

Er schlief und schlief. Mein Vater kam, und wir saßen zusammen und überlegten, was wir tun sollten. Meine Eltern waren viel weniger verunsichert als ich. Ich wollte ihn so schnell wie möglich wieder loswerden und flüsterte: »Mam, das ist ein Mörder, ein echter Doppelmörder. Ich schlafe doch nicht im Zimmer neben einem Mörder, ey!« Meine Eltern aber weigerten sich, ihn einfach wegzuschicken.

Er blieb bei uns. Wurde krank. Hatte tagelang hohes Fieber und hustete so stark, dass er mit Verdacht auf einen Rippenbruch ins Krankenhaus musste. Er war mit nichts weiter als einer kleinen Reisetasche gekommen. Meine Mutter legte ihm Anziehsachen meines Bruders heraus. »Ist doch besser, als wenn sie im Schrank hängen.« Eine Bundfaltenhose, mehrere Hemden und einen schwarzen Anzug. Der passte und stand ihm gut. Das Gefängnishemd trug ich in dieser Zeit natürlich nicht. Ich kochte für ihn Gerichte, die ich in Laramie von Hazel gelernt hatte, Truthahn, und langsam nahm er etwas zu. Während ich in der Schule war und meine Eltern arbeiteten, machte er lange Spaziergänge mit unserem Hund. Unser Hund war schon alt. Lag tagelang hinterm Sessel, schnarchte, roch schlecht und grunzte im Schlaf wie ein Schwein. Von dem Tag, an dem Randy bei uns auftauchte, verjüngte sich der Hund. Randy wusch ihn. Seifte ihn von oben bis unten ein und föhnte ihn trocken. So hatte ich unseren Hund noch nie gesehen. Duftend, fluffig wackelte er jugendlich hinter Randy her über die Straße in den Wald davon. Fast drei Monate blieb Randy Hart bei uns und lebte im Zimmer meines Bruders. Lag auf oder in seinem Bett und las aus seinem Regal ein Buch nach dem anderen. Mein Vater besorgte ihm eine Aufenthalts- und Arbeitsgenehmigung. Er bekam einen Job in der Psychiatriegärtnerei und pikierte dort Weihnachtssternsetzlinge.

Randy fragte mich eines Tages, ob mein ältester Bruder seine Angelausrüstung mit nach München genommen hätte. Das war nicht der Fall, und ich zeigte ihm das Kellerkabuff, in dem die Angelruten und mehrere Angelkästen standen. Randy rief meinen Bruder in München an und bat ihn darum, vielleicht eine der Angelruten benutzen zu dürfen. Mein Bruder hatte nichts dagegen, sagte aber zu mir am Telefon: »Wehe, dein Killerfreund verschlampt was, dann musst du mir das ersetzen!« Randy erzählte mir, dass er früher in Wyoming oft mit seinem Vater angeln gewesen war, und versprach, auf alles gut achtzugeben. Er las die Angelbücher meines Bruders, machte sich mit der Gegend vertraut und reparierte das Fahrrad meines mittleren Bruders, das schon vor meinem Amerikajahr mit Plattfuß in der Garage gestanden hatte. Dann radelte er davon und kam Stunden später mit seiner Beute nach Hause. So viel wie Randy hatte mein Bruder nie gefangen. Wenn ich mit meinem Bruder telefonierte und erzählte, Randy wäre mit einem kapitalen Hecht aus dem Hinterteich nach Hause gekommen, sagte er ungläubig: »Echt? Fünfundsiebzig Zentimeter? Vielleicht hat er ihn im Fischgeschäft gekauft!«

Randy lud mich ein, mit ihm eine Nacht genau an dem See zu verbringen, an dem ich damals meine Freundin auf dem Nachbarsteg zum ersten Mal gesehen hatte, dem Langsee. Randy sagte: »Ich hab gelesen, dass es dort fantastische Aale geben soll. Aale fängt man am besten nachts. Kommst du mit?« Am Samstagabend machten wir uns auf den Weg zum See. Ich war lange nicht mehr da gewesen. Die Bretter vom Steg waren noch morscher geworden. Ein Boot, halb versunken, randvoll mit Wasser, lag daneben. Wir luden unsere Sachen ab, und Randy ging nach vorne, an die Stegkante, und sah über das Wasser. Bevor wir die Angeln zusammensteckten, badeten wir noch. Randy zog sich die Badehose umständlich unter einem Handtuch an. Er war immer noch sehr dünn und sah ganz verbogen aus. Auf seiner schneeweißen Brust kräuselten sich vereinzelte schwarze Haare. Das Wasser war kühl und grün. Randy sagte: »Ich war lange nicht mehr schwimmen. Aber das soll man ja angeblich nicht verlernen.« Er ließ sich ins Wasser gleiten. »Und?«, fragte ich vom Steg aus, »kalt?« »Ja, kalt, aber schön!« Er stieß sich ab und schwamm los. Ich sprang in den See, tauchte, kam neben ihm an die Oberfläche. »Geht's?« Er nickte. Er konzentrierte sich auf die Schwimmbewegung und schloss bei jedem Brustzug, beim Vorwärtsstoßen der Arme die Handflächen, Finger auf Finger. »Schwimm nicht so weit raus!«, sagte ich, und Randy antwortete: »Geht schon. Komm, noch ein Stückchen!« Er schwamm schneller, ließ mich hinter sich, drehte sich um und rief: »An manchen Stellen ist der See achtzig Meter tief. Der stammt aus der Eiszeit. Einer der tiefsten Seen, die es hier gibt. Ganz unten am Grund wohnen die fetten Aale!« Das schwere Süßwasser drückte mir auf die Lunge. Randy brüllte, und er war sichtlich stolz, den deutschen Ausdruck zu kennen, »Endmoräne!« und tauchte. Wenn ich meine Beine ein wenig sinken ließ, wurde es sofort überraschend kalt. Ich wollte zurück, doch ich konnte im Schilfgürtel den Steg nicht mehr entdecken. Ein gutes Stück musste ich parallel zum Ufer schwimmen, mehrmals im Schlamm die Füße abstellen, der angenehm zwischen den Zehen hindurchquoll. Ich kletterte mühsam über das halb versunkene Boot hinauf. Das Wasser im Boot war seltsam warm. Ich trocknete mich ab und sah hinaus auf den See. Weit draußen lag Randy auf dem Rücken. Nachdem er, wie es mir vorkam, über eine halbe Stunde wie ein Brett auf der Oberfläche getrieben war, begann ich mir Sorgen zu machen. Ich rief. »Hey, Raaaandy! Hey!« Er hob den Kopf, winkte und machte sich auf den Rückweg. Mit einer einzigen kraftvollen Bewegung schnellte er auf den Steg. Seine Lippen waren blau. Er hielt mir seinen Mund ans Ohr und sagte begeistert: »Hör mal, meine Zähne klappern!« Mehrmals nahm er noch Anlauf und sprang vom Steg. Ich erklärte ihm, wie man Negerköpper macht – die Arme nicht schützend über dem Kopf, sondern eng an den Körper gelegt. Er fragte mich: »Warum nennt man das denn Negerköpper?« Ich hatte keine Ahnung. Wir machten Arschbomben und versuchten, bis an die Zweige einer Buche zu spritzen. Jedes Mal, wenn ich in den See sprang, durchfuhr mich eine kleine, fast angenehme Panikwelle. Die eiszeitliche Tiefe des Sees, das undurchsichtige Grün. Randy setzte sich eine Spezialbrille auf, die er in der Jackentasche der Angelweste meines Bruders gefunden hatte, mit der er durch die Lichtreflexe der Wellen hindurch tief in den See hineingucken konnte. Dann warteten wir auf die Dunkelheit. Bereiteten alles vor. Aßen Sandwiches, Chips und tranken Saft, den Randy zur Kühlung an eine Angelsehne gebunden und im See versenkt hatte. »Das hab ich von meinem Vater gelernt. Immer band er seine Bierflaschen so an und versenkte sie im Fluss. Wenn wir nichts gefangen hatten, zog er die Bierflasche heraus und sagte: Wenigstens etwas!« Auf dem Wasser schwammen zwei Haubentaucher. Wir sahen ihnen zu. Sie konnten überraschend lange unter Wasser bleiben und tauchten dann plötzlich an so völlig anderen Stellen wieder auf, dass wir lachen mussten.

Randy hatte drei Angeln dabei. Die Angelknoten, die er machte, waren kompliziert, und ich fragte ihn, wie er sie sich merken könne. Er sagte, dass jeder Knoten eine eigene Geschichte hätte. Er nahm das Ende der Angelsehne und flüsterte: »Ein Mädchen springt von einem Baum in einen See« – der See war eine Angelsehnenschlaufe –, »es taucht auf und klettert dreimal um den Baum herum. Dann springt sie wieder in den See, aber diesmal von unten.« »Was soll denn das heißen: Springt von unten in den See?« »Woher soll ich das wissen. Das stand so im Buch! Und wetten, der Knoten wird was?« Er zog an den Enden der Angelsehne, und ein wunderschöner, sehr stabil wirkender Knoten wurde sichtbar. Doch es war noch zu früh, noch nicht dunkel genug, um die Angeln schon auszuwerfen. Wir rollten unsere Schlafsäcke auseinander. Bundeswehrschlafsäcke, die Arme hatten und deren unteren Teil man mit einem Reißverschluss abtrennen konnte. Der Wind, der den See bis vor Kurzem noch leicht gekräuselt hatte, legte sich, und mit dieser Abendflaute kam die Dämmerung nun rascher. Überall im Schilf kruschpelte es. Ich fragte Randy, was denn die Aale tagsüber machen würden. »Sie schlafen.« Mehr sagte er nicht. Mir fiel ein, was er mir über sich erzählt hatte: Auch im Gefängnis hatte er immer am Tage geschlafen und in der Nacht wach gelegen. Seit er bei uns wohnte, schlief er nachts, schlief, wie er sagte, so gut in der Nacht wie noch nie in seinem Leben. Mir wurde klar, dass sich durch die Zeitverschiebung für Randy gar nichts geändert hatte. Er hatte seine Schlaflosigkeit einfach mit zu uns genommen.

Nun war es endlich dunkel genug, und wir präparierten die Angeln. An jeden Haken kam ein Wurm. Jeder Wurm wurde dreifach durchstochen. Zweimal einfach hindurch, doch beim dritten Mal wurde der Wurm nicht ganz durchbohrt, sondern mit dem Kopf voran aufgefädelt, um den Widerhaken zu verstecken. »Aale sind schlau«, sagte Randy, »Karpfen sind vorsichtig, und Lachse sind gierig! Wir fangen jetzt einfach an. Obwohl, so richtig spannend wird es erst mitten in der Nacht. Wenn es am dunkelsten ist, beißen sie angeblich am besten.« Oberhalb des sich windenden Regenwurms befestigte Randy ein Bleigewicht. Als er es festgeknotet hatte, wischte er es mit einem Taschentuch sauber. »Damit sie uns nicht riechen.« Er stellte sich an die Spitze des Stegs, den einen Fuß ganz an die Kante, den anderen etwas dahinter, prüfte seinen Stand. Genau so, wie sich in meine Sätze hin und wieder englische Ausdrücke schummelten, erging es Randy: »Sit down, sonst hast du gleich den Haken in der Backe.« Und dann katapultierte er den Wurm mit gekonntem Schwung durch die Dämmerung, viel weiter, als ich es für möglich gehalten hatte, auf den See hinaus. Die Angelrolle surrte hell. Ich war begeistert und rief laut: »So weit! Super, Randy.« Doch er war unzufrieden. »Geht so.« Noch immer rollte sich die Angelsehne ab. Mit jedem Meter wurde mir dieser See unheimlicher. Es roch eigentümlich. Vielleicht war es das warm-faulige Wasser im Boot neben dem Steg. Randy warf auch noch die beiden anderen Angeln aus, und tatsächlich waren beide Würfe noch weiter als der erste. Die Ruten legte er einfach auf den Steg. Zuletzt klemmte er an jede Angelspitze ein kleines Glöckchen. Diese Glöckchen hatte ich noch nie gesehen. »Wofür sind die denn?« »Na, wofür wohl? Überleg mal.« »Wenn einer anbeißt, bimmelts.« Er mochte das Wort »bimmelts«. »Genau. Und wenn keiner anbeißt, bimmelts nicht.«

Er klappte einen Angelstuhl auf und stopfte sich eine Pfeife, »gegen die Mücken«, wie er sagte. Wir redeten nicht viel. Saßen da und sahen zu, wie sich die Konturen des gegenüberliegenden Ufers und die schwärzliche Oberfläche des Sees immer mehr zusammenschoben. Die Kälte des Wassers stieg durch die Ritzen des Stegs, und im allerletzten Licht zickzackte eine Fledermaus über unsere Köpfe hinweg. Randy stand auf. Gab mir die Taschenlampe. Sorgfältig legte er drei Dinge auf ein Küchenhandtuch: einen Hakenlöser, ein Messer und ein von meinem Bruder selbst geschnitztes und verziertes Holzstück. Mein Bruder nannte es »Totschläger«. Randy wog das Ding prüfend in der Hand. »Hat das dein Bruder gemacht?« »Ja!« »Nicht schlecht.« Mir wurde mulmig zumute. Wie er da stand! Im Taschenlampenlicht, mit dieser kleinen Keule, an der noch die Fischschuppen vom letzten Mord blitzten. Mir war kalt, und ich legte mich in den muffigen Schlafsack. Ich sah Randy von hinten im Angelstuhl sitzen. Er hätte auch siebzig sein können. Wie er da hockte. Rundrückig und Pfeife rauchend.

Das Nächste, woran ich mich erinnern konnte, war lautes Glöckchengebimmel. Erst begriff ich gar nicht, wo ich mich befand. Randy hielt eine der Angeln in der Hand. Der Strahl der Taschenlampe streifte die Zweige. Ich fand den Reißverschluss. Randy rief: »Nimm die Taschenlampe, los mach schon, nimm die Taschenlampe!« Ich wusste nicht, wohin ich leuchten sollte. Das Glöckchen bimmelte hell, hysterisch. Randy zupfte es von der Angelsehne, es fiel ihm aus der Hand, kugelte über den Steg, rutschte zwischen zwei Planken hindurch und platschte leise ins Wasser. Ich sah, wie die Spitze der Angel stoßartig zuckte. »Ist einer dran! Ist das ein Aal?« »Vielleicht. Wer soll sonst um diese Uhrzeit da unten Hunger haben?« Randy legte einen kleinen Hebel an der Angelrolle um, und plötzlich surrte die Schnur herunter. »Ich muss ihn erst gehen lassen, sonst hat er zu viel Kraft.« Ich leuchtete mit der Taschenlampe auf die Stelle, wo die Angelsehne verschwand, doch das Licht reichte nicht weit hinein. Immer wieder legte Randy den kleinen Hebel um. Kurbelte die Schnur auf und ließ sie wieder ab. Er flüsterte: »So, jetzt hol ich ihn.« Sehr gleichmäßig drehte er die Rolle auf. Zwischen Angelspitze und Wasseroberfläche rannen winzige

Tropfen die Angelsehne hinunter. Wir starrten beide gebannt auf den grünlichen Taschenlampenkreis. Ich war so gespannt, dass ich zu blinzeln vergaß und meine Augen ganz trocken wurden. Randy zog die Angel nach oben, testete den Widerstand. »Ich glaub, das ist ein Großer.« Er legte zwei Finger auf die Angelsehne. »Hier, spürst du das?« Ich machte es wie er. Fühlte den Puls der Angelschnur. Meine Fingerkuppen durchliefen Bewegungen. Auch wenn sie minimal waren, waren sie doch kraftvoll und verzweifelt. »So«, verkündete Randy, »jetzt müsste er bald kommen.« Meter für Meter rollte er die Schnur auf. Es dauerte. Und dann sah ich ihn. Schwarz und dick. Ich gab einen eigenartigen Ton von mir. Einen tonlosen Begeisterungsschrei. Randy war überwältigt. »Oh my Goodness, los hol das, den Kasch … das Netz. Den kriegen wir sonst nie raus.« Der Aal war dick, und seine Länge hatte nichts mehr mit einem Fisch zu tun. Er war schlangenlang. Der Kescher war noch zusammengelegt, und ich bekam ihn nicht auf. Randy hatte den Aal bis ganz dicht an den Steg herangezogen. »Was machst du denn?«, rief er. »Nun komm schon. Ich brauch das Netz!« Aber ich war viel zu aufgeregt. Ich war vollkommen durcheinander. Ich bekam diesen Kescher einfach nicht auseinander. Randy wurde immer ungeduldiger: »Los, komm her. Halt die Angel.« Hinter mir hörte ich ihn fluchend mit dem völlig verhedderten Kescher kämpfen. Der Aal war plötzlich ganz müde. Er sah unmittelbar unter der Wasseroberfläche auch nicht mehr ganz so Furcht einflößend aus. Ich legte die Angel auf den Steg und hob ihn, die Schnur fassend, aus dem Wasser. Er war schon halb draußen. Ich hörte Randy noch »Nein, don't do that!« brüllen. Ich hielt den sich windenden Fisch vor mir in der Luft, und da fiel er zurück ins Wasser, klatschte auf die Oberfläche. Randy stieß mich zur Seite und sah auf die Angel. Der Aal lag benommen, unendlich erschöpft im Wasser. Randy legte sich flach auf den Steg und griff mit den Händen nach dem Aal. Er konnte ihn sogar festhalten. Aber sobald er ihn auch nur ein ganz klein wenig aus dem Wasser hob, entglitt er ihm. »Los, hol das Netz!« Aber der Kescher war noch immer nicht auseinandergezogen. Das Keschernetz in sich verknotet, ein unentwirrbares Knäuel. »Ich schaffe es nicht. Ich hab das doch noch nie gemacht.« Der Aal war immer noch völlig apathisch. Randy fluchte: »Fuck! Jesus Christ!« Er versuchte, den Fisch in Richtung des halb gesunkenen Bootes zu ziehen, ihn hinüberzuschieben. Zärtlich zog er ihn! Er hatte es fast geschafft, da kam der Aal zu sich, und mit einer einzigen kraftvollen Bewegung verschwand er in der Tiefe.

Randy stand auf. Ich wusste nicht, was jetzt passieren würde, ich war mir nicht sicher, ob es wirklich meine Schuld war. Randy untersuchte den Angelhaken und zeigte ihn mir im Licht der Taschenlampe. Der Haken war aufgebogen. Kein Haken mehr, ein gerades Stück Draht! Aufgebogen vom Gewicht des Fisches über Wasser. »Nie«, sagte Randy freundlich zu mir, »never ever darf man einen so großen Aal einfach aus dem Wasser heben.« »Woher soll ich das denn wissen, ich wollte ihn doch nur so schnell wie möglich rausholen.« Randy schnitt den Haken ab und knotete einen neuen, etwas größeren an die Angelsehne. »Jetzt ist die beste Zeit«, sagte er, »vielleicht kriegen wir ja noch einen.«

Wir fingen in dieser Nacht noch mehrere Aale, doch jedes Mal hörte man schon am Bimmeln des Glöckchens, dass sie nicht so groß sein würden wie der erste. Randy zog sie einfach so an Land, ohne den kleinen Bügel an seiner Angelrolle umzulegen. Mit dem Hakenlöser stocherte er ihnen im Maul herum, mit dem Totschläger schlug er ihnen mehrmals auf den Kopf. Mir kam das etwas übertrieben vor, wie oft und heftig er auf die schwarzen Aalköpfe einschlug. Dann schnitt er ihnen mit dem Messer den Bauch auf und strich mit dem

Daumen die Eingeweide heraus. Als es hell wurde, hatten wir fünf Aale gefangen. Obwohl sie schon tot waren, zappelten sie hin und wieder in der Plastiktüte herum. Randy sprach über das Nervenkostüm der Aale und davon, dass sie sogar noch in der Pfanne zucken würden.

Er sagte: »Aale sind die Tiere, die ihren Tod am längsten überleben.«

Gleich nach Beginn des Schuljahres hatte ich an mehreren gut sichtbaren Punkten und am sogenannten Schwarzen Brett Zettel aufgehängt. Zettel, die bekannt gaben, dass von nun an zweimal die Woche am Nachmittag ein Basketballtraining in der Turnhalle stattfinden würde. Unter meiner Leitung. Ich hätte gerne wesentlich mehr Einheiten absolviert, doch die anderweitige Nutzung der Turnhalle ließ dies nicht zu. Auf meinen Vorschlag, dreimal die Woche vor der Schule, ganz früh am Morgen, von sechs bis Viertel vor acht zu trainieren, wurde mit Unverständnis und Ablehnung reagiert. Der Hausmeister, den ich aufsuchte, um ihn zu bitten, die Halle so früh aufzuschließen, sagte nur trocken: »Um halb sechs? Ich bin doch kein Milchmann!« Ich hätte gerne die Spieler knallhart auf ihre Fähigkeiten hin geprüft und anschließend ausgesiebt. Doch zum ersten Training erschienen nur acht Interessierte. Acht! Das war bitter für mich, da ich mir in vielen Stunden ausgemalt hatte, wie ich dem Basketballsport in meiner abgelegenen Heimat auf die Sprünge helfen würde. Doch das, was sich da in der Turnhalle versammelt hatte, war ernüchternd. Mich selbst sah ich in einer Doppelfunktion. Nicht nur als Trainer, sondern auch als Führungsspieler wollte ich meiner Mannschaft dienen. Ich hatte in Laramie alle Trainingspläne gesammelt und fein säuberlich abgeheftet. Gegenüber den acht Schülern, die immerhin gekommen waren, vergriff ich mich vom ersten Moment an fatal im Ton. Ich schimpfte, fluchte auf Englisch und brüllte rum. Ungeduldig und besserwisserisch korrigierte ich Fehler beim Wurf und passte einem schmächtigen Jungen den Ball so scharf zu, dass er ihn nicht fangen konnte und voll auf die Brust bekam. Er rang nach Luft, krümmte sich auf dem Boden, und ich stand neben ihm und sagte, ohne mich hinunterzubeugen: »Next time I would catch it!«

Jedes Mal, wenn jemand nur eine einzige Minute zu spät zum Training erschien, bekam ich unglaublich schlechte Laune und strafte den Schuldigen mit Nichtachtung oder ein paar Extraeinheiten Linienlauf. Nach vier Wochen waren noch drei Schüler übrig. Drei! Zwei von ihnen waren unter eins siebzig und so ungeschickt, dass ich es als persönliche Beleidigung empfand, wie sie zu dribbeln und zu werfen versuchten. So viel Unvermögen konnte es nicht geben, so blöd konnte sich kein Mensch freiwillig anstellen! Sie waren gekommen, um mich zu quälen, mich mit ihrem Antitalent zu strafen. Mir ist bis heute nicht ganz klar, wie ich in der Lage war, diesen Schwund so rigoros zu ignorieren. Mit mir waren wir nur noch vier. Wir waren nicht einmal mehr genug für eine vollständige Mannschaft. Doch ich trainierte eisern weiter und schwang pathetische Reden über den Zusammenhang von Ballbeherrschung und Sprungkraft: »Das ist so super«, schwärmte ich, »wenn du abspringst und in der Luft den Ball zugepasst bekommst. Du fängst den Ball. Um dich herum der Lärm der Zuschauer, die Musik, das Geschrei der Cheerleader. Du hast den Ball! Du bist immer noch in der Luft. Siehst den Korb. Und du steigst und steigst. Setzt zum Wurf an, und du weißt hundertprozentig, dass du triffst. Das ist so super, wenn du todsicher bist, dass du den Ball ohne den Ring zu berühren im Netz versenken wirst. Wisst ihr, ihr müsst jetzt endlich mal damit aufhören, euch darüber zu wundern, dass ihr TREFFT! Wundert euch, wenn ihr NICHT trefft!« Zum Abschluss jeden Trainings beorderte ich meine völlig geräderte Rumpfmannschaft an die Freiwurflinie. Jeder hatte zehn Würfe. Am Ende der Saison hatte meine Quote in Laramie bei fast neunzig Prozent gelegen. Auch jetzt traf ich von zehn Würfen sieben oder acht. Aber etwas hatte sich in meinen Bewegungsablauf eingeschlichen, das mich irritierte. Was war los? Etwas hakte. Die fein abgestimmte Koordination war aus unerfindlichen Gründen dahin. Auch ertappte ich mich dabei, wie ich beim Werfen hin und wieder auf den Ball sah und nicht, wie ich es schon zur Gänze verinnerlicht hatte, immer nur auf das Ziel, »the target«, den Korb. Von den drei Schülern traf einer keinmal, einer einmal und einer zweimal. Ich rief: »That's ridiculous! Was sind das für Gurkenwürfe? Ihr macht alles falsch, was man nur falsch machen kann! Konzentriert euch doch mal. I can't believe it. What a crap!« Da sagte der Jüngste von den dreien – er war im Grunde der Einzige gewesen, der ganz gut war und der immer sein Bestes gegeben hatte – ohne mich anzusehen: »Oh Mann, jetzt hör mal auf, dich so aufzuspielen. Wir haben darauf echt keinen Bock mehr. Wir wollen einfach nur ein bisschen auf den Korb werfen und Spaß haben. Ich mein, du bist echt gut und so, und wir können 'ne Menge von dir lernen, aber du führst dich hier auf wie der komplette Vollarsch!« Die beiden Kleinwüchsigen nickten, und einer von ihnen fügte hinzu: »Und dass du andauernd auf Englisch rumlaberst, ey, das nervt total!« Ich nahm den Ball, meinen echten, von Jerry überreichten, vielfach signierten Lederball, ging zum Ausgang, drehte mich um und rief, nein brüllte: »Für euch scheiß Luschen ist mir meine Zeit echt zu schade!« Während ich mich umzog, hörte ich in der Halle vereinzelte Lacher, Zurufe und wie die Bälle gegen den Basketballring schepperten. »Oh Mann«, dachte ich, »what the fuck! Diese Versager treffen immer nur den Ring! Kein einziger sauberer Korb! Immer knallen diese Arschlöcher den Ball voll gegen den Ring!«

Zum nächsten Training kam niemand mehr. Null! Ich war alleine. Alleine in der großen Halle und warf auf den Korb. Zwei Stunden lang umspielte ich imaginäre Gegner, ließ keine Übung aus und ging erst duschen, nachdem ich es geschafft hatte, von zehn Freiwürfen alle zehn im Korb zu versenken: hundert Prozent.

Ein paar Tage nach dem Ende meiner kurzen Trainerkarriere machte ich einen Waldlauf. Ich zog mir meine amerikanischen Basketballschuhe an. Ich liebte diese Schuhe. Es waren gepolsterte Schnürstiefel, die so gut passten, sich so perfekt an den Fuß anschmiegten, als wären sie maßgeschneidert, eigens für mich gemacht. Nur während des Trainings und natürlich bei den Spielen band man sie, um die Knöchel zu schützen, bis ganz oben. Trug man seine Basketballstiefel, und das taten eigentlich alle Auswahlspieler, auch abseits des Feldes, war es cooler Allgemeinbrauch, die Schuhe locker, weit unten zu binden oder gar keine Schleife zu machen und die Bänder ungeknotet seitlich neben die Laschen hineinzustopfen. Diese Laschen waren breit, wulstig und auf der Unterseite rot. Wie große Zungen quollen sie aus den klobigen Schuhen.

Ich lief den kurzen Weg von unserem Haus über das Gelände der Psychiatrie bis zur Straße und dann in den Wald hinein. Es war warm, und aus den tief hängenden Wolken nieselte es leicht. Nach ein paar Hundert Metern spürte ich ein wohlvertrautes Kratzen im Rachen, ein Jucken am Gaumen, ein Kribbeln in der Nase, ein Brennen in den Augen. Erst in diesem Augenblick, als ich durch den heimatlichen Wald joggte, begriff ich, dass ich in der klaren Hochplateauluft Laramies ein ganzes Jahr lang keinen einzigen Tag Heuschnupfen gehabt hatte. Doch hier in diesem feuchten Nieselregengehölz schwoll meine Nase zu, und ich musste durch den Mund atmen. Ich lief eine große Runde und kam zur Straße zurück. Früher, vor meinem einjährigen Höhentraining, war ich am Ende dieser knapp fünf Kilometer langen Strecke immer ausgepumpt und zufrieden gewesen. Doch jetzt war ich nicht im Geringsten angestrengt und beschloss, noch eine Runde zu laufen. Die Wolken hingen so tief, dass es mir vorkam, als würden sie nur deshalb nicht auf die Erde knallen, weil sie von den Wipfeln der Bäume gestützt wurden. Ein waberndes Gewölbe auf hölzernen Pfeilern. Der vollgesogene Waldboden federte und schmatzte unter meinen Stiefeln, und ich lief schneller. Es half nichts. Auch die zweite Runde hatte mich nicht im Geringsten erschöpft. Mein mit roten Blutkörperchen gesättigtes Blut floss dickflüssig durch die Adern, die Luft strömte gelassen in meine Sechsliterlunge und wieder hinaus, und mein Puls verharrte stoisch bei knapp unter fünfzig. Also noch eine Runde!

Jetzt lief ich richtig schnell. Die roten Laschen der zum Joggen eigentlich völlig ungeeigneten, da zu schweren Basketballstiefel klappten bei jedem Schritt auf und zu. Der Himmel wurde immer dunkler. Graue, prall gefüllte Regeneuter, aus denen es aber weiterhin nur kümmerlich nieselte. Die Luft war erfüllt von einer unangenehm fieseligen Feuchtigkeit. Nach meiner Nase, durch die ich längst keine Luft mehr bekam, schwollen nun auch meine Augen mehr und mehr zu. Das Kratzen im Rachen versuchte ich durch Schlucken und Schaben mit dem Zungengrund zu vertreiben. »Wann«, dachte ich, »regnet das denn endlich los? Ich brauche eine Abkühlung. Was sind denn das für drückende Wolken?« Kalter Schweiß rann mir über die Stirn und den Rücken hinab. Juckende, die Haut reizende Bächlein. Ich nieste mehrmals, wischte mir mit der Armbeuge über die Nase, die Augen, gab einen Moment nicht acht und trat in eine Pfütze, über die ich während der beiden Runden zuvor stets locker hinweggesetzt hatte. Mein Schuh versank samt Lasche im Matsch. Als ich ihn hinauszog, gab es ein saugendes Schlürfgeräusch, und mein über alles geliebter Basketballschnürstiefel war schwarz verschlammt und doppelt so schwer. »Nicht stehen bleiben«, dachte ich nur, »bloß nicht stehen bleiben! Stehen bleiben ist verboten!« Beim Weiterlaufen versuchte ich, die Matschmenge am Klumpfuß durch ruckartige Schüttelbewegungen zu reduzieren. Doch die dunkle Pampe saß fest wie ein Gehgips. Die vollgesogene Schuhlasche schlappte gegen meinen Spann, und nun klang es wirklich so, als würde eine große Zunge an mir herumschlecken.

Als ich zum dritten Mal die Straße erreichte, die dritte Runde zu Ende ging, ich also fünfzehn Kilometer gelaufen war, war ich immer noch nicht erschöpft. Nase und Augen waren zwar zugeschwollen, alles juckte, aber ich fühlte keinerlei Ermüdung. Und da rannte ich weiter. Diesmal so schnell ich konnte. Hügel auf, Hügel ab, die lange Gerade entlang und an der Matschpfütze vorbei. Meine Lunge, mein Herz, meine Beine pumpten und stampften und liefen unverdrossen, unermüdlich, ja unerbittlich vor sich hin. Schneller, schneller, schneller! Der Sprühregen, die feuchte Waldluft, die nassen Farnspitzen an den Schienbeinen. »Lauf«, dachte ich, »renn so schnell du kannst! Lauf so schnell, als ginge es um dein Leben.« Das Jucken in meiner Luftröhre wurde so stark, dass ich mir am liebsten einen Zweig abgebrochen hätte, um mir damit in der Kehle herumzustochern. Ja, ich stellte mir vor, wie ich mich, während ich mit meinem Klumpfuß aus Matsch durch den Wald hetzte, nicht nur überall von außen, sondern auch von innen kratzte. Ich bräuchte irgendeine Bürste, eine Bürste mit einem langen

Stiel, so wie eine Klobürste, doch noch länger, mit der ich mich tief, tief drinnen kratzen könnte. Sogar mein Gehirn juckte. Ich rannte und rannte, doch müde wurde ich nicht. Gegen meine Kondition war ich chancenlos. Ich kam ins sogenannte Wickeltal. In den abgestorbenen Zweigen der Tannen hatten sich einzelne Dunstschwaden verfangen. Je weiter ich in das Tal hineinlief – ein wirkliches Tal war das ja gar nicht, nur ein eingezwängter Weg samt Rinnsal –, desto dichter wurde der Nebel. Plötzlich sah ich nichts mehr. Hörte nur noch meine feuchte Schuhzunge wie einen Bluthund um meine Füße herum schmatzen. Nach nur wenigen orientierungslosen Schritten löste sich der Nebel wieder auf, und ich erkannte den Weg und wo ich hintrat. Wie von Sinnen raste ich noch ein paar Meter weiter. Und dann? Dann blieb ich plötzlich stehen! Einfach so. Ohne dass ich darüber nachgedacht hatte, ohne dass ich mich dafür entschieden hatte. Ich blieb stehen. Mitten im klammen Wald, hinter mir der Nebel, über mir diese gestaute, graue Wolkendecke. Lange stand ich so da und wusste nicht, ob ich gelangweilt, zornig oder todunglücklich war.

Einige Tage später fragte Randy mich, ob er mit mir auf den Friedhof zum Grab meines Bruders gehen dürfe. Ich sagte: »Nein!« Am nächsten Tag fragte er mich wieder. Ich sagte ihm, dass ich nur ein einziges Mal da gewesen wäre, bei der Beerdigung, und seitdem nie wieder. Gräber, sagte ich, würden mir nichts bedeuten. Aber er wollte es unbedingt.

Zwei Tage später, er hatte mich immer und immer wieder bedrängt, gab ich nach, und er fuhr mich das kurze Stück mit dem Auto meines Vaters zum Friedhof. Ich war mir sicher, dass ich den Weg zum Grab ohne Weiteres finden würde. Doch in der Reihe, in der ich suchte, war es nicht. Ich war irritiert. Ging einen anderen Weg. Wieder nichts.

Randy folgte mir. »Wie sieht es denn aus?«, fragte er. »Ein weißes Marmorkreuz. Eine weiße Marmorplatte im Boden mit seinem Namen drauf. Wie sie es bepflanzt haben, weiß ich nicht.« Ich wunderte mich über meine Gereiztheit. Wie konnte es sein, dass ich das Grab meines Bruders nicht fand? Da war der Gießkannenständer, da die Wiese, da die Birkenallee. Aber das Grab fehlte. Randy rief mich: »Ich glaub, ich habs.« Ich sah ihn nicht. Ich ging um eine große Hecke herum. Stolperte über einen im Boden eingelassenen Wasseranschluss. »Wo bist du denn?« Er rief: »Hier.« Er war ganz nah, aber ich sah ihn nicht. »Ja, wo denn, verdammt noch mal.« Ich wusste nicht, woher seine Stimme kam. »Randy, wo bist du?« Lachend kam er zwischen zwei Büschen hervor: »Hier ist es.«

Mir war der Platz völlig fremd. Da konnte es doch nicht sein. Ich folgte ihm zwischen den Büschen hindurch und sah es. Das noch sehr weiße Marmorkreuz und die Marmorplatte mit dem Namen meines Bruders. Wir standen vor dem Grab. Randy sagte leise: »Sieht schön aus.« Ich setzte mich auf den Weg vor das Grab. Randy setzte sich neben mich. Auf dem Kreuz war, und davon hatte ich nichts gewusst, das hatten mein übrig gebliebener Bruder und meine Eltern vergessen, mir zu erzählen, eine Zeile eingraviert: »Die Liebe höret nimmer auf«.

Ich legte meinen Kopf in Randys Schoß, spürte den Stoff der Anzughose. Er strich mir mit seiner Hand über den Rücken.

Bei dem Autounfall war nicht nur mein Bruder ums Leben gekommen. Ein Lastwagenfahrer hatte hinter einer Hügelkuppe gehalten, um mitten in der Nacht zwei Anhalterinnen herauszulassen. Er hatte sogar das Licht des Lastwagens ausgeschaltet. Mein Bruder saß zusammen mit seiner Freundin auf dem Rücksitz. Sie kannten sich erst wenige Wochen. Der Wagen schleuderte unter den Laster. Am Steuer saß der beste Freund meines Bruders. Er überlebte unverletzt. Es war spät. Sie waren in einer Diskothek gewesen. Die Freundin meines Bruders starb noch an der Unfallstelle. Mein Bruder starb im Krankenhaus. Der Unfall war 1985. Das ist jetzt mehr als fünfundzwanzig Jahre her.

Der Freund lebt in Hamburg und ist Arzt geworden. Ein Kniespezialist. Meine Mutter hatte sein Bild in einer Fachzeitschrift gesehen und es mir gezeigt. Plötzlich sah ich, wie alt mein Bruder jetzt wäre.

Ich vergesse immer, dass er älter geworden wäre. Mittlerweile bin ich ja viel älter als er. Schon lange bin ich nicht mehr der Jüngste von uns dreien. Das ist jetzt er.

Wyoming

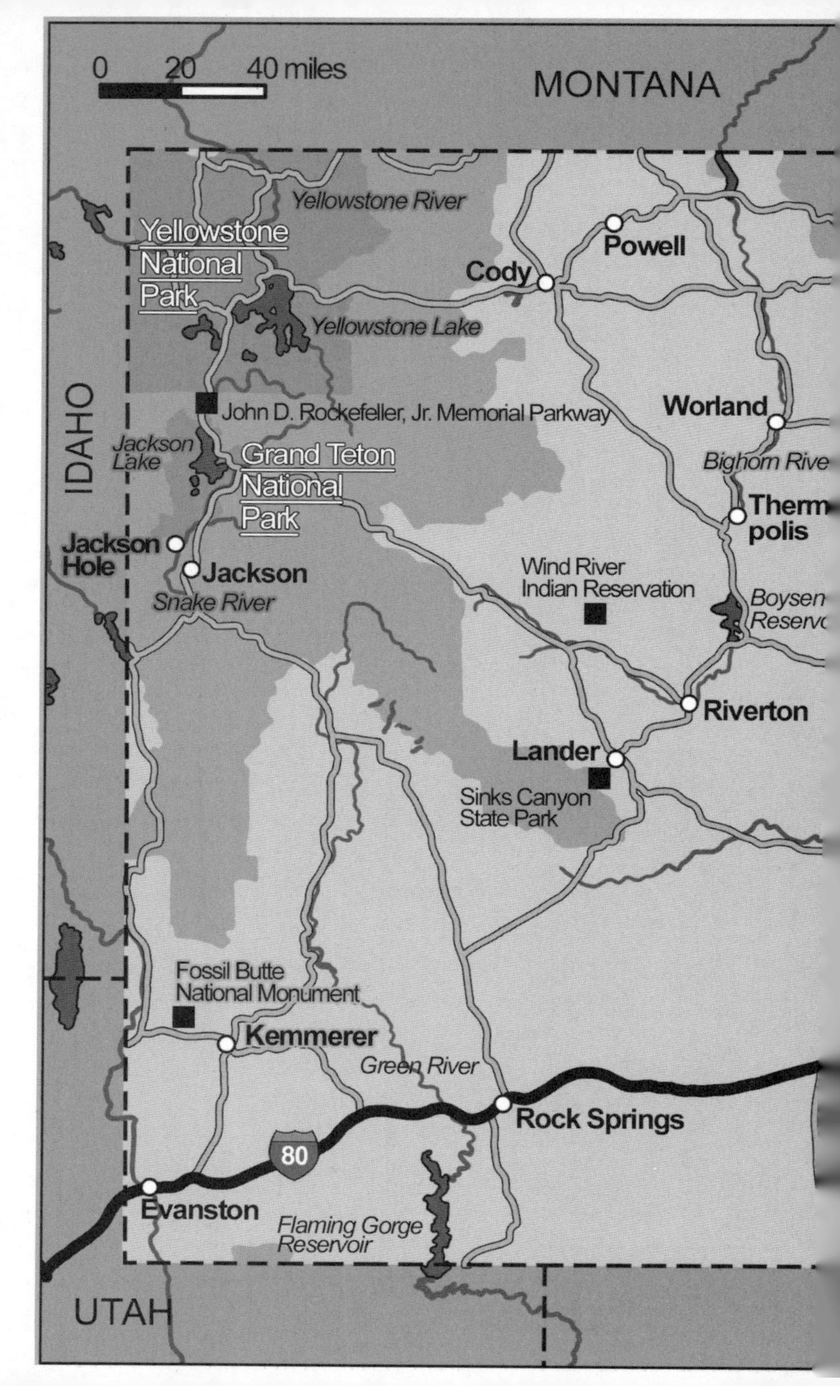
0
20
40 miles
MONTANA
Yellowstone River
Yellowstone National Park
Powell
Cody
Yellowstone Lake
IDAHO
John D. Rockefeller, Jr. Memorial Parkway
Worland
Jackson Lake
Grand Teton National Park
Bighorn Rive
Therm polis
Jackson Hole
Jackson
Wind River Indian Reservation
Snake River
Boysen Reserv
Riverton
Lander
Sinks Canyon State Park
Fossil Butte National Monument
Kemmerer
Green River
Rock Springs
80
Evanston
Flaming Gorge Reservoir
UTAH

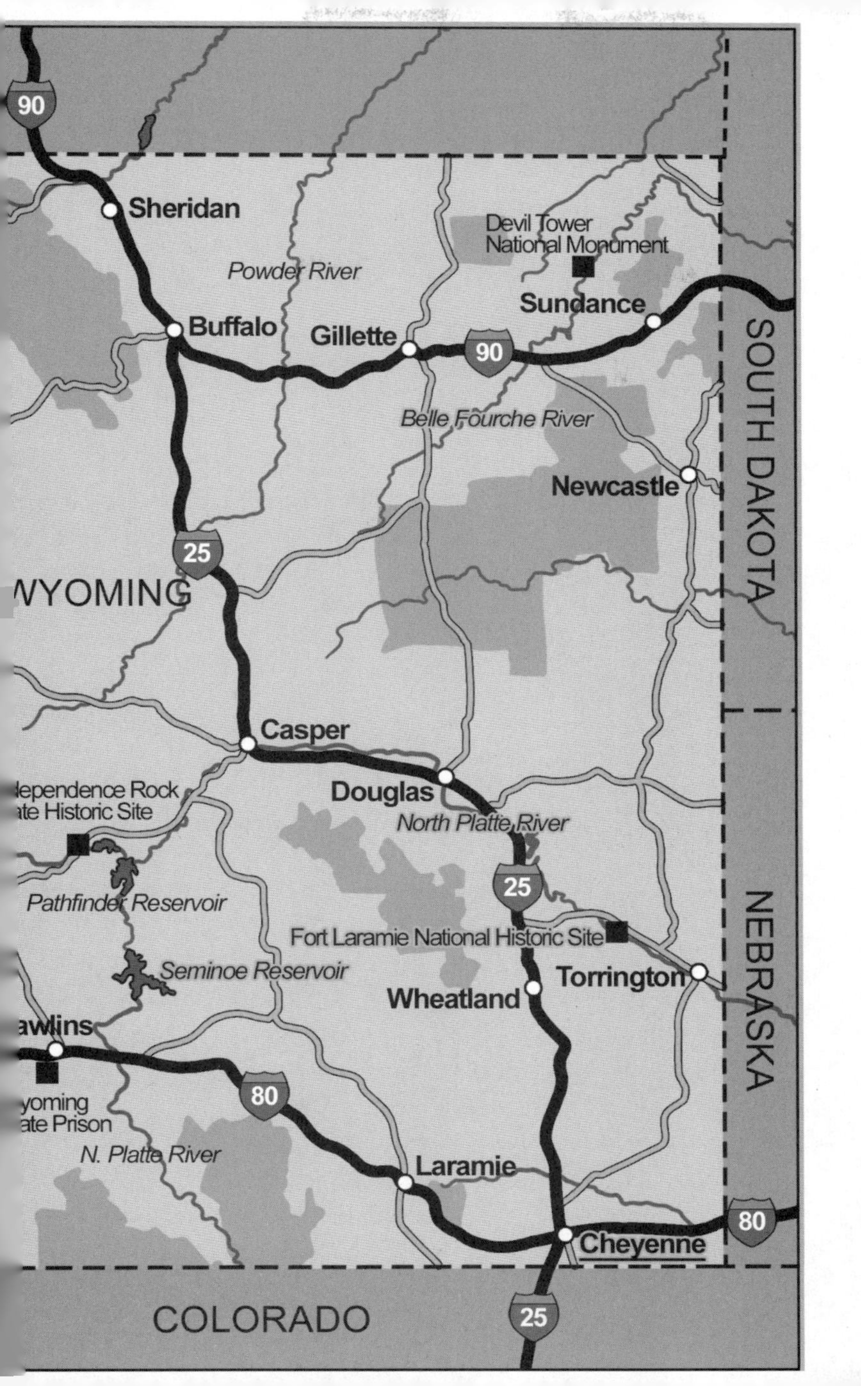

90
Sheridan
Devil Tower
National Monument
Powder River
Sundance
Buffalo
Gillette
90
SOUTH DAKOTA
Belle Fourche River
Newcastle
25
WYOMING
Casper
lependence Rock
ate Historic Site
Douglas
North Platte River
25
Pathfinder Reservoir
Fort Laramie National Historic Site
Seminoe Reservoir
Torrington
Wheatland
NEBRASKA
awlins
80
yoming
ate Prison
N. Platte River
Laramie
80
Cheyenne
COLORADO
25

Joachim Meyerhoff. Die Zweisamkeit der Einzelgänger.
Roman. Gebunden. Verfügbar auch als E-Book

Endlich verliebt! In Hanna, Franka und Ilse.
Eine blitzgescheite Studentin, eine zu Exzessen neigende Tänzerin und eine füllige Bäckersfrau stürzen den Erzähler in schwere Turbulenzen. Die Gleichzeitigkeit der Ereignisse ist physisch und logistisch kaum zu meistern, doch trotz aller moralischer Skrupel geht es ihm so gut wie lange nicht. Die Frage ist: Kann das gut gehen? Die Antwort ist: nein.

Kiepenheuer
& Witsch

Leseproben und mehr unter www.kiwi-verlag.de

Weitere Titel von Joachim Meyerhoff bei Kiepenheuer & Witsch

Wann wird es endlich wieder so, wie es nie war.
Roman. Taschenbuch. Verfügbar auch als E-Book

Ist das normal? Zwischen körperlich und geistig Behinderten als jüngster Sohn des Direktors einer Kinder- und Jugendpsychiatrie aufzuwachsen? Der junge Held in Joachim Meyerhoffs Roman kennt es nicht anders – und mag es sogar sehr.

Ach, diese Lücke, diese entsetzliche Lücke.
Roman. Taschenbuch. Verfügbar auch als E-Book

Wanderer zwischen den Welten: tagsüber verwirrter Schauspielschüler, abends umsorgter Gast bei den geliebten Großeltern. Im dritten Teil seiner Romanreihe verbindet Joachim Meyerhoff erneut auf grandiose Weise Komik und Tragik miteinander.